# Poesía española contemporánea

## Gerardo Diego

Rubén Darío, Unamuno, Valle-Inclán, Machado, Juan Ramón, León Felipe, Salinas, Guillén, Dámaso Alonso, Gerardo Diego, García Lorca, Alberti, Aleixandre, Cernuda, y otros...

Taurus

Temas de España

*TEMAS DE ESPAÑA*

13

POESIA ESPAÑOLA CONTEMPORANEA

GERARDO DIEGO

# POESIA ESPAÑOLA CONTEMPORANEA

(1901-1934)

NUEVA EDICION COMPLETA

Segunda edición, en Temas de España, de las dos antologías POESÍA ESPAÑOLA (*Contemporáneos*), de Gerardo Diego (1932-1934), repitiendo la primera de *Taurus Ediciones*, en la Colección Sillar, Madrid, 1959.

Segunda edición: 1962
Tercera edición: 1966
Cuarta edición: 1968
Quinta edición: 1970
Sexta edición: 1972
Séptima edición: 1974





Plaza del Marqués de Salamanca, 7. Madrid-6

Depósito legal: M.36790-1974

ISBN 84-306-4013-4

*PRINTED IN SPAIN*

# PROLOGO A ESTA NUEVA EDICION

*TRES prólogos va a llevar este volumen y en orden cronológico inverso. El de hoy mismo, éste que empiezo a escribir para justificar y explicar esta nueva edición completa. Y sucesivamente, hacia atrás, los que encabezan las reediciones que siguen de mis "Antologías" de 1934 y 1932. Porque este volumen es, en efecto, un doble libro. En él se comprenden, íntegros, dos libros. El aparecido en 1932:* Poesía Española / Antología 1915-1931 y Poesía Española / Antología / (Contemporáneos), *impreso en 1934. Uno y otro libro completaban sus portadas respectivas con la lista de los poetas incluidos y la indicación "Selección de sus obras publicadas e inéditas por Gerardo Diego". Pues bien, ambos libros se reestampan aquí precedidos de sus portadas respectivas. Va por delante el último en fecha y más amplio, el de 1934, exactamente tal como se publicó, en reimpresión a plana y renglón. Pero para que el lector posea en uno los dos libros, sigue la otra "Antología", la primera y más limitada, en todo aquello que no se incluyó en la segunda o que se varió por deseo de los poetas o para ponerla al día. Por otra parte, se indica—siguiendo el contenido del libro poeta a poeta—todo lo que no se vuelve a repetir, puesto que ya está en las páginas de la "Antología" mayor, donde el lector puede encontrarlo en su lugar correspondiente. Me ha parecido este sistema el más claro, aunque el orden cronológico sea el inverso, porque así se parte del texto más extenso y resultan muchas menos páginas para las variantes del otro.*

*Tiene el lector en sus manos un libro, dos libros históricos. Por lo cual se respeta el texto, hasta en sus mínimos errores —pequeños olvidos bibliográficos, algunas inexactitudes—y, por supuesto, en su temporalidad, que alude a obras inéditas que a partir de 1934 habían de ser publicadas o mantiene vivos en aquella fecha a los que ya no están entre nosotros. Introducir la más pequeña completa modificación hubiera sido falsear la historicidad, la autencidad de las "Antologías". Y ha parecido más discreto intocar lo una vez hecho, lo ya irremediable, dejando la puerta abierta para que alguien prosiga en otro u otros volúmenes la historia en antología de nuestra poesía mejor, arrancando precisamente de los nombres y obra en donde aquí se detiene.*

*Todos los libros, desde algún tiempo de su salida, se convierten en virtualmente históricos. Para que de verdad lo sean se requieren dos condiciones. Que sigan viviendo y operando en nuevos lectores y que al mismo tiempo queden materialmente alejados, al no reeditarse y resultar de difícil adquisición. La lejanía que produce el agotamiento—rápido en las dos "Antologías"—y la prolongación durante más de veinte años de tal estado de inencontrabilidad convierte a estos libros, que tantas veces se han venido citando como modelos, singularmente el de 1932, en pesadilla de bibliófilos, áncora y guía de profesores y desesperación de poetas y aficionados. Ahora, con esta nueva salida, van a dejar de ser problema, van a perder de históricos todo lo que tenían de lejanía y dificultad y van a tener que defender su derecho a seguir considerándose como obra histórica precisa y solamente por lo que conserven de actual, y respondan todavía al crédito que supieron ganarse año tras año.*

*Que mi "Antología" en sus dos salidas merezca o no tan señalada distinción no es cosa que me preocupe o me envanezca. Si algún mérito tiene el libro es el valor poético de lo inserto, en lo cual bien escasa parte me toca, si es que me toca alguna. Ruego al lector ponga su atención en los prólogos que preceden a cada antología y en ellos verá hasta qué punto es obra personal y hasta qué punto colectiva. Permítaseme que reproduzca un párrafo del primer prólogo, del de 1932: "Y no sólo la antología de cada uno, sino la lista o repertorio de los poetas incluidos responde al criterio de una mayoría casi unánime. Con toda nobleza diré que si este libro hubiese sido estrictamente personal, la antología habría variado y los poetas incluidos serían* casi los mismos, pero no exactamente los que ahora figuran en él. En primer término hubiera prescindido de mí mismo, no ya por una consideración de falsa modestia, sino simplemente por un escrúpulo de elemental urbanidad y cortesía ante el lector. En cambio, tal como este libro está planeado, mi omisión no hubiera estado justificada, o, al menos, ésa ha sido la opinión de mis compañeros. De la misma manera que el director de una revista colabora en ella, sin que nadie lo encuentre incorrecto, me ha parecido más sincero y más objetivo no desertar, en nombre de un escrúpulo de espectacular humildad, de estas páginas, en las que me acompañan, una vez más, mis camaradas de asidua colaboración poética en las revistas de la última década."

Pero no se vaya a pensar que todo fue camino de rosas para el libro. Ciertamente, para lo que se usa en España, la bibliografía de reseñas resultó copiosa en extremo entre 1932 y 1934. Y también en el extranjero tuvo larga y casi unánime elogiosa repercusión. No tan unánime entre nosotros. Hubo hasta sus conatos de polémica entre impugnadores y defensores. Yo permanecí mudo y divirtiéndome al margen. No sólo reseñadores profesionales, sino espontáneos que saltaron al ruedo desde su tendido de poetas, se manifestaron disconformes y hoy resulta graciosísimo releer sus distingos y sus condenas. En verdad que la cosa no era para menos. Salir con una primera antología después de tantos años en que no aparecía ninguna que valiese la pena y que en ella figurasen nombres apenas estrenados, prácticamente desconocidos, presididos por unos pocos maestros, entre los que tampoco estaban varios de los más sonados para el gran público, y olvidar de paso a otros muchachos o no tan muchachos, entre los cuales daba la casualidad de que se hallaba el objetante, era como para perder los estribos. Mi "Antología" era una apuesta demasiado arriesgada. ¿Qué pasaría al cabo de cinco, diez, veinte años? ¿Responderían los novilleros poetas a la fianza que unos pocos cientos de aficionados ansiosos de novedad empezaban a depositar en su futuro? La respuesta del tiempo hasta ahora, a la vista está. Y los entonces flamantes principiantes son los maestros reconocidos hoy. Pero para acertar había que arriesgar.

*Acabo de decir del tiempo hasta hoy. Veintitantos años son muy pocos para asegurar una estabilidad futura y humanamente perpetua en la tabla de valores. Yo estoy convencido de que la poesía española actual, que hoy necesariamente nos parece tan elevada—y no sólo a los españoles e hispánicos, sino a los poetas y críticos de Italia, Alemania, Francia, Bélgica, Holanda, Inglaterra, Estados Unidos, etc.—, dentro de tal vez no muchos años ha de bajar en la estimación relativa histórica. El tiempo, inexorable, oscurecerá a muchos de estos poetas, respetando sólo a algunos, y también en este filtrado la estimación será diversa a la de hoy. Y estoy convencido porque es eterna historia, es y siempre ha sido ilusión contemporánea el creerse en posesión de la buena doctrina y de la más extremada realización. Por eso hay que leer con amor a los poetas de las épocas que hoy parecen a primera vista equivocadas y aprender en los juicios de entonces la falibilidad de la crítica humana y el espejismo de la ilusión combatiente.*

*A no pocos lectores y críticos causó extrañeza que mi "Antología 1915-1931" apareciese sin una caracterización o juicio de cada poeta por el antólogo. Ello respondía a un plan. Cuando yo propuse al editor mi obra, la antología era sólo uno de sus dos volúmenes. El otro lo constituiría un panorama trazado por mí de la poesía española del momento, cuyos capítulos estaban ya en parte hechos en el momento de la oferta. En ese libro yo me había de expresar con mi acostumbrada sinceridad y mi juicio personalísimo matizaría lo que en el otro volumen, el antológico, estaba obligado a presentar más objetivamente. Por eso pensé que lo mejor era que cada poeta, además de enviarme los datos biográficos y bibliográficos y, a ser posible, redactados por él, añadiese una nota de poética personal. Esto daba la máxima autenticidad al libro en lo que había de tener de diverso y de dentro afuera de cada ilusión de poeta y resultó uno de los motivos esenciales del triunfo editorial. Por desgracia, el editor, que vio claro el éxito de la antología, no se decidió a publicar el otro tomo, respondiendo siempre con largas a mis requerimientos, y mi libro crítico no llegó a salir, ni siquiera a ser escrito por completo. Yo sigo pensando que por lo menos se hubiera vendido muy bien, aunque por mi modo tan personal de sentir la poesía se le hubiese juzgado contradictoriamente.*

*En cambio, al agotarse la antología, concibió el editor una nueva idea. Publicar en cinco volúmenes una Antología de toda la poesía española. El primero que efectivamente se editó era el de la Edad Media, preparada por Dámaso Alonso. Seguiría el del siglo XVI, por Jorge Guillén. Preparado el texto, llegaron a tirarse algunos pliegos, pero las dificultades originadas por la guerra impidieron la edición del libro. Luego iría el tomo del XVII y XVIII, cuya primera parte, la poesía desde Góngora, haría yo, y el neoclasicismo, Salinas. El cuarto tomo lo prepararíamos Salinas—el romanticismo—y yo—el realismo—. Y así se llegaba a nuestro siglo, que se había de contener en un quinto y último tomo de "Contemporáneos", que es justamente éste que hoy se reimprime. El plan obligaba, por tanto, a una amplitud en fechas y criterio, necesaria para empalmar con el siglo XIX. Era lógico, inevitable, partir de Rubén Darío, y yo me veía obligado a reconstruir un libro que resultaba en gran parte nuevo. Todo ello queda explicado en el prólogo que el lector encontrará aquí reproducido.*

*La necesidad forzosa de empezar con el siglo daba un carácter menos extremado al criterio selectivo de poetas y poemas, y poetas que—por ejemplo—se citaban en el prólogo de 1932 como excluidos, ahora debían entrar. Y con ellos, otros en condiciones análogas. Esto es lo que no comprendieron los que me acusaron en la aparición de la nueva antología de deslealtad conmigo mismo y con mis compañeros, de blandura o aburguesamiento. No lo comprendieron o no lo quisieron comprender, porque la comprensión era obligada. Un poeta como Villaespesa no tenía por qué figurar en la primera antología. Pero en la de todo el primer tercio del siglo XX era indiscutible. Mi criterio seguía siendo el mismo. Si el plan editorial me hubiera forzado a partir del romanticismo resultaban igualmente inevitables Espronceda y Campoamor. Porque una antología no debe hacerse con el criterio intransigente de la poética del momento actual aplicado a las etapas ya históricas. Claro que puede hacerse, pero ya no sería propiamente antología, sino museo personal y capricho de afinidades elegidas. El antólogo no puede abdicar su sensibilidad y su gusto, su estética y su fe. Pero ha de acertar a armonizarlas con la estimación histórica y con el respeto a las creencias o ilusiones de cada momento. Sólo así la selección resultará a un tiempo permanente y actual, serena y reivindicadora, famosa y nueva.*

*Y ahora me veo obligado a explicar ciertas particularidades y extrañezas del libro, del de 1934, que se han comentado muchas veces con inexactitud por falta de información o de buena voluntad para contar los hechos como fueron. Pero para ello hay que decir algo de la colaboración de Juan Ramón Jiménez, tan amistosa, para el libro de 1932. Yo requerí su autorización por intermedio del buenísimo amigo Juan Guerrero Ruiz, que sabía que había de ser mi mejor embajador. Hay que tener presente que el editor de "Signo" era entonces el editor de Juan Ramón, con quien tenía firmado un contrato de exclusiva para sus obras y las traducidas por Zenobia y por él. Juan Ramón se mostró conforme con todo. Con la lista de poetas que habían de figurar, los diecisiete nombres, a los que no puso el menor reparo. Con enviar sus notas biográficas y bibliográficas y su declaración de poética, como en efecto lo hizo. En cuanto a la selección, como él me la dejaba hacer, pero quería luego revisarla, por si podía sustituir alguna pieza para dar al conjunto mayor variedad y significación representativa, y, además, para ofrecerme las últimas versiones corregidas, yo le propuse, y le pareció bien, elegir una antología muy extensa, como tres o cuatro veces la que en difinitiva cabría en el libro, para que el poeta pudiese de ella entresacar lo que mejor le pareciese. Así lo hice, según mi particular gusto, pero procurando no quedase fuera ninguna dirección, calidad y tema de su tan rica y admirable obra. Pues bien, el poeta sustituyó de tal manera que el resultado no correspondía apenas a mi cosecha. Resultó en rigor una selección suya, salvo en una docena quizá de coincidencias.*

*Otra de sus condiciones fue la de revisar él mismo las pruebas. Pero me creí en el deber de repasarlas yo después, y pude evitarle algunas erratas verdaderamente horrendas que escaparon a la lupa del poeta.*

*Cuando procedimos a la edición de la nueva antología no creí necesario volver a solicitar permisos, sino simplemente informar a los poetas y ofrecerles ocasión para poner al día datos y poemas, si esto último lo creían oportuno. No hubo inconveniente por parte del maestro de Moguer y se empezaron a tirar los pliegos. Entre tanto yo había ampliado el repertorio de poetas, sin creerme esta vez obligado a solicitar conformidades que habrían de ser muy difíciles. Juan Ramón me hizo saber su deseo de que figurasen cuatro poetas porque lo estimaba justo. Como yo lo pensaba también y ya estaban por mí elegidos espontáneamente, así se lo hice saber. Todo parecía que iba a marchar sobre ruedas cuando, después de tirados los primeros pliegos del libro, al aparecer en un diario madrileño unos artículos de José Bergamín, elogiando el reciente libro "La voz a ti debida", de Pedro Salinas, con censuras para Juan Ramón y nombrando también con elogio a varios poetas de la antología, el poeta, justamente disgustado e injustamente creyendo en una confabulación o colaboración contra él de todos los citados por Bergamín, decidió comunicar al editor su retirada de la antología. El editor, cogido entre la espada y la pared, porque no podía indisponerse con casi su único autor, me rogó aceptase. Yo no quise negarme a que saliera el libro, que fue mi primera reacción, porque sabía el enorme perjuicio que le causaba al editor con su contrato editorial en el aire y parte del gasto de la edición ya hecho. Por eso intenté convencer al poeta de su error y de mi inocencia, y con la mía de la de los otros poetas, que nada sabíamos, hasta verlos aparecer, de los artículos de Bergamín. Todo fue inútil y Juan Guerrero fracasó esta vez. Sin embargo, yo insistí en que el libro no podía salir sin la antología de Juan Ramón, puesto que era un criterio mío que no se podía—nadie, ni él ni yo mismo—desobedecer y además un derecho que nadie me podía quitar. El poeta podía desautorizar la inclusión de sus poemas, y aun esto era dudoso después de haberla autorizado para la primera edición. Pero no podía evitar que un antólogo hiciese constar su nombre, su puesto, sus datos biográficos y bibliográficos y la lista de los poemas elegidos. Para que su ausencia resultase más visible y más cómodo para el lector la reparación del desaguisado, propuse también que se le reservasen en blanco las páginas que debían ocupar sus poemas, de modo que cada poseedor de ejemplar pudiese copiarlas si le placía. Pero también a esto se negó y sólo accedió a que se conservasen los textos preliminares en prosa y los títulos de los poemas volatilizados.*

*Esta es la verdad de los hechos y todo lo que a ella no se ajuste es pura inexactitud. Todavía en prensa el libro, comenzaron a salir indiscreciones periodísticas. Después, en diversas publicaciones periódicas y en libros, se han contado los hechos de modo erróneo, sin que yo me haya creído en el caso de rectificar. Todavía hoy, y mucho más después de fallecer en fecha reciente y dolorosa Juan Ramón Jiménez, que tantas muestras me había dado antes y me había de dar después de amistad y estimación, no me parece discreto que yo recoja alusiones y juicios sobre todo este pleito, que me obligarían a señalar incongruencias e inconsecuencias del proceder humano. Tan sólo me gustaría que en adelante, los narradores de la menuda historia bibliográfica se atuviesen a estas declaraciones que aquí estampo y rectificasen errores difundidos.*

*Respecto a los que echan de menos—o de más—en este libro tales nombres y obra de poetas, nada he de decirles sino que quizá tengan razón en este o en el otro caso; razón suya y hasta mía. La mayor parte de las objeciones, sin embargo, quedan anuladas por el plan mismo de la obra; tal como se explica en los dos prólogos, o por no tener en cuenta el momento histórico en que salió el libro y el estado entonces de la obra publicada por el poeta que sólo más tarde había de publicar sus libros mejores, y en algún caso incluso su primer libro. Y no insisto más porque se trata de una reedición en la que no es posible variar la reproducción de un documento. Además, ya lo dije en mi prólogo de 1934: "Una antología es siempre un error." Por lo visto, el mío, hasta ahora, no aparece como demasiado grave, a juzgar por el favor dispensado por tantos críticos, poetas, profesores y lectores. Gracias les sean dadas en nombre de todos estos poetas españoles y en el mío propio.*

# POESIA ESPAÑOLA
## ANTOLOGIA
## (1934)

# POESIA ESPAÑOLA

## A N T O L O G I A
## (CONTEMPORANEOS)

RUBÉN DARÍO - UNAMUNO - VALLE-INCLÁN - VILLAESPESA
MARQUINA - M. MACHADO - A. MACHADO - JUAN RAMÓN JIMÉNEZ
MESA - MORALES - RÍO SÁINZ - MORENO VILLA - "ALONSO QUESADA"
BACARISSE - ESPINA - DOMENCHINA - LEÓN FELIPE - BASTERRA
SALINAS - GUILLÉN - DÁMASO ALONSO - LARREA - DIEGO - GARCÍA
LORCA - ALBERTI - VILLALÓN - ERNESTINA DE CHAMPOURCÍN
ALEIXANDRE - CERNUDA - ALTOLAGUIRRE - JOSEFINA DE LA TORRE

SELECCION DE SUS OBRAS
PUBLICADAS E INEDITAS

POR

**GERARDO DIEGO**

S I G N O
M A D R I D
1 9 3 4

2

# PROLOGO

*Agotado por el favor del público el libro* Poesía Española-Antología 1915-1931, *aparece ahora este nuevo volumen, más extenso y amplio que aquél. Por un lado, este libro viene a ser, en cuanto a los poetas incluídos en la* Antología 1915-1931, *que aquí mismo se repiten (con la excepción de Emilio Prados, cuya voluntad de permanecer al margen se respeta esta vez), una nueva edición, ampliada y puesta al día, lo cual ha exigido una nueva labor de selección y economía distributiva con arreglo a la doble ampliación de las fechas límites: hacia adelante, hasta 1934, y hacia atrás, hasta arrancar de la época de Rubén Darío, o sea aproximadamente con nuestro siglo.*

*Por otra parte, la presente obra es un libro totalmente nuevo, en lo que se refiere a la inclusión de quince poetas que no figuraban en aquélla; inclusión obligada ahora, al sustituir la fecha inicial 1915 por el concepto elástico de contemporaneidad, y concretamente al tomar como punto de partida la esplendorosa renovación de las esencias y modos poéticos, que se debe en rigor a Rubén Darío.*

*Y así, un nicaragüense, a pesar de serlo, figura aquí con pleno derecho de poeta español, como única excepción obligada a la limitación nacional que se halla implícita en el título del libro. Sin duda, otros admirables poetas americanos han influido con su obra en la de estos poetas españoles. Pero es evidente que jamás un poeta de allá se incorporó con tan total fortuna a la evolución de nuestra poesía patria, ejerciendo sobre los poetas de dos generaciones un influjo directo, magistral, liberador, que elevó considerablemente el nivel de las ambiciones poéticas y enseñó a desentumecer, airear y teñir de insólitos matices vocabulario, expresión y ritmo.*

*Debe además tenerse presente que este volumen será en breve el último de una serie que con el mismo título* Poesía Española *abarcará en otros cuatro la antología histórica de nuestra poesía desde sus orígenes hasta el siglo XX, y en cuya preparación colaboramos Dámaso Alonso, Jorge Guillén, Pedro Salinas y yo. Quizá algún lector eche en falta en este libro a Salvador Rueda (1857-1933). La simple inspección de esas fechas atestigua que Rueda pertenece tanto al siglo XIX como al XX. Mejor dicho, es esencialmente un poeta del XIX que se sobrevive en el XX. Rueda aparece formado con los datos esenciales de su personalidad antes que Darío, y él tuvo siempre buen cuidado en reivindicar esa prioridad indiscutible. El poeta malagueño figurará, pues, en el tomo correspondiente al siglo XIX.*

*Y lo mismo que en la* Antología 1915-1931 *explicaba las razones y límites de su parcialidad, la cronológica y la poética —creencia en la poesía como algo inconfundiblemente distinto de la literatura—, podía ahora exponer detenidamente las de esta nueva y más extensa parcialidad. Creí explicar con suficiente sencillez en aquel prólogo mis propósitos. No tanto, por lo visto, que evitase, junto a palabras de benévolo elogio y total comprensión, que agradecí vivamente, otras de resuelta y vehemente discrepancia. No contesté entonces a aquellas objeciones por entender que todas o las más arrancaban de no haber leído con atención mi prólogo y porque mi temperamento no es habitualmente polemista.*

*Olvidaban, en efecto, aquellos ataques los siguientes hechos, todos ellos explícitos en el libro. Que al empezar en 1915, no cabían aquellos poetas cuya personalidad estaba ya formada, completa, antes de aquella fecha. (Es el mismo caso de esta edición con Salvador Rueda.) Que tampoco podían entrar los que, aun siendo cronológicamente posteriores, producían una poesía de estirpe rubeniana, postrubeniana, modernista o como se quiera llamar a la típica del período 1900-1915; una poesía demasiado literaria al lado de la de los poetas de la* Antología. *Que mi libro no era una antología de poesías, sino de poetas, con obra personal y sostenida. (De haberlo sido de poesías, se habría enriquecido con muestras de no pocos poetas más.) Finalmente, y esto es muy importante, que mi selección no era un capricho mío personal, sino un acuerdo, conformidad casi exacta en el gusto de la mayoría de los dieciséis poetas, consultados por mí en ese punto. Y me sometí gustoso a ese criterio objetivo, hasta el extremo de que la elección definitiva de nombres no coincidía en algún caso con la que por mí solo y propio capricho hubiera yo hecho. Y esta coincidencia se extendía asimismo a personas alejadas del medio literario madrileño y de toda sospecha de partidismo previo. Curiosa en extremo, por ejemplo, la coincidencia absoluta de poetas con una antología de versiones francesas que por entonces preparaba Matilde Pomès.*

*Yo ya sé que una antología es siempre un error. Error para el propio antólogo al momento siguiente de ultimarla y error más de bulto y sin disimulo ante la posteridad (que, a su turno, también se equivoca). Hay que aceptar ese riesgo inevitable con sinceridad y buena fe, porque el error mismo es el día de mañana un hecho histórico que ilustra y completa el conocimiento de la época.*

*Y así aparece ahora este volumen, que provocará nuevas y saludables discrepancias. Por las razones que antes he resumido, quedan ahora excluidos muy dignos poetas contemporáneos. Por de pronto, los que cultivan una poesía aún "siglo XIX", impermeable a la fertilización rubeniana: una poesía académica, noblemente anacrónica. O una poesía regionalista y dialectal, resto del naturalismo fin de siglo. O una poesía del arroyo, con materiales de plebeya y efectista calidad. O una poesía fácilmente pintoresca, abandonada a la holgura del tópico de teatro. El lector encontrará a la mano nombres notorios de poetas, algunos de ellos de obra caudal y de innegable carácter y fisonomía. Pero estimo que ese carácter se ha adquirido a expensas de los posibles valores poéticos de su obra.*

*Faltan asimismo otros nombres eminentes en la literatura contemporánea, para quienes la poesía ha sido o es accidental dentro de su obra íntegra. Cuando las calidades poéticas no ofrecen nada sustantivamente distinto o enriquecedor de su obra crítica, novelesca o dramática, me ha parecido discreto—aunque doloroso—prescindir de ellos aquí. Obsérvese que no es este el caso de Valle-Inclán, que es, cuando menos, un primoroso artífice del verso; ni de Unamuno, poeta antes, en y después de su obra literaria total.*

*Creo que estas indicaciones justificarán plenamente, si no mi acierto, al menos mi propósito al ofrecer al lector este nuevo florilegio. Réstame sólo añadir que a la selección de las poesías acompañan las notas biográficas y bibliográficas de cada poeta y una sucinta exposición que cada uno hace de su concepto de la poesía. El lector encontrará en lugar oportuno la procedencia de cada una de las piezas elegidas. Se citan por los libros de su autor en que aparecieron por vez primera. Cuando figuraban como inéditos en la* Antología 1915-1931, *se anotan ahora como de ese libro, al menos que se hayan incorporado a nuevos libros de los poetas respectivos. Enriquecen esta edición otras poesías inéditas—en absoluto o no recogidas en libro—de los poetas de aquélla y de los ahora incluidos por vez primera. Debo por esta deferencia a sus autores, así como por la colaboración y amabilidades de todo género que han tenido para conmigo, mi gratitud más expresiva, que me complazco en estampar aquí.*

*La colaboración a que aludo se ha extendido a la selección misma de las poesías, hasta llegar a un compromiso o acuerdo entre las preferencias del propio poeta y las mías, en los casos de Juan Ramón Jiménez, Moreno Villa, Domenchina, Salinas, Guillén, García Lorca, Alberti, Ernestina de Champourcín, Aleixandre y Cernuda. La antología de los restantes poetas vivientes la he hecho yo solo, con su expresa autorización.*

# RUBEN DARIO

## VIDA

*Rubén Darío, o sea Félix Rubén García Sarmiento, nació en Metapa (Nicaragua) el 18 de enero de 1867. Pasó su niñez en León (Nicaragua). Estudió con los jesuitas y comenzó a publicar versos desde los trece años. Profesor primero en un colegio y empleado más tarde en la Biblioteca Nacional de Managua, va completando su cultura con la lectura de los clásicos españoles y de los poetas románticos franceses y españoles. Reside luego en El Salvador. Más tarde trabaja como periodista en Chile, y como corresponsal de* La Nación, *de Buenos Aires, vuelve a su patria. En 1892, con motivo del centenario del descubrimiento de América, viene por vez primera a España. Regresa a América, visita Nueva York y París y se queda en Buenos Aires como cónsul de Colombia. Vuelve a España en 1898, esta vez como corresponsal de* La Nación. *En este segundo viaje aumenta el círculo de sus conocimientos, y el ya autor de* Prosas Profanas *comienza a ejercer profunda impresión en la juventud poética española.*

*Los primeros años del nuevo siglo los pasa en París, como cónsul esta vez de Nicaragua. Viaja por Francia, Italia, España, Bélgica, Alemania, Austria-Hungría, Inglaterra, Brasil, Argentina, Mallorca y, finalmente, Nicaragua. En 1908 es nombrado ministro diplomático en España, pero reside habitualmente en París. Acude en 1910 a las fiestas del centenario mexicano. Funda en París las revistas* Mundial *y* Elegancias. *Y en los últimos años de su vida viaja nuevamente por América; reside una temporada en Mallorca; pasa, ya en 1914, a Nueva York y cae gravemente enfermo. Y de allí a Guatemala y "en busca del cementerio de mi pueblo natal", que, en efecto, encuentra en León, donde muere el 7 de febrero de 1916, a consecuencia de su afección del hígado.*

*Nada tiene de extraño que muriese cristianamente quien había vivido "Entre la catedral y las ruinas paganas", aunque, a decir verdad, más cerca de estas últimas. El nos había confesado: "En mi desolación me he lanzado a Dios como a un refugio, me he asido de la plegaria como de un paracaídas." Alma infantil la de Rubén Darío, taciturno y supersticioso, incapaz de las grandes reacciones de la voluntad, sin duda había en su sangre "alguna gota de sangre de Africa, o de indio chorotega o negradano, a despecho de mis manos de marqués". Su triple raíz indioamericana, española y—por simpatía estética, si no por sangre—francesa, asegura a su obra una integral diversidad de sabores, una coexistencia de ardientes zumos vitales. "Plural ha sido la celeste historia de mi corazón", cantó una vez. En efecto, a sus amores infantiles y de juventud—Inés, Elena, Hortensia—hay que agregar después sus esposas y la compañera de sus últimos años, Francisca Sánchez.*

## POETICA

En sus artículos en prosa, y sobre todo en los prefacios de sus libros de versos, Rubén Darío ha dicho cuanto tenía que decir sobre su concepto de la poesía. Recojo aquí algunas frases sueltas, que me parecen especialmente significativas, entresacadas de sus prólogos.

*Y la primera ley, creador: crear. Bufe el eunuco. Cuando una musa te dé un hijo, queden las otras ocho encinta.*

*¿Y la cuestión métrica? ¿Y el ritmo? Como cada palabra tiene su alma, hay en cada verso, además de la armonía verbal, una melodía ideal. La música es sólo de la idea muchas veces.*

(PROSAS PROFANAS.)

*Podría repetir más de un concepto de las palabras liminares de* Prosas Profanas. *Mi respeto por la aristocracia del pensamiento, por la nobleza del Arte siempre es el mismo. Mi antiguo aborrecimiento a la mediocridad, a la mulatez intelectual, a la chatura estética, apenas si se aminora hoy por una razonada indiferencia. El movimiento de libertad que me tocó iniciar en América se propagó hasta a España, y tanto aquí como allá el triunfo está logrado.*

*Yo no soy un poeta para las muchedumbres. Pero sé que indefectiblemente tengo que ir a ellas.*

*Cuando dije que mi poesía era "mía en mí", sostuve la primera condición de mi existir, sin pretensión ninguna de causar sectarismo en mente o voluntad ajena, y en un intenso amor a lo absoluto de la belleza.*

(CANTOS DE VIDA Y ESPERANZA.)

*Yo he dicho: ser sincero es ser potente. La actividad humana no se ejercita por medio de la ciencia y de los conocimientos actuales, sino en el vencimiento del tiempo y del espacio. Yo he dicho: es el Arte el que vence el espacio y el tiempo. He meditado ante el problema de la existencia y he procurado ir hacia la más alta idealidad. He expresado lo expresable de mi alma y he querido penetrar en el alma de los demás y hundirme en la vasta alma universal.*

*Jamás he manifestado el culto exclusivo de la palabra por la palabra. La palabra no es en sí más que un signo, o una combinación de signos; mas lo contiene todo por la virtud demiúrgica.*

*Yo no soy iconoclasta. ¿Para qué? Hace siempre falta a la creación el tiempo perdido en destruir.*

*Mas si alguien dijera: "Son cosas de ideólogos" o "Son cosas de poetas", decir que no somos otra cosa. Es expresar: además del cerdo y del cisne que nos han adjudicado ciertos filósofos, tenemos el ángel.*

*¡Tener ángel, Dios mío! Pido exegetas andaluces.*

(EL CANTO ERRANTE.)

Y véase, sobre todo, su *Yo soy aquel que ayer no más decía...*

Las poesías elegidas pertenecen a los siguientes libros: número 1, a *Azul...*; 2 a 4, *Prosas profanas;* 5 a 15, a *Cantos de vida y esperanza;* 16 a 18, a *El canto errante;* 19 y 20, a *Poema del otoño y otros poemas;* 21, a *Canto a la Argentina y otros poemas.*

## 1
## VENUS

EN la tranquila noche, mis nostalgias amargas sufría.
En busca de quietud bajé al fresco y callado jardín.
En el oscuro cielo Venus bella, temblando, lucía
como incrustado en ébano un dorado y divino jazmín.

A mi alma enamorada, una reina oriental parecía
que esperaba a su amante bajo el techo de su camarín,
o que, llevada en hombros, la profunda extensión recorría,
triunfante y luminosa, recostada sobre un palanquín.

"¡Oh, reina rubia!—díjele—, mi alma quiere dejar su crisálida
y volar hacia ti y tus labios de fuego besar;
y flotar en el nimbo que derrama en tu frente luz pálida,

y en siderales éxtasis no dejarte un momento de amar."
El aire de la noche refrescaba la atmósfera cálida.
Venus, desde el abismo, me miraba con triste mirar.

## 2
## EL FAISAN

DIJO sus secretos el faisán de oro:
En el gabinete mi blanco tesoro,
de sus claras risas el divino coro,

las bellas figuras de los gobelinos,
los cristales llenos de aromados vinos,
las rosas francesas en los vasos chinos.

(Las rosas francesas, porque fue allá en Francia
donde en el retiro de la dulce estancia
esas frescas rosas dieron su fragancia.)

La cena esperaba. Quitadas las vendas,
iban mil amores de flechas tremendas
en aquella noche de Carnestolendas.

La careta negra se quitó la niña,
y tras el preludio de una alegre riña
apuró mi boca vino de su viña.

Vino de la viña de la boca loca,
que hace arder el beso, que el mordisco invoca.
¡Oh los blancos dientes de la loca boca!

En su boca ardiente yo bebí los vinos,
y, pinzas rosadas, sus dedos divinos
me dieron las fresas y los langostinos.

Yo la vestimenta de Pierrot tenía,
y aunque me alegraba y aunque me reía,
moraba en mi alma la melancolía.

La carnavalesca noche luminosa
dio a mi triste espíritu la mujer hermosa,
sus ojos de fuego, sus labios de rosa.

Y en el gabinete del café galante
ella se encontraba con su nuevo amante,
peregrino pálido de un país distante.

Llegaban los ecos de vagos cantares;
y se despedían de sus azahares
miles de purezas en los bulevares:

y cuando el champaña me cantó su canto,
por una ventana vi que un negro manto
de nube, de Febo cubría el encanto.

Y dije a la amada un día: —¿No viste
de pronto ponerse la noche tan triste?
¿Acaso la Reina de luz ya no existe?

Ella me miraba. Y el faisán cubierto
de plumas de oro: —"¡Pierrot, ten por cierto
que tu fiel amada, que la Luna ha muerto!"

3

## AÑO NUEVO

A las doce de la noche, por las puertas de la gloria
y al fulgor de perla y oro de una luz extraterrestre,
sale en hombros de cuatro ángeles, y en su silla gestatoria,
San Silvestre.

Más hermoso que un rey mago, lleva puesta la tiara,
de que son bellos diamantes Sirio, Arturo y Orión;
y el anillo de su diestra hecho cual si fuese para
Salomón.

Sus pies cubren los joyeles de la Osa adamantina,
y su capa raras piedras de una ilustre Visapur;
y colgada sobre el pecho resplandece la divina
Cruz del Sur.

Va el pontífice hacia Oriente; ¿va a encontrar el áureo barco
donde al brillo de la aurora viene en triunfo el rey Enero?
Ya la aljaba de diciembre se fue toda por el arco
del arquero.

A la orilla del abismo misterioso de lo Eterno
el inmenso Sagitario no se cansa de flechar;
le sustenta el frío Polo, lo corona el blanco Invierno
y le cubre los riñones el vellón azul del mar.

Cada flecha que dispara, cada flecha es una hora;
doce aljabas cada año para él trae el rey Enero.
en la sombra se destaca la figura vencedora
del arquero.

Alrededor de la figura del gigante se oye el vuelo
misterioso y fugitivo de las almas que se van,
y el ruido con que pasa por la bóveda del cielo
con sus alas membranosas el murciélago Satán.

San Silvestre, bajo el palio de un zodíaco de virtudes,
del celeste Vaticano se detiene en los umbrales,
mientras himnos y motetes canta un coro de laúdes
inmortales.

Reza el santo y pontifica; y al mirar que viene el barco,
donde en triunfo llega Enero,
ante Dios bendice al mundo; y su brazo abarca el arco
y el arquero.

## 4
## RESPONSO A VERLAINE

PADRE y maestro mágico, liróforo celeste
que al instrumento olímpico y a la siringa agreste
diste tu acento encantador;
¡Panida! Pan tú mismo, con coros condujiste
hacia el propíleo sacro que amaba tu alma triste,
¡al son del sistro y del tambor!

Que tu sepulcro cubra de flores Primavera,
que se humedezca el áspero hocico de la fiera
de amor si pasa por allí;
que el fúnebre recinto visite Pan bicorne;
que de sangrientas rosas el fresco abril te adorne
y de claveles de rubí.

Que si posarse quiere sobre la tumba el cuervo,
ahuyenten la negrura del pájaro protervo
el dulce canto de cristal,
que Filomela vierta sobre tus tristes huesos,
o la armonía dulce de risas y de besos
de culto oculto y florestal.

Que púberes canéforas te ofrenden el acanto
que sobre tu sepulcro no se derrame el llanto,
sino rocío, vino, miel:
que el pámpano allí brote, las flores de Citeres,
y que se escuchen vagos suspiros de mujeres
¡bajo un simbólico laurel!

Que si un pastor su pífano bajo el frescor del haya,
en amorosos días, como en Virgilio, ensaya,
tu nombre ponga en la canción;
y que la virgen náyade, cuando ese nombre escuche
con ansias y temores entre las linfas luche,
llena de miedo y de pasión.

De noche, en la montaña, en la negra montaña
de las Visiones, pase gigante sombra extraña,
sombra de un Sátiro espectral;
que ella al centauro adusto con su grandeza asuste;
de una extra-humana flauta la melodía ajuste
a la armonía sideral.

Y huya el tropel equino por la montaña vasta;
tu rostro de ultratumba bañe la luna casta
de compasiva y blanca luz;
y el Sátiro contemple sobre un lejano monte
una cruz que se eleve cubriendo el horizonte
¡y un resplandor sobre la cruz!

## 5

YO soy aquel que ayer no más decía
el verso azul y la canción profana,
en cuya noche un ruiseñor había
que era alondra de luz por la mañana.

El dueño fui de mi jardín de sueño,
lleno de rosas y de cisnes vagos;
el dueño de las tórtolas, el dueño
de góndolas y liras en los lagos;

y muy siglo diez y ocho y muy antiguo
y muy moderno; audaz, cosmopolita;
con Hugo fuerte y con Verlaine ambiguo;
y una sed de ilusiones infinita.

Yo supe de dolor desde mi infancia.
Mi juventud..., ¿fue juventud la mía?
Sus rosas aún me dejan su fragancia;
una fragancia de melancolía...

Potro sin freno se lanzó mi instinto,
mi juventud montó potro sin freno;
iba embriagada y con puñal al cinto;
si no cayó, fue porque Dios es bueno.

En mi jardín se vio una estatua bella;
se juzgó mármol y era carne viva;
una alma joven habitaba en ella,
sentimental, sensible, sensitiva.

Y tímida ante el mundo, de manera
que encerrada en silencio no salía
sino cuando en la dulce primavera
era la hora de la melodía...

Hora de ocaso y de discreto beso;
hora crepuscular y de retiro;
hora de madrigal y de embeleso,
de "te adoro", y de "¡ay!" y de suspiro.

Y entonces era la dulzaina un juego
de misteriosas gamas cristalinas,
un renovar de gotas del Pan griego
y un desgranar de músicas latinas,

con aire tal y con ardor tan vivo,
que a la estatua nacían de repente
en el muslo viril patas de chivo
y dos cuernos de sátiro en la frente.

Como la Galatea gongorina
me encantó la marquesa verleniana,
y así juntaba a la pasión divina
una sensual hiperestesia humana;

todo ansia, todo ardor, sensación pura
y vigor natural; y sin falsía,
y sin comedia y sin literatura...:
si hay un alma sincera, esa es la mía.

La torre de marfil tentó mi anhelo,
quise encerrarme dentro de mí mismo,
y tuve hambre de espacio y sed de cielo
desde las sombras de mi propio abismo.

Como la esponja que la sal satura
en el jugo del mar, fue el dulce y tierno
corazón mío, henchido de amargura
por el mundo, la carne y el infierno.

Mas, por gracia de Dios, en mi conciencia
el Bien supo elegir la mejor parte;
y, si hubo áspera hiel en mi existencia,
melificó toda acritud el Arte.

Mi intelecto libré de pensar bajo,
bañó el agua castalia el alma mía,
peregrinó mi corazón y trajo
de la sagrada selva la armonía.

¡Oh la selva sagrada! ¡Oh la profunda
emanación del corazón divino
de la sagrada selva! ¡Oh la fecunda
fuente cuya virtud vence al destino!

Bosque ideal que lo real complica,
allí el cuerpo arde y vive y Psiquis vuela;
mientras abajo el sátiro fornica,
ebria de azul deslíe Filomela

perla de ensueño y música amorosa
en la cúpula en flor del laurel verde,
Hipsipila sutil liba en la rosa,
y la boca del fauno el pezón muerde.

Allí va el dios en celo tras la hembra,
y la caña de Pan se alza del lodo;
la eterna Vida sus semillas siembra,
y brota la armonía del gran Todo.

El alma que entra allí debe ir desnuda,
temblando de deseo y fiebre santa,
sobre cardo heridor y espina aguda:
así sueña, así vibra y así canta.

Vida, luz y verdad, tal triple llama
produce la interior llama infinita;
el Arte puro como Cristo exclama:
*¡Ego sum lux et veritas et vita!*

Y la vida es misterio; la luz ciega
y la verdad inaccesible asombra;
la adusta perfección jamás se entrega,
y el secreto Ideal duerme en la sombra.

Por eso ser sincero es ser potente.
De desnuda que está, brilla la estrella;
el agua dice el alma de la fuente
en la voz de cristal que fluye d'ella.

Tal fue mi intento, hacer del alma pura
mía una estrella, una fuente sonora,
con el horror de la literatura
y loco de crepúsculo y de aurora.

Del crepúsculo azul que da la pauta
que los celestes éxtasis inspira,
bruma y tono menor—¡toda la flauta!,
y Aurora, hija del Sol—¡toda la lira!

Pasó una piedra que lanzó una honda;
pasó una flecha que aguzó un violento.
La piedra de la honda fue a la onda,
y la flecha del odio fuese al viento.

La virtud está en ser tranquilo y fuerte;
con el fuego interior todo se abrasa;
se triunfa del rencor y de la muerte;
¡y hacia Belén... la caravana pasa!

## 6
## AL REY OSCAR

Le roi de Suède et de Norvège, après avoir visité Saint-Jean-de-Luz, s'est rendu à Hendaye et à Fonterrabie. En arrivant sur le sol espagnol, il a crié: "Vive l'Espagne!"

(*Le Figaro,* mars 1899.)

ASI, Sire, en el aire de la Francia nos llega
la paloma de plata de Suecia y de Noruega,

que trae en vez de olivo una rosa de fuego.
Un búcaro latino, un noble vaso griego
recibirá el regalo del país de la nieve.
Que a los reinos boreales el patrio viento lleve
otra rosa de sangre y de luz españolas;
pues sobre la sublime hermandad de las olas,
al brotar tu palabra, un saludo le envía
al sol de media noche el sol de Mediodía!

Si Segismundo siente pesar, Hamlet se inquieta.
El Norte ama las palmas; y se junta el poeta
del fiord con el del carmen, porque el mismo oriflama
es de azur. Su divina cornucopia derrama
sobre el polo y el trópico, la Paz; y el orbe gira
en un ritmo uniforme por una propia lira:
el Amor. Allá surge Sigurd que al Cid se aúna,
cerca de Dulcinea brilla el rayo de luna,
y la musa de Bécquer del ensueño es esclava
bajo un celeste palio de luz escandinava.

Sire de ojos azules, gracias: por los laureles
de cien bravos vestidos de honor; por los claveles
de la tierra andaluza y la Alhambra del moro;
por la sangre solar de una raza de oro;
por la armadura antigua y el yelmo de la gesta;
por las lanzas que fueron una vasta floresta
de gloria y que pasaron Pirineos y Andes;
por Lepanto y Otumba; por el Perú, por Flandes;
por Isabel que cree, por Cristóbal que sueña
y Velázquez que pinta y Cortés que domeña;
por el país sagrado en que Herakles afianza
sus macizas columnas de fuerza y esperanza,
mientras Pan trae el ritmo con la egregia siringa
que no hay trueno que apague ni tempestad que extinga;
por el león simbólico y la Cruz, gracias, Sire.

Mientras el mundo aliente, mientras la esfera gire,
mientras la onda cordial aliente un ensueño,

mientras haya una viva pasión, un noble empeño,
un buscado imposible, una imposible hazaña,
una América oculta que hallar, ¡vivirá España!

Y pues tras la tormenta vienes de peregrino
real, a la morada que entristeció el destino,
la morada que viste luto sus puertas abra
al púrpureo y ardiente vibrar de tu palabra;
y que sonría, oh rey Oscar, por un instante;
y tiemble en la flor áurea el más puro brillante
para quien sobre brillos de corona y de nombre,
con labios de monarca lanza un grito de hombre.

## 7
## SALUTACION DEL OPTIMISTA

INCLITAS razas ubérrimas, sangre de Hispania fecunda,
espíritus fraternos, luminosas almas, salve!
Porque llega el momento en que habrán de cantar nuevos himnos
lenguas de gloria. Un vasto rumor llena los ámbitos; mágicas
ondas de vida van renaciendo de pronto;
retrocede el olvido, retrocede, engañada, la muerte;
se anuncia un reino nuevo, feliz sibila sueña
y en la caja pandórica de que tantas desgracias surgieron
encontramos de súbito, talismánica, pura, riente,
cual pudiera decirla en su verso Virgilio divino,
la divina reina de luz, ¡la celeste Esperanza!

Pálidas indolencias, desconfianzas fatales que a tumba
o a perpetuo presidio condenasteis al noble entusiasmo,
ya veréis el salir del sol en un triunfo de liras,
mientras dos continentes, abonados de huesos gloriosos,
del Hércules antiguo la gran sombra soberbia evocando,
digan al orbe: la alta virtud resucita
que a la hispana progenie hizo dueña de siglos.

Abominad la boca que predice desgracias eternas,
abominad los ojos que ven sólo zodíacos funestos,
abominad las manos que apedrean las ruinas ilustres,
o que la tea empuñan o la daga suicida.

Siéntense sordos ímpetus en las entrañas del mundo,
la inminencia de algo fatal hoy conmueve la tierra;
fuertes colosos caen, se desbandan bicéfalas águilas,
y algo se inicia como vasto social cataclismo
sobre la faz del orbe. ¿Quién dirá que las savias dormidas
no despierten entonces en el tronco del roble gigante
bajo el cual se exprimió la ubre de la loba romana?
¿Quién será el pusilánime que al vigor español niegue músculos
y que el alma española juzgase áptera y ciega y tullida?
No es Babilonia ni Nínive enterrada en olvido y en polvo,
ni entre momias y piedras reina que habita el sepulcro,
la nación generosa, coronada de orgullo inmarchito,
que hacia el lado del alba fija las miradas ansiosas,
ni la que tras los mares en que yace sepulta la Atlántida,
tiene su coro de vástagos altos, robustos y fuertes.

Unanse, brillen, secúndense tantos vigores dispersos;
formen todos un solo haz de energía ecuménica.
Sangre de Hispania fecunda, sólidas, ínclitas razas,
muestren los dones pretéritos que fueron antaño su triunfo.
Vuelva el antiguo entusiasmo, vuelva el espíritu ardiente
que regará lenguas de fuego en esa epifanía.
Juntas las testas ancianas ceñidas de líricos lauros
y las cabezas jóvenes que la alta Minerva decora,
así los manes heroicos de los primitivos abuelos,
de los egregios padres que abrieron el surco pristino,
sientan los soplos agrarios de primaverales retornos
y el amor de espigas que inició la labor triptolémica.

Un continente y otro renovando las viejas prosapias,
en espíritu unidos, en espíritu y ansias y lengua,
ven llegar el momento en que habrán de cantar nuevos himnos.
La latina estirpe verá la gran alba futura,
en un trueno de música gloriosa, millones de labios

saludarán la espléndida luz que vendrá del Oriente,
Oriente augusto en donde todo lo cambia y renueva
la eternidad de Dios, la actividad infinita.

Y así sea Esperanza la visión permanente en nosotros.
¡Inclitas razas ubérrimas, sangre de Hispania fecunda!

## 8
## LOS CISNES

¿QUE signo haces, oh Cisne, con tu encorvado cuello
al paso de los tristes y errantes soñadores?
¿Por qué tan silencioso de ser blanco y ser bello,
tiránico a las aguas e impasible a las flores?

Yo te saludo ahora como en versos latinos
te saludara antaño Publio Ovidio Nasón.
Los mismos ruiseñores cantan los mismos trinos,
y en diferentes lenguas es la misma canción.

A vosotros mi lengua no debe ser extraña.
A Garcilaso visteis, acaso, alguna vez...
Soy un hijo de América, soy un nieto de España...
Quevedo pudo hablaros en verso en Aranjuez...

Cisnes, los abanicos de vuestras alas frescas
den a las frentes pálidas sus caricias más puras,
y alejen vuestras blancas figuras pintorescas
de nuestras mentes tristes las ideas oscuras.

Brumas septentrionales nos llenan de tristezas,
se mueren nuestras rosas, se agotan nuestras palmas,
casi no hay ilusiones para nuestras cabezas,
y somos los mendigos de nuestras pobres almas.

Nos predican la guerra con águilas feroces,
gerifaltes de antaño revienen a los puños,
mas no brillan las glorias de las antiguas hoces,
ni hay Rodrigos ni Jaimes, ni hay Alfonsos ni Nuños.

Faltos de los alientos que dan las grandes cosas,
¿qué haremos los poetas sino buscar tus lagos?
A falta de laureles son muy dulces las rosas,
y a falta de victorias busquemos los halagos.

La América española como la España entera
fija está en el Oriente de su fatal destino;
yo interrogo a la Esfinge que el porvenir espera
con la interrogación de tu cuello divino.

¿Seremos entregados a los bárbaros fieros?
¿Tantos millones de hombres hablaremos inglés?
¿Ya no hay nobles hidalgos ni bravos caballeros?
¿Callaremos ahora para llorar después?

He lanzado mi grito, Cisnes, entre vosotros
que habéis sido los fieles en la desilusión,
mientras siento una fuga de americanos potros
y el estertor postrero de un caduco león...

... Y un cisne negro dijo: "La noche anuncia el día".
Y uno blanco: "¡La aurora es inmortal! ¡La aurora
es inmortal!" ¡Oh tierras de sol y de armonía,
aún guarda la esperanza la caja de Pandora!

## 9
## CANCION DE OTOÑO EN PRIMAVERA

JUVENTUD, divino tesoro,
¡ya te vas para no volver!...
Cuando quiero llorar, no lloro,
y a veces lloro sin querer...

Plural ha sido la celeste
historia de mi corazón.
Era una dulce niña, en este
mundo de duelo y de aflicción.

Miraba como el alba pura;
sonreía como una flor...
Era su cabellera oscura
hecha de noche y de dolor.

Yo era tímido como un niño;
ella, naturalmente, fue,
para mi amor hecho de armiño,
Herodías y Salomé...

Juventud, divino tesoro,
¡ya te vas para no volver!...
Cuando quiero llorar, no lloro,
y a veces lloro sin querer...

Y más consoladora y más
halagadora y expresiva,
la otra fue más sensitiva,
cual no pensé encontrar jamás.

Pues a su continua ternura
una pasión violenta unía.
En un peplo de gasa pura
una bacante se envolvía.

En sus brazos tomó mi sueño
y lo arrulló como a un bebé...
Y le mató, triste y pequeño,
falto de luz, falto de fe...

Juventud, divino tesoro,
¡te fuiste para no volver!...
Cuando quiero llorar, no lloro,
y a veces lloro sin querer...

Otra juzgó que era mi boca
el estuche de su pasión;
y que me roería loca,
con sus dientes el corazón;

poniendo en un amor de exceso
la mira de su voluntad,
mientras eran abrazo y beso
síntesis de la eternidad:

y de nuestra carne ligera
imaginar siempre un Edén,
sin pensar que la primavera
y la carne acaban también...

Juventud, divino tesoro,
¡ya te vas para no volver!
Cuando quiero llorar, no lloro,
y a veces lloro sin querer...

¡Y las demás! en tantos climas,
en tantas tierras, siempre son,
si no pretextos de mis rimas,
fantasmas de mi corazón.

En vano busqué a la princesa
que estaba triste de esperar.
La vida es dura. Amarga y pesa...
¡Ya no hay princesa que cantar!

Mas a pesar del tiempo terco,
mi sed de amor no tiene fin;
con el cabello gris me acerco
a los rosales del jardín...

Juventud, divino tesoro,
¡ya te vas para no volver!...
Cuando quiero llorar, no lloro,
y a veces lloro sin querer...

¡Mas es mía el Alba de oro!

## 10

¡OH, miseria de toda lucha por lo finito!
Es como el ala de la mariposa
nuestro brazo que deja el pensamiento escrito.
Nuestra infancia vale la rosa,
el relámpago nuestro mirar.
y el ritmo que en el pecho nuestro corazón mueve
es un ritmo de onda de mar,
o un caer de copo de nieve,
o el del cantar
del ruiseñor,
que dura lo que dura el perfume
de su hermana la flor.
¡Oh, miseria de toda lucha por lo finito!
El alma que se advierte sencilla y mira claramente la gracia pura de la luz cara a cara,
como el botón de rosa, como la coccinela,
esa alma es la que al fondo del infinito vuela.
El alma que ha olvidado la admiración, que sufre
en la melancolía agria, olorosa a azufre,
de envidiar malamente y duramente, anida
en un nido de topos. Es manca. Está tullida.
¡Oh, miseria de toda lucha por lo finito!

## 11

## A PHOCAS, EL CAMPESINO

PHOCAS el campesino, hijo mío, que tienes
en apenas escasos meses de vida, tantos
dolores en tus ojos que esperan tantos llantos
por el fatal pensar que revelan tus sienes...

Tarda a venir a este dolor adonde vienes,
a este mundo terrible en duelos y en espantos;
duerme bajo los Angeles, sueña bajo los Santos,
que ya tendrás la vida para que te envenenes...

Sueña, hijo mío, todavía, y cuando crezcas,
perdóname el fatal don de darte la vida
que yo hubiera querido de azul y rosas frescas;

pues tú eres la crisálida de mi alma entristecida,
y te he de ver, en medio del triunfo que merezcas,
renovando el fulgor de mi psique abolida.

## 12

## MARINA

MAR armonioso.
mar maravilloso,
tu salada fragancia,
tus colores y músicas sonoras
me dan la sensación divina de mi infancia,
en que suaves las horas
venían en un paso de danza reposada
a dejarme un ensueño o regalo de hada.

Mar armonioso,
mar maravilloso,
de arcadas de diamante que se rompen en vuelos
rítmicos que denuncian algún ímpetu oculto,
espejo de mis vagas ciudades de los cielos,
blanco y azul tumulto
de donde brota un canto
inextinguible,
mar paternal, mar santo,
mi alma siente la influencia de tu alma invisible.

Velas de los Colones
y velas de los Vascos,
hostigadas por odios de ciclones
ante la hostilidad de los peñascos;
o galeras de oro,
velas purpúreas de bajeles

que saludaron el mugir del toro
celeste, con Europa sobre el lomo
que salpicaba la revuelta espuma.
Magnífico y sonoro
se oye en las aguas como
un tropel de tropeles,
¡tropel de tropeles de tritones!
Brazos salen de la onda, suenan vagas canciones,
brillan piedras preciosas,
mientras en las revueltas extensiones
Venus y el Sol hacen nacer mil rosas.

13

## DE OTOÑO

YO sé que hay quienes dicen: ¿por qué no canta ahora
con aquella locura armoniosa de antaño?
Esos no ven la obra profunda de la hora,
la labor del minuto y el prodigio del año.

Yo, pobre árbol, produje, al amor de la brisa,
cuando empecé a crecer, un vago y dulce son.
Pasó ya el tiempo de la juvenil sonrisa:
¡dejad al huracán mover mi corazón!

14

## CARACOL

EN la playa he encontrado un caracol de oro
macizo y recamado de las perlas más finas;
Europa le ha tocado con sus manos divinas
cuando cruzó las ondas sobre el celeste toro.

He llevado a mis labios el caracol sonoro
y he suscitado el eco de las dianas marinas.
Le acerqué a mis oídos y las azules minas
me han contado en voz baja su secreto tesoro.

Así la sal me llega de los vientos amargos
que en sus hinchadas velas sintió la nave Argos
cuando amaron los astros el sueño de Jasón;

y oigo un rumor de olas y un incógnito acento
y un profundo oleaje y un misterioso viento...
(El caracol la forma tiene de un corazón.)

15

## LO FATAL

DICHOSO el árbol, que es apenas sensitivo,
y más la piedra dura, porque ésa ya no siente,
pues no hay dolor más grande que el dolor de ser vivo,
ni mayor pesadumbre que la vida consciente.

Ser y no saber nada, y ser sin rumbo cierto,
y el temor de haber sido, y un futuro terror...
Y el espanto seguro de estar mañana muerto,
y sufrir por la vida, y por la sombra, y por

lo que no conocemos y apenas sospechamos,
y la carne que tienta con sus frescos racimos,
y la tumba que aguarda con sus fúnebres ramos,
¡y no saber adónde vamos
ni de dónde venimos!...

16

## DREAM

SE desgrana un cristal fino
sobre el sueño de una flor;
trina el poeta divino...
¡Bien trinado, ruiseñor!...

Bottom oye ese cristal
caer, y bajo la brisa
se siente sentimental.
Titania toda es sonrisa.

Shakespeare va por la floresta;
Heine hace un "lied" de la tarde...
Hugo acompaña la fiesta
"chez Thérèse"... Verlaine arde

en las llamas de las rosas,
alocado y sensitivo,
y dice a las ninfas cosas
entre un querubín y un chivo.

Aubrey Beardsley se desliza
como un silfo zahareño;
con carbón, nieve y ceniza
da carne y alma al ensueño.

Nerval suspira a la luna,
Laforgue suspira de
males de genio y fortuna...
Va en silencio Mallarmé.

## 17

## ¡EHEU!

AQUI, junto al mar latino,
digo la verdad:
siento en roca, aceite y vino,
yo mi antigüedad.

¡Oh qué anciano soy, Dios santo!
¡Oh qué anciano soy!...
¿De dónde viene mi canto?
Y yo, ¿adónde voy?

El conocerme a mí mismo
ya me va costando
muchos momentos de abismo
y el cómo y el cuándo...

Y esta claridad latina,
¿de qué me sirvió
a la entrada de la mina
del yo y el no yo?

Nefelibata contento,
creo interpretar
las confidencias del viento,
la tierra y el mar...

Unas vagas confidencias
del ser y el no ser,
y fragmentos de conciencias
de ahora y de ayer.

Como en medio de un desierto
me puse a clamar;
y miré el sol como un muerto
y me eché a llorar.

## 18
## BALADA EN HONOR DE LAS MUSAS DE CARNE Y HUESO

*A. G. Martínez Sierra.*

NADA mejor para cantar la vida,
y aun para dar sonrisas a la muerte,
que la áurea copa donde Venus vierte
la esencia azul de su viña encendida.
Por respirar los perfumes de Armida
y por sorber el vino de su beso,
vino de ardor, de beso, de embeleso,

fuérase al cielo en la bestia de Orlando,
voz de oro y miel para decir cantando:
¡La mejor musa es la de carne y hueso!

Cabellos largos en la buhardilla,
noches de insomnio al blancor del invierno,
pan de dolor con la sal de lo eterno
y ojos de ardor en que Juvencia brilla;
el tiempo en vano mueve su cuchilla,
el hilo de oro permanece ileso;
visión de gloria para el libro impreso
que en sueños va como una mariposa;
y una esperanza en la boca rosa:
¡La mejor musa es la de carne y hueso!

Regio automóvil, regia cetrería,
borla y muceta, heráldica fortuna,
nada son como a la luz de la luna
una mujer hecha una melodía.
Barca de amor busca la fantasía,
no el *yacht* de Alfonso o la barca de Creso.
Da al cuerpo llama y fortifica el seso
ese archivado y vital paraíso;
pasad de largo, Abelardo y Narciso:
¡La mejor musa es la de carne y hueso!

Clío está en esa frente hecha de aurora,
Euterpe canta en esta lengua fina,
Talía ríe en la boca divina,
Melpómene es ese gesto que implora;
en estos pies Terpsícore se adora,
cuello inclinado es de Erato embeleso,
Polymnia intenta a Calíope proceso
por esos ojos en que Amor se quema.
Urania rige todo ese sistema:
¡La mejor musa es la de carne y hueso!

No protestéis con celo protestante,
contra el panal de rosas y claveles
en que Tiziano moja sus pinceles
y gusta el cielo de Beatrice el Dante.

Por eso existe el verso de diamante,
por eso el iris tiéndese y por eso
humano genio es celeste progreso.
Líricos cantan y meditan sabios
por esos pechos y por esos labios:
¡La mejor musa es la de carne y hueso!

Envío:

Gregorio: nada al cantor determina
como el gentil estímulo del beso;
gloria al sabor de la boca divina.
¡La mejor musa es la de carne y hueso!

19

## POEMA DEL OTOÑO

TU, que estás la barba en la mano,
meditabundo:
¿has dejado pasar, hermano,
la flor del mundo?

Te lamentas de los ayeres
con quejas vanas;
¡aún hay promesas de placeres
en los mañanas!...

Aún puedes casar la olorosa
rosa y el lis;
y hay mirtos para tu orgullosa
cabeza gris.

El alma ahíta cruel inmola
lo que la alegra;
como Zingua, reina de Angola,
lúbrica negra.

Tú has gozado de la hora amable
y oyes después
la imprecación del formidable
Eclesiastés.

El domingo de amor te hechiza;
mas mira cómo
llega el miércoles de ceniza:
*Memento, homo...*

Por eso hacia el florido monte
las almas van,
y se explican Anacreonte
y Omar Khayam.

Huyendo del mal, de improviso
se entra en el mal
por la puerta del paraíso
artificial.

Y no obstante, la vida es bella
por poseer
la perla, la rosa, la estrella
y la mujer.

Lucifer brilla. Canta el ronco
mar. Y se pierde
Silvano, oculto tras el tronco
del haya verde.

Y sentimos la vida pura,
clara, real,
cuando la envuelve la dulzura
primaveral.

¿Para qué las envidias viles
y las injurias,
cuando retuercen sus reptiles
pálidas furias?

¿Para qué los odios funestos
de los ingratos?
¿Para qué los lívidos gestos
de los Pilatos?

¡Si lo terreno acaba, en suma,
cielo e infierno,
y nuestras vidas son la espuma
de un mar eterno!...

Lavemos bien de nuestra veste
la amarga prosa;
soñemos en una celeste
mística rosa.

Cojamos la flor del instante;
¡la melodía
de la mágica alondra cante
la miel del día!...

Amor a su fiesta convida
y nos corona.
Todos tenemos en la vida
nuestra Verona.

Aún en la hora crepuscular
canta una voz:
"¡Ruth, risueña, viene a espigar
para Booz!..."

Mas coged la flor del instante,
cuando en Oriente
nace el alba para el fragante
adolescente.

¡Oh, Niña que con Eros juegas,
niños lozanos,
danzad como las ninfas griegas
y los silvanos!

El viejo tiempo todo roe
y va de prisa;
sabed vencerle, Cintia, Cloe
y Cidalisa.

Trocad por rosas azahares,
que suene el son
de aquel Cantar de los Cantares
de Salomón.

Príapo vela en los jardines
que Cipris huella;
Hécate hace aullar a los mastines;
mas Diana es bella;

y apenas envuelta en los velos
de la ilusión,
baja a los bosques de los cielos
por Endimión.

¡Adolescencia! Amor te adora
con su virtud;
goza del beso de la aurora,
¡oh juventud!...

¡Desventurado el que ha cogido
tarde la flor!...
Y ¡ay de aquel que nunca ha sabido
lo que es amor!...

Yo he visto en tierra tropical
la sangre arder
como en un cáliz de cristal,
en la mujer.

y en todas partes la que ama
y se consume,
como una flor hecha de llama
y de perfume.

Abrasaos en esa llama
y respirad
ese perfume que embalsama
la Humanidad.

Gozad de la carne; ese bien
que hoy nos hechiza,
y después se tornará en
polvo y ceniza.

Gozad del sol, de la pagana
luz de sus fuegos;
gozad del sol, porque mañana
estaréis ciegos.

Gozad de la dulce armonía
que a Apolo invoca;
gozad del canto, porque un día
no tendréis boca.

Gozad de la tierra que un
bien cierto encierra;
gozad, porque no estáis aún
bajo la tierra.

Apartad el temor que os hiela
y que os restringe;
la paloma de Venus vuela
sobre la Esfinge.

Aún vencen muerte, tiempo y hado
las amorosas;
en las tumbas se han encontrado
mirtos y rosas.

Aún Anadiómena en sus lidias
nos da su ayuda;
aún resurge en la obra de Fidias
Friné desnuda.

Vive el bíblico Adán robusto,
de sangre humana;
y aún siente nuestra lengua el gusto
de la manzana.

Y hace de este globo viviente
fuerza y acción,
la universal y omnipotente
fecundación.

El corazón del cielo late
por la victoria
de este vivir, que es un combate
y es una gloria.

Pues aunque hay pena y nos agravia
el sino adverso,
en nosotros corre la savia
del Universo.

Nuestro cráneo guarda el vibrar
de tierra y sol,
como el ruido de la mar
el caracol.

La sal del mar en nuestras venas
va a borbotones;
tenemos sangre de sirenas
y de tritones.

A nosotros encinas, lauros,
frondas espesas;
tenemos carne de centauros
y satiresas.

En nosotros la vida vierte
fuerza y calor.
¡Vamos al reino de la Muerte
por el camino del Amor!

20

## VESPERAL

HA pasado la siesta
y la hora del Poniente se avecina,
y hay ya frescor en esta
costa que el sol del Trópico calcina.
Hay un suave alentar de aura marina
y el Occidente finge una floresta
que una llama de púrpura ilumina.

Sobre la arena dejan los cangrejos
la ilegible escritura de sus huellas.
Conchas color de rosa y de reflejos
áureos, caracolillos y fragmentos de estrellas
de mar forman alfombra
sonante al paso, en la armoniosa orilla.

Y cuando Venus brilla,
dulce, imperial amor de la divina tarde,
creo que en la onda suena
o son de lira o canto de sirena.
Y en mi alma otro lucero, como el de Venus, arde...

21

## LA CARTUJA

ESTE vetusto monasterio ha visto,
secos de orar y pálidos de ayuno,
con el breviario y con el Santo Cristo,
a los callados hijos de San Bruno.

A los que en su existencia solitaria
con la locura de la cruz, y al vuelo
místicamente azul de la plegaria,
fueron a Dios en busca de consuelo.

Mortificaron con las disciplinas
y los cilicios la carne mortal,
y opusieron, orando, las divinas
ansias celestes al furor sexual.

La soledad que amaba Jeremías,
el misterioso profesor de llanto,
y el silencio, en que encuentran armonías
el soñador, el místico y el santo,

fueron para ellos minas de diamantes
que cavan los mineros serafines,
a la luz de los cirios parpadeantes
y al son de las campanas de maitines.

Gustaron las harinas celestiales
en el maravilloso simulacro,
herido el cuerpo bajo los sayales,
el espíritu ardiente en amor sacro.

Vieron la nada amarga de este mundo,
pozos de horror y dolores extremos,
y hallaron el concepto más profundo
en el profundo "*De morir tenemos*".

Y como a Pablo e Hilarión y Antonio,
a pesar de cilicios y oraciones,
les presentó, con su hechizo, el demonio
sus mil visiones de fornicaciones.

Y fueron castos por dolor y fe,
y fueron pobres por la santidad,
y fueron obedientes, porque fue
su reina de pies blancos la humildad.

Vieron los belcebúes y satanes
que esas almas humildes y apostólicas
triunfaban de maléficos afanes
y de tantas acedias melancólicas.

Que el *Mortui estis* del candente Pablo
les forjaba corazas arcangélicas,
y que nada podía hacer el diablo
de halagos finos o añagazas bélicas.

¡Ah, fuera yo de esos que Dios quería,
y que Dios quiere cuando así le place,
dichosos ante el temeroso día
de losa fría y *Requiescat in pace!*

Poder matar el orgullo perverso
y el palpitar de la carne maligna,
todo por Dios, delante el Universo,
con corazón que sufre y se resigna.

Sentir la unción de la divina mano,
ver florecer de eterna luz mi anhelo,
y oír como un Pitágoras cristiano
la música teológica del cielo.

Y al fauno que hay en mí, darle la ciencia
que al Angel hace estremecer las alas.
Por la oración y por la penitencia
poner en fuga a las diablesas malas.

Darme otros ojos; no estos ojos vivos
que gozan en mirar, como los ojos
de los sátiros locos medio-chivos,
redondeces de nieve y labios rojos.

Darme otra boca en que queden impresos
los ardientes carbones del asceta;
y no esta boca en que vinos y besos
aumentan gulas de hombre y de poeta.

Darme unas manos de disciplinante
que me dejen el lomo ensangrentado;
y no estas manos lúbricas de amante
que acarician las pomas del pecado.

Darme una sangre que me deje llenas
las venas de quietud y en paz los sesos,
y no esta sangre que hace arder las venas,
vibrar los nervios y crujir los huesos.

¡Y quedar libre de maldad y engaño,
y sentir una mano que me empuja
a la cueva que acoge al ermitaño,
o al silencio y la paz de la Cartuja!

# MIGUEL DE UNAMUNO

## VIDA

*Nace en Bilbao el 29 de septiembre de 1864. En su libro* Recuerdos de niñez y mocedad *nos cuenta las impresiones de su infancia en la villa natal, donde estudia el Bachillerato, hasta que marcha a Madrid, en 1880, a cursar Filosofía y Letras. En otras páginas de sus libros nos recuerda posteriores momentos de su vida. Toda la obra de D. Miguel de Unamuno es en rigor una autobiografía. Por eso me limito a apuntar los hechos externos, los datos oficiales solamente. Desde 1884 a 1891 se dedica a la enseñanza privada en Bilbao, y prepara la oposición a varias cátedras, hasta que en el último año citado es nombrado catedrático de Lengua y Literatura Griegas en la Universidad de Salamanca. Siempre le ha preocupado más el tiempo que el espacio. No es Unamuno hombre de viajes circulares y exóticos. En 1889 viaja por Italia—Florencia, Roma— y por Suiza a la Exposición de París. Y ya casado, y en Salamanca, abandona España, salvo una visita al frente italiano en 1917, hasta que las circunstancias políticas le convierten en el desterrado. Porque Portugal es para él una parte más de la Patria. De sus viajes por todas las Españas nos habla en varios libros y nos canta en múltiples poesías.*

*En 1911 fue nombrado rector de la Universidad salmantina. Y en Salamanca vive largos años, enseñando griego y, por acumulación, Historia de la Lengua Castellana. En 1914 se le destituye del Rectorado, aunque, en calidad de vicerrector, lo ejerce después de algún tiempo. En febrero de 1924 es deportado a la isla de Fuerteventura por la Dictadura de Primo de Rivera. Un año después pasa a Francia, y reside en París—algunos viajes por Francia y Bélgica—y en Hendaya, sucesivamente. En febrero de 1930, derrumbada la Dictadura, vuelve a España, y se le repone en su cátedra. Y, posteriormente, en el Rectorado. El gobierno provisional de la República le hizo presidente del Consejo de Cultura Nacional. Actualmente reside en Salamanca.*

## POETICA

*"Los supuestos revolucionarios estéticos y literarios no están mal, en lo programático, mientras hacen programas. Pero al ir a realizarlos no cumplen sus propios propósitos y promesas. Sin que empezca para que se adjudiquen los precursores que se les antoje. En esas procedencias, además, casi siempre exclusivamente cerebrales, suele haber mucha más retórica que poética. Sabido es que la retórica sirve para vestir y revestir, acaso para disfrazar el pensamiento y el sentimiento, cuando los hay, y que la poética sirve para desnudarlo. Un poeta es el que desnuda con lenguaje rítmico su alma. El ritmo, además, le sirve, como el bieldo de aventar en la era, para apurar su pensamiento, separando a la brisa del cielo soleado, el grano de la paja.*

*El mundo espiritual de la poesía es el mundo de la pura heterodoxia o, mejor, de la pura herejía. Todo verdadero poeta es un hereje, y el hereje es el que se atiene a postceptos y no a preceptos, a resultados y no a premisas, a creaciones, o sea poemas, y no a decretos, o sea dogmas. Porque el poema es cosa de postcepto, y el dogma, cosa de precepto."*

M. DE U.

Las poesías elegidas proceden de los siguientes libros: número 1, *Poesías;* 2 y 3, *Rosario de sonetos líricos;* 4, *El Cristo de Velázquez;* 5, *Andanzas y visiones españolas;* 6, *Rimas de dentro*; 7, *Teresa*; 8 a 10, *De Fuerteventura a París;* 11 a 15, *Romancero del destierro;* 16 a 23, *Antología 1915-1931.*

## 1
## HERMOSURA

*¡AGUAS dormidas,*
*verdura densa,*
*piedras de oro,*
*cielo de plata!*

Del agua surge la verdura densa;
de la verdura,
como espigas gigantes, las torres
que en el cielo burilan
en plata su oro.
Son cuatro fajas:
la del río, sobre ella la alameda,
la ciudadana torre
y el cielo en que reposa.
Y todo descansando sobre el agua,
fluido cimiento,
agua de siglos,
espejo de hermosura.
La ciudad, en el cielo pintada
con luz inmoble;
inmoble se halla todo,
el agua inmoble,
inmóviles los álamos,
quietas las torres en el cielo quieto.

Y es todo el mundo;
detrás no hay nada.
Con la ciudad enfrente me hallo solo,
y Dios entero
respira entre ella y yo toda su gloria.
A la gloria de Dios se alzan las torres,
a su gloria los álamos,
a su gloria los cielos,
y las aguas descansan a su gloria.
El tiempo se recoge;
desarrolla lo eterno sus entrañas;
se lavan los cuidados y congojas
en las aguas inmobles,
en los inmobles álamos,
en las torres pintadas en el cielo,
mar de altos mundos.
El reposo reposa en la hermosura
del corazón de Dios, que así nos abre
tesoros de su gloria.
Nada deseo;
mi voluntad descansa,
mi voluntad reclina
de Dios en el regazo su cabeza,
y duerme y sueña...
Sueña en descanso
toda aquesta visión de alta hermosura.
¡Hermosura! ¡Hermosura!
Descanso de las almas doloridas,
enfermas de querer sin esperanza.
¡Santa hermosura,
solución al enigma!
Tú matarás la Esfinge,
tú reposas en ti sin más cimiento.
Gloria de Dios, te bastas.
¿Qué quieren esas torres?
Ese cielo, ¿qué quiere?
¿qué la verdura?
¿y qué las aguas?

Nada, no quieren;
su voluntad murióse;
descansa en el seno
de la Hermosura eterna;
son palabras de Dios limpias de todo
querer humano.
Son la oración de Dios, que se regala
cantándose a sí mismo,
y así mata las penas.

... ... ... ... ... ... ... ... ... ... ...

La noche cae; despierto,
me vuelve la congoja,
la espléndida visión se ha derretido,
vuelvo a ser hombre.
Y ahora dime, Señor, dime al oído:
tanta hermosura,
¿matará nuestra muerte?

2

TUS ojos son los de tu madre, claros,
antes de concebirte, sin el fuego
de la ciencia del alma, en el sosiego
del virgíneo candor; ojos no avaros

de su luz dulce, dos mellizos faros
que nos regalan su mirar cual riego
de paz, y a los que el alma entrego
sin recelar tropiezo. Son ya raros

ojos en que malicia no escudriña
secreto alguno en la secreta vena,
claros y abiertos como la campiña

sin sierpe, abierta al sol, clara y serena;
guárdalos bien; son tu tesoro, niña,
esos ojos de virgen Magdalena.

3

## MI CIELO

DIAS de ayer, que, en procesión de olvido,
lleváis a las estrellas mi tesoro,
¿no formaréis en el celeste coro
que ha de cantar sobre mi eterno nido?

¡Oh Señor de la vida, no te pido
sino que ese pasado por que lloro,
al cabo en rolde a mí vuelto sonoro,
me dé el consuelo de mi bien perdido!

Es revivir lo que viví mi anhelo,
y no vivir de nuevo nueva vida;
hacia un eterno ayer haz que mi vuelo

emprenda, sin llegar a la partida,
porque, Señor, no tienes otro cielo
que de mi dicha llene la medida.

4

Mi amado es blanco...
*(Cantares,* V, 10.)

¿EN qué piensas Tú, muerto, Cristo mío?
¿Por qué ese velo de cerrada noche
de tu abundosa cabellera negra
de nazareno cae sobre tu frente?
Miras dentro de Ti, donde está el reino
de Dios; dentro de Ti, donde alborea
el sol eterno de las almas vivas.
Blanco tu cuerpo está como el espejo
del padre de la luz, del sol vivífico;
blanco tu cuerpo, al modo de la luna,
que, muerta, ronda en torno de su madre,
nuestra cansada vagabunda Tierra;

blanco tu cuerpo está como la hostia
del cielo de la noche soberana,
de ese cielo tan negro como el velo
de tu abundosa cabellera negra
de nazareno.
Que eres, Cristo, el único
Hombre que sucumbió de pleno grado,
triunfador de la muerte, que a la vida
por Ti quedó encumbrada. Desde entonces
por Ti nos vivifica esa tu muerte,
por Ti la muerte se ha hecho nuestra madre,
por Ti la muerte es el amparo dulce
que azucara amargores de la vida;
por Ti, el Hombre muerto que no muere,
blanco cual luna de la noche. Es sueño,
Cristo, la vida, y es la muerte vela.
Mientras la tierra sueña solitaria,
vela la blanca luna; vela el Hombre
desde su cruz, mientras los hombres sueñan;
vela el Hombre sin sangre, el Hombre blanco
como la luna de la noche negra;
vela el Hombre que dio toda su sangre
porque las gentes sepan que son hombres.
Tú salvaste a la muerte. Abres tus brazos
a la noche, que es negra y muy hermosa,
porque el sol de la vida la ha mirado
con sus ojos de fuego; que a la noche
morena la hizo el sol y tan hermosa.
Y es hermosa la luna solitaria,
la blanca luna en la estrellada noche,
negra cual la abundosa cabellera
negra del nazareno. Blanca luna
como el cuerpo del Hombre en cruz, espejo
del sol de vida, del que nunca muere.

Los rayos, Maestro, de tu suave lumbre
nos guían en la noche de este mundo,
ungiéndonos con la esperanza recia
de un día eterno. Noche cariñosa,

¡oh noche, madre de los blandos sueños,
madre de la esperanza, dulce noche,
noche oscura del alma, eres nodriza
de la esperanza en Cristo salvador!

## 5
## EN UN CEMENTERIO DE LUGAR CASTELLANO

CORRAL de muertos, entre pobres tapias,
hechas también de barro,
pobre corral donde la hoz no siega,
sólo una cruz, en el desierto campo
señala tu destino.

Junto a esas tapias buscan el amparo
del hostigo del cierzo las ovejas
al pasar trashumantes en rebaño,
y en ellas rompen de la vana historia,
como las olas, los rumores vanos.

Como un islote en junio,
te ciñe al mar dorado
de las espigas que a la brisa ondean,
y canta sobre ti la alondra el canto
de la cosecha.

Cuando baja en la lluvia el cielo al campo
baja también sobre la santa yerba
donde la hoz no corta,
de tu rincón, ¡pobre corral de muertos!,
y sienten en sus huesos el reclamo
del riego de la vida.

Salvan tus cercas de mampuesto y barro
las aladas semillas,
o te las llevan con piedad los pájaros,
y crecen escondidas amapolas,
clavellinas, magarzas, brezos, cardos,
entre arrumbadas cruces,
no más que de las aves libres pasto.

Cavan tan sólo en tu maleza brava,
corral sagrado,
para de un alma que sufrió en el mundo
sembrar el grano;
luego, sobre esa siembra,
barbecho largo!

Cerca de ti el camino de los vivos,
no como tú, con tapias, no cercado,
por donde van y vienen,
ya riendo o llorando,
rompiendo con sus risas o sus lloros
el silencio inmortal de tu cercado!

Después que lento el sol tomó ya tierra,
y sube al cielo el páramo
a la hora del recuerdo,
al toque de oraciones y descanso,
la tosca cruz de piedra
de tus tapias de barro
queda, como un guardián que nunca duerme,
de la campiña el sueño vigilando.

No hay cruz sobre la iglesia de los vivos,
en torno de la cual duerme el poblado;
la cruz, cual perro fiel, ampara el sueño
de los muertos al cielo acorralados.
Y desde el cielo de la noche, Cristo,
el Pastor Soberano,
con infinitos ojos centelleantes,
recuenta las ovejas del rebaño!

Pobre corral de muertos entre tapias
hechas del mismo barro,
sólo una cruz distingue tu destino
en la desierta soledad del campo!

6

## ALDEBARAN

RUBI encendido en la divina frente,
Aldebarán,
lumbrera de misterio,
perla de luz en sangre,
cuántos días de Dios viste a la tierra,
mota de polvo,
rodar por los vacíos,
rodar la tierra?
Viste brotar al sol recién nacido?
Le viste acaso cual diamante en fuego
soltarse del anillo
que fue este nuestro coro de planetas
que hoy rondan en su torno,
de su lumbre al abrigo,
como a la vista de su madre juegan,
pendientes de sus ojos,
confiados los hijos?
Eres un ojo del Señor en vela,
siempre despierto,
un ojo escudriñando las tinieblas
y contando los mundos
de su rebaño?
Le falta, acaso, alguno?
O alguno le ha nacido?
Y más allá de todo lo visible,
qué es lo que hay del otro lado del espacio?
Allende el infinito,
di, Aldebarán, qué resta?
Dónde acaban los mundos?
Todos van en silencio, solitarios,
sin una vez juntarse;
todos se miran a través del cielo
y siguen, siguen,
cada cual solitario en su sendero?

No anhelas, di, juntarte tú con Sirio
y besarle en la frente?
Es que el Señor, un día,
en un redil no ha de juntar a todas
las celestes estrellas?
No hará de todas ellas
una rosa de luz para su pecho?
Qué amores imposibles
guarda el abismo?
Qué mensajes de anhelos seculares
transmiten los cometas?
Sois hermandad? Te duele,
dime, el dolor de Sirio,
Aldebarán?
Marcháis todos a un punto?
Oyes al sol?
Me oyes a mí?
Sabes que aliento y sufro en esta tierra,
mota de polvo,
rubí encendido en la divina frente,
Aldebarán?

Si es tu alma lo que irradia con tu lumbre,
lo que irradia, es amor?
Es tu vida secreto?
O no quieres decir nada en la frente
del tenebroso Dios?
Eres adorno y nada más que en ella
para propio recreo se colgara?
... ... ... ... ... ... ... ... ... ... ... ...

Siempre solo, perdido en lo infinito,
Aldebarán,
perdido en la infinita muchedumbre
de solitarios...
sin hermandad?
O sois una familia que se entiende,
que se mira los ojos,
que se cambia pesares y sentires
en lo infinito?

Os une acaso algún común deseo?
Como tu luz nos llega, dulce estrella,
dulce y terrible,
no nos llega de tu alma el soplo acaso,
Aldebarán?
Aldebarán, Aldebarán ardiente,
el pecho del espacio,
di, no es regazo vivo,
regazo palpitante de misterio?
Tú sigues a las Pléyades
siglos de siglos,
Aldebarán,
y siempre el mismo trecho te mantienen!
Estos mismos lucientes jeroglíficos
que la mano de Dios trazó en el cielo
vio el primer hombre,
y siempre indescifrables
ruedan en torno a nuestra pobre Tierra.
Su fijidez, que salva
el cambiar de los siglos agorero,
es nuestro lazo de quietud, cadena
de permanencia augusta;
símbolo del anhelo permanente
de la sed de verdad, nunca saciada,
nos son esas figuras que no cambian,
Aldebarán.
De vosotros, celestes jeroglíficos
en que el enigma universal se encierra,
cuelgan por siglos
los sueños seculares;
de vosotros descienden las leyendas
brumosas, estelares,
que, cual ocultas hebras,
al hombre cavernario nos enlazan.
El, en la noche de tormenta y hambre,
te vio, rubí impasible,
Aldebarán,

y loco alguna vez, con su ojo en sangre,
te vio al morir,
sangriento ojo del cielo,
ojo de Dios,
Aldebarán!
Y cuando tú te mueras?
Cuando tu luz, al cabo,
se derrita una vez en las tinieblas?
Cuando frío y oscuro
el espacio sudario
ruedes sin fin y para fin ninguno?
Este techo nocturno de la tierra,
bordado con enigmas,
esta estrellada tela
de nuestra pobre tienda de campaña,
es la misma que un día vio este polvo
que hoy huellan nuestras plantas,
cuando en humanas frentes
fraguó vivientes ojos!
Hoy se alza en remolino
cuando el aire lo azota
y ayer fue pechos respirando vida!
Y ese polvo de estrellas,
ese arenal redondo
sobre el que rueda el mar de las tinieblas,
no fue también un cuerpo soberano,
sede no fue de un alma,
Aldebarán?
No lo es aún hoy, Aldebarán ardiente?
No eres acaso, estrella misteriosa,
gota de sangre viva
en las venas de Dios?
No es su cuerpo el espacio tenebroso?
Y cuando tú te mueras,
qué hará de ti ese cuerpo?
Adónde Dios, por su salud luchando,
te habrá de segregar, estrella muerta,
Aldebarán?

A qué tremendo mudalar de mundos?
... ... ... ... ... ... ... ... ... ... ... ...
Sobre mi tumba, Aldebarán, derrama
tu luz de sangre,
y si un día volvemos a la Tierra,
te encuentre inmoble, Aldebarán, callando
del eterno misterio la palabra!
Si la Verdad Suprema nos ciñese
volveríamos todos a la nada!
De eternidad es tu silencio prenda,
Aldebarán!

7

SOBRE tu pelo que al sol se bañaba
íbanse a solear en blancos copos
las aladas semillas de los chopos;
bajo el desnudo cielo azul nevaba.

Nevaba al borde allí de la chopera;
en el azul latía la verdura
de las hojas, latía la blancura
de las semillas en tu cabellera.

Y yo soñaba en la serena cumbre
de una montaña de escalar el cielo,
donde paren las nieves el consuelo
de un Jordán que nos quite pesadumbre.

Sobre tu yerba llevan hoy las brisas
el amor de los chopos en mechones;
esparce Primavera granazones,
nieves de flor que son como sonrisas.

Y de la cruz que tu tierra corona
brota invisible un Jordán de pureza;
sus aguas corren sobre mi cabeza
y por tu corazón Dios me perdona.

8

ES una antorcha al aire esta palmera,
verde llama que busca al sol desnudo
para beberle sangre; en cada nudo
de su tronco cuajó una primavera.

Sin bretes ni eslabones, altanera
y erguida, pisa el yermo seco y rudo;
para la miel del cielo es un embudo
la copa de sus venas, sin madera.

No se retuerce ni se quiebra al suelo;
no hay sombra en su follaje, es luz cuajada
que en ofrenda de amor se alarga al cielo,

la sangre de un volcán que, enamorada
del padre Sol, se revistió de anhelo
y se ofrece, columna, a su morada.

9

VUELVE hacia atrás la vista, caminante,
verás lo que te queda de camino;
desde el oriente de tu cuna, el sino
ilumina tu marcha hacia adelante.

Es del pasado el porvenir semblante;
como se irá la vida así se vino;
cabe volver las riendas del destino
como se vuelve del revés un guante.

Lleva tu espalda reflejado el frente;
sube la niebla por el río arriba
y se resuelve encima de la fuente;

la lanzadera en su vaivén se aviva;
desnacerás un día de repente;
nunca sabrás donde el misterio estriba.

10

SED de tus ojos en la mar me gana;
hay en ellos también olas de espuma,
rayo de cielo que se anega en bruma
al rompérsele el sueño, de mañana.

Dulce contento de la vida mana
del lago de tus ojos; si me abruma
mi sino de luchar, de ellos rezuma
lumbre que al cielo con la tierra hermana.

Voy al destierro del desierto oscuro,
lejos de tu mirada redentora,
que es hogar de mi hogar sereno y puro.

Voy a esperar de mi destino la hora;
voy acaso a morir al pie del muro
que ciñe al campo que mi patria implora.

11

LOGRE morir con los ojos abiertos,
guardando en ellos tus claras montañas
—aire de vida me fue el de sus puertos—,
que hacen al sol tus eternas entrañas,
mi España de ensueño!

Entre conmigo en tu seno tranquilo
bien acuñada tu imagen de gloria;
haga tu roca a mi carne un asilo;
duerma por siglos en mí tu memoria,
mi España de ensueño!

Se hagan mis ojos dos hojas de hierba
que tu luz beban, oh sol de mi suelo;
madre, tu suelo mis huellas conserva,
pone tu sol en mis huellas consuelo,
consuelo de España!

Brote en verdor la entrañada verdura
que hizo en el fondo de mi alma tu vista,
y bajo el mundo que pasa al que dura
preste la fe que esperanza revista
consuelo de España!

Logre morir, bien abiertos los ojos,
con tu verdor en el fondo del pecho;
guarden mi carne dorados rastrojos;
tu sol doró de mi esperanza el lecho,
consuelo del ensueño de mi España!

12

## LA LUNA Y LA ROSA

EN el silencio estrellado
la Luna daba a la rosa
y el aroma de la noche
le henchía—sediente boca—
el paladar del espíritu,
que adurmiendo su congoja
se abría al cielo nocturno
de Dios y su Madre toda...
Toda cabellos tranquilos,
la Luna, tranquila y sola,
acariciaba a la Tierra
con sus cabellos de rosa
silvestre, blanca, escondida...
La Tierra, desde sus rocas,
exhalaba sus entrañas
fundidas de amor, su aroma...
Entre las zarzas, su nido,
era otra luna la rosa,
toda cabellos cuajados
en la cuna, su corola,
las cabelleras mejidas
de la Luna y de la rosa.

y en el crisol de la noche
fundidas en una sola...
En el silencio estrellado
la Luna daba a la rosa
mientras la rosa se daba
a la Luna, quieta y sola.

## 13
## POLEMICA

VUELVO a lo mismo...
Mis pasadas esperanzas de recuerdos
han de ser de lo futuro en el abismo
recuerdos de esperanzas,
que al cantarme el cuco del reló las doce,
de miles de otras trayendo dejó en goce
soñé que me moría
y desperté en la muerte;
en la muerte del pasado que venía,
venidero pasado, vida inerte...
y la vida era rueda
y el carro era invisible...
Oh mi vieja niñez, cuando vivía
de cara a lo que fue—se fue y se queda—
de cara al porvenir...
Pero salté la linde,
me metí en el desierto, el infinito,
donde el alma se rinde
al tocar de su entraña el hondo hueco
y se seca en el aire todo grito
sin eco...
Salté la linde o rompí la barrera?
No lo pude sentir, que en el tumulto
de un mundo en terremoto y lucha fiera
al pobre niño le enterró el adulto...
De qué edad nació Adán?
Porque Cristo fue niño:

gustó leche divina antes que pan;
reclinó la cabeza entre las tetas
de la Virgen, su madre—su cariño—
y se durmió...
Oh seno maternal que apagas las rabietas!
El pobre Adán cayó
porque no tuvo madre, no fue niño...
Mas no lo fue? No tuvo madre en Eva?
No durmió en su regazo?
No gustó vida humana, vida nueva,
preso por la serpiente con el lazo
del pecado, en el seno de mujer?
No sintió su niñez, niñez perdida,
pasado de una vida
que no vivió,
cuando empezó a saber,
cuando pecó?
Niñez eterna, flor de la vida,
flor de la muerte,
inocencia del sueño que no pasa,
misterio de la suerte,
brasa de hogar de la divina casa,
de la casa del Padre que perdona!
Perdónanos, Señor, que no sabemos
qué es lo que hacemos!

14

QUE es tu vida, alma mía?; cuál tu pago?
lluvia en el lago!
Qué es tu vida, alma mía, tu costumbre?
viento en la cumbre!
Cómo tu vida, mi alma, se renueva?
sombra en la cueva!
Lluvia en el lago!
Viento en la cumbre!
Sombra en la cueva!
Lágrimas es la lluvia desde el cielo,

y es el viento sollozo sin partida,
pesar la sombra sin ningún consuelo,
y lluvia y viento y sombra hacen la vida.

## 15

## A UNA PAJARITA DE PAPEL

HABLA, que lo quiere el niño!
Ya está hablando!
El Hijo del Hombre, el Verbo
encarnado
se hizo Dios en una cuna
con el canto
de la niñez campesina,
canto alado...
Habla, que lo quiere el niño!
Hable tu papel, mi pájaro!
Háblale al niño que sabe
voz del alto,
la voz que se hace silencio
sobre el fango...
háblale al niño que vive
en su pecho a Dios criando...
Tú eres la paloma mística,
tú el Santo
Espíritu que hizo el hombre
con sus manos...
habla a los niños, que el reino
tan soñado
de los cielos es del niño
soberano;
del niño, rey de los sueños,
corazón de lo creado!
Habla, que lo quiere el niño!
Ya está hablando!...

16

*(Mateo,* cap. XIII, 11.—*Corán,* III, 6.)

EL armador aquel de casas rústicas
habló desde la barca;
ellos, sobre la grava de la orilla;
él, flotando en las aguas.

Y la brisa del lago recojía
de su boca parábolas;
ojos que ven, oídos que oyen gozan
de bienaventuranza.

Recién nacían por el aire claro
las semillas aladas,
el Sol las revestía con sus rayos,
la brisa las cunaba.

Hasta que, al fin, cayeron en un libro,
¡ay tragedia del alma!:
ellos tumbados en la grava seca,
y él flotando en las aguas...

17

SALAMANCA, Salamanca,
renaciente maravilla,
académica palanca
de mi visión de Castilla.

Oro en sillares de soto
de las riberas del Tormes;
de viejo sabor remoto
guardas recuerdos conformes.

Hechizo salmanticense
de pedantesca dulzura;
gramática del Brocense,
florón de literatura.

Ay mi Castilla latina
con raíz gramatical,
ay tierra que se declina
por luz sobrenatural!

18

BEATO trovero lego,
en litúrgico descanso,
cantó con pluma de ganso
sobre una piel de borrego.

Qué floridas iniciales
y doradas, qué armonía
entre el canto, letanía,
y los rasgos conventuales.

La mano con que estofara
a la Virgen cada estrofa
iluminó con estofa
de la tintura más rara.

Qué rayas las de los versos,
qué vocales tan redondas
y cómo ruedan sus ondas
por los renglones más tersos!

Se oye el silencio que exhala
el canto de la escritura,
y se siente la ternura
de pluma que vivió en ala.

19

PEÑAS de Neila, os recogió la vista
de Teresa de Becedas
que, moza, suspiraba la conquista
de Jesús; alisedas

del Tormes, las que veis vivir el agua
de la nieve evangélica de Gredos;
agua que hoy briza el sueño
último de Teresa,
y que templó la fragua
de su entraña, a que dedos
del Señor encendieron en la empresa
de ganar el azul; navas floridas
donde alientan los lirios su confianza
en el Padre que cubre con su manto
las sernas doloridas
del trabajo a que dobla la esperanza
de un terminal reposo santo;
encinas matriarcales
que ceñís espadañas donde sueña,
mientras la esquila duerme, la cigüeña
al peso de las horas estivales.
Encinas de verdor perenne y prieto
que guardáis el secreto
de madurez eterna de Castilla,
podada maravilla
de sosiego copudo;
encinas silenciosas
de corazón nervudo;
qué recato en las tardes bochornosas
al rumor de la fuente echar la siesta
oyendo al agua lo que siempre dijo,
el eterno acertijo
que nos agua la fiesta:
Será el dormir morir
y un sueño de vacío el porvenir?
Mas llega la modorra,
encinas matriarcales,
del seso nos ahorra
el poso del veneno de los males.
Buscad confianza, pero no evidencia.
Sueño nos da la fe, muerte la ciencia.

20

CRISTALES, cristales, cristales,
duras flores de tierra pura,
de tierra virgen, sin verdura
de plantas y sin animales.

Tinieblas cuajadas en roca,
la luz del abismo os baña
y abrís transparentes la entraña
al beso del sol con su boca.

Cristales, cristales, sin vida,
sobre ella, bajo ella inmortales.
Cristales, cristales, cristales;
la luz en tinieblas se anida.

21

JUAN de la Cruz, madrecito,
alma de sonrisa seria,
que sigues tu senderito
por tinieblas de miseria,

de la mano suave y fuerte
de tu padraza Teresa,
la que corteja la muerte;
la vida ¡cómo te pesa!

Marchas por la noche oscura,
te va guiando la brisa,
te quitas de toda hechura,
te basta con la sonrisa.

De Dios el silencio santo,
colmo de noche sin luna,
vas llenando con tu canto,
para Dios canto de cuna.

Madrecito de esperanza,
nuestra desesperación
gracias a tu canto alcanza
a adormecer la razón.

22

LEER, leer, leer, vivir la vida
que otros soñaron.
Leer, leer, leer, el alma olvida
las cosas que pasaron.

Se quedan las que quedan, las ficciones,
las flores de la pluma,
las solas, las humanas creaciones,
el poso de la espuma.

Leer, leer, leer; seré lectura
mañana también yo?
Seré mi creador, mi criatura,
seré lo que pasó?

23

A MI PRIMER NIETO

LA media luna es una cuna
y quién la briza?
y el niño de la media luna
qué sueños riza?

La media luna es una cuna
y quién la mece?
y el niño de la media luna
para quién crece?

La media luna es una cuna,
va a luna nueva,
y al niño de la media luna
quién me lo lleva?

# RAMON DEL VALLE-INCLAN

## VIDA

*Don Ramón María del Valle-Inclán nació en Puebla del Caramiñal (Villanueva de Arosa, Pontevedra) en 1866. En la revista* Alma Española *apareció en 1903 una autobiografía que comenzaba así: "Este que veis aquí, de rostro español y quevedesco, de negra guedeja y luenga barba, soy yo: don Ramón María del Valle-Inclán. Estuvo el comienzo de mi vida lleno de riesgos y azares. Fui hermano converso en un monasterio de cartujos y soldado en tierras de la Nueva España. Una vida como la de aquellos segundones hidalgos que se enganchaban en los tercios de Italia para buscar lances de amor, de espada y de fortuna." Y luego: "A bordo de la* Dalila, *lo recuerdo con orgullo, asesiné a sir Roberto Yones. Fue una venganza digna de Benvenuto Cellini. Os diré cómo fue, aun cuando sois incapaces de comprender su belleza; pero mejor será que no os lo diga: seríais capaces de horrorizaros." Es a veces difícil para el biógrafo discernir lo que en la vida de Valle-Inclán hay de histórico y de novelesco. Consta, sin embargo, que en 1895 estaba ya en Madrid, dando que hablar con su original pergeño indumentario. Asimismo estuvo en tierras de Nueva España, hoy Méjico, en los años de su juventud. Posteriormente hizo otro viaje a América: Argentina, Uruguay y la costa del Pacífico. Hubo de serle amputado el brazo izquierdo. Ha residido habitualmente en Madrid y en su tierra galaica. Como otros escritores españoles—Unamuno, Pérez de Ayala, Azaña—, visitó el frente de guerra aliado. En la actualidad reside en Roma como director de la Academia de Bellas Artes para pensionados españoles.*

POETICA

*"El verbo de los poetas, como el de los santos, no requiere descifrarse por gramática para mover las almas. Su esencia es el milagro musical." "El verso, por ser verso, es ya emotivo, sin requerir juicio ni razonamiento. Al goce de su esencia ideológica suma el goce de su esencia musical, numen de una categoría más alta. Y este poder del verbo en la rima se aquilata y concreta. La rima es un sortilegio emocional del que los antiguos sólo tuvieron un vago conocimiento." "La rima junta en un verso la emoción de otro verso con el cual se concierta: hace una suma, y si no logra anular el tiempo, lo encierra y lo aquilata en el instante de una palabra, de una sílaba, de un sonido. El concepto sigue siendo obra de todas las palabras, está diluido en la estrofa; pero la emoción se concita y vive en aquellas palabras que contienen un tesoro de emociones en la simetría de sus letras. Como la piedra y sus círculos en el agua, así las rimas en su enlace numeral y musical. La última resume la vibración de las anteriores. Y únicamente por la gracia de su verbo se logra el extremado anhelo de alumbrar y signar en voces las neblinas del pensamiento, las formas ingrávidas de la emoción, la alegría y la melancolía difusa en la gran turquesa de la luz. ¡Toda la nuestra vida dionisiaca entrañada de intuiciones místicas!"*

*"El secreto de las conciencias sólo puede revelarse en el milagro musical de las palabras. ¡Así el poeta, cuanto más oscuro, más divino! La oscuridad no estará en él, pero fluirá del abismo de sus emociones que le separa del mundo. Y el poeta ha de esperar siempre en un día lejano, donde su verso enigmático sea como diamante de luz para otras almas, de cuyos sentimientos y emociones sólo ha de ser precursor."*

(LA LÁMPARA MARAVILLOSA, 1916.)

*"No hay diferencia esencial entre prosa y verso. Todo buen escritor, como todo verdadero poeta, sabrá encontrar número, ritmo, cuantidad para su estilo. Por eso los grandes poetas eliminan los vocablos vacíos, las apoyaturas, las partículas inexpresivas, y se demoran en las nobles palabras, llenas, plásticas*

*y dilatadas. Así Rubén Darío: "Inclitas razas ubérrimas, sangre de Hispania fecunda,—espíritus fraternos, luminosas almas, ¡salve!..." Siempre me ha encantado la dificultad, la violencia, que cuando es diestramente vencida, origina la gracia. La rima no debe ser pobre; entonces es una puerilidad. Pero cuando la rima recae en palabras de profunda significación y de bella fonética, provoca toda su magia. Es a un tiempo cifra de simultaneidad y memoria reversible, y en un solo sonido se superponen dos o tres colores. Así en una cucharilla de café legítimo admiramos a la vez negro de laca, oro reflejo y el color propio del café, que por ser la suma de esos dos, es ya otro distinto.*

*La poesía actual se esfuerza por crear el lenguaje de la nueva época. La disgregación de la gramática, el empleo de las imágenes distantes, el juego de las cesuras y silencios, el nuevo escandido, responde a una necesidad de expresión no euclidiana que tendrá que preparar el terreno a la novela futura."*

(CONVERSACIÓN CON G. D., 1934.)

Las poesías elegidas pertenecen a los siguientes libros: número 1, a *Voces de gesta;* 2, a *Aromas de leyenda;* 3 a 5, a *El pasajero;* 6 a 8, a *La pipa de kif.*

## 1

## LA OFRENDA

BAJO el roble foral a vosotros mi canto consagro,
corazones florecidos como las rosas de un milagro!...
¡A los pastores que escuchan, temblando, las gestas de sus versolaris!
¡A las dulces abuelas de manos ungidas y arrugadas
que hilan al sol, en el campo de los pelotaris!
¡A los patriarcas que acuerdan las guerras pasadas
y en la lengua materna aún evocan la gloria de añejas jornadas,
mirando a los nietos tejer el espata-danzaris
con antiguas y mohosas espadas!
¡Y a vosotras, doncellas, que espadáis el lino!
¡Y a vosotros, augustos sembradores del agro,
que aún rasgáis la tierra empuñando el arado latino!
¡Y a vosotros que en rojos lagares estrujáis el vino!
¡A todos mi canto consagro!

## 2

## SON DE MUÑEIRA

CANTAN las mozas que espadan el lino,
cantan los mozos que van al molino,
y los pardales en el camino.

¡Toc! ¡Toc! ¡Toc!... Bate la espadela.
¡Toc! ¡Toc! ¡Toc!... Da vueltas la muela.
Y corre el jarro de la Arnela...

El vino alegre huele a manzana
y tiene aquella color galana
que tiene la boca de una aldeana.

El molinero cuenta un cuento,
en la espadela cuentan ciento,
y atrujan los mozos haciendo el comento.

*¡Fun unha noite a o muiño cun fato de neñas novas*
*todas elas en camisa, en n'o medio sin cirolas!*

3

## ROSA DEL PARAISO

ESTA emoción divina es de la infancia,
cuando felices el camino andamos
y todo se disuelve en la fragancia
de un domingo de Ramos.

El campo verde de una tinta tierna,
los montes mitos de amatista opaca,
la esfera de cristal como una eterna
voz de estrellas. ¡Un ídolo la vaca!

Aladas sombras en la gracia intacta
del ocaso, poblaron los senderos,
y contempló la luna, estupefacta,
el paso de los blancos mensajeros.

Negros pastores, quietos en los tolmos,
adivinan la hora en las estrellas.
Cantan todas las hojas de los olmos.
La mano azul del viento va entre ellas.

En su temblor azul, devoto y pronto,
tiene ansias de ideal la flor del lino,
ansias de deshojarse en el tramonto
y hacer de su temblor, temblor de trino.

El agua por las hierbas mueve olores
de frescos paraísos terrenales;
las fuentes quietas, oyen a las flores
celestes conversar en sus cristales.

Con reflejos azules y ligeros
el mar cantaba su odisea remota,
y se encendía bajo los luceros
que a los bajeles dicen la derrota.

Mi bajel, en el claro de la luna,
navegaba, impulsado por la brisa,
sobre ocultos caminos de fortuna...
¡Era el cielo cristal, canto y sonrisa!

Con el ritmo que vuelan las estrellas
acordaban su ritmo la resaca,
y peregrina en las doradas huellas
vi sobre el mar una nocturna vaca.

Mi alma, tendida como un vasto sueño,
se alegró bajo el árbol del enigma.
Ya enroscaba en la copa su diseño
flamígero, la sierpe del Estigma.

En mi ardor infantil no cupo el miedo.
La vaca vino a mí, de luz dorada,
y en sus ojos enormes, con el dedo
quise tocar la claridad sagrada.

Su ojo redondo, que copiaba el mundo,
me habló como la sierpe del pecado,
y busqué la manzana en su profundo
con un dedo de rosa levantado.

4

## KARMA

QUIERO una casa edificar
como el sentido de mi vida.
Quiero en piedra mi alma dejar
erigida.

Quiero labrar mi eremitorio
en medio de un huerto latino,
latín horaciano y grimorio
bizantino.

Quiero mi honesta varonía
transmitir al hijo y al nieto,
renovar en la vara mía
el respeto.

Mi casa como una pirámide
ha de ser templo funerario.
El rumor que mueve mi clámide
es de Terciario.

Quiero hacer mi casa aldeana
con una solana al oriente,
y meditar en la solana
devotamente.

Quiero hacer una casa estoica
murada en piedra de Barbanza,
la casa de Séneca, heroica
de templanza.

Y sea labrada de piedra;
mi casa Karma de mi clan,
y un día decore la hiedra
SOBRE EL DOLMEN DE VALLE-INCLÁN.

5

## EN UN LIBRO GUARDADA ESTA

En el espejo mágico aparece
toda mi vida, y bajo su misterio
aquel amor lejano se florece
como un arcángel en su cautiverio.

Llega por un camino nunca andado,
ya no son sus veredas tenebrosas;
desgarrada la sien, triste, aromado,
llega por el camino de las rosas.

Vibró tan duro en contra de la suerte
aquel viejo dolor, que aún se hace nuevo,
está batido como el hierro fuerte
tiene la gracia noble de un mancebo.

Reza, alma triste, en su devota huella;
los ecos de los muertos son sagrados.
Como dicen que alumbran las estrellas,
alumbran los amores apagados.

Este amor tan lejano, ahora vestido
de sombra de la tarde, en el sendero
muestra como un arcángel, el sentido
inmortal de la vida al pasajero.

Yo iba perdido por la selva oscura,
sólo oía el quebrar de una cadena,
y vi encenderse con medrosa albura,
en la selva, una luz de ánima en pena.

Tuve conciencia. Vi la sombra mía
negra, sobre el camino de la muerte,
y vi tu sombra blanca que decía
su oración a los tigres de mi suerte.

6

## GARROTE VIL

¡TAN! ¡Tan! ¡Tan!, canta el martillo.
El garrote alzando están.
Canta en el campo un cuclillo
y las estrellas se van
al compás del estribillo
con que repica el martillo:
¡Tan! ¡Tan! ¡Tan!

El patíbulo destaca
trágico, nocturno y gris,
la ronda de la petaca
sigue a la ronda de anís;
pica tabaco la faca
y el patíbulo destaca
sobre el alba flor de lis.

Aspera copla remota
que rasguea un guitarrón
se escucha. Grito de jota
del morapio peleón.
El cabileño patriota
canta la canción remota
de las glorias de Aragón.

Apicarada pelambre
al pie del garrote vil
se solaza muerta de hambre,
da vayas al alguacil,
y con un rumor de enjambre
acoge hostil la pelambre
a la hostil Guardia Civil.

Un gitano vende churros
al socaire de un corral;
asoman flautistas burros

las orejas al bardal;
y en el coro de baturros
el gitano de los churros
beatifica al criminal.

El reo espera en capilla,
reza un clérigo en latín,
llora una vela amarilla
y el sentenciado da fin
a la amarilla tortilla
de hierbas. Fue a la capilla
la cena del cafetín.

Canta en la plaza el martillo;
el verdugo gana el pan.
Un paño enluta el banquillo;
como el paño es catalán,
se está volviendo amarillo
al son que canta el martillo.
¡Tan! ¡Tan! ¡Tan!

## 7

## RESOL DE VERBENA

INGRATA la luz de la tarde,
la lejanía en gris de plomo,
los olivos de azul cobarde,
el campo amarillo de cromo.

Se merienda sobre el camino
entre polvo y humo de churros,
y manchan las heces del vino
las chorreras de los baturros.

Agria y dramática la nota
del baile. La sombra morada,

el piano desgrana una jota,
polvo en el viento de tronada...

El tíovivo su quimera
infantil, erige en el raso:
en los caballos de madera
bate el reflejo del ocaso.

Como el monstruo del hipnotismo
gira el anillo alucinante,
y un grito pueril de histerismo
hace a la rueda el consonante.

Un chulo en el aire alborota,
un guardia le mira y se naja:
en los registros de la jota
está desnuda la navaja.

Y la daifa con el soldado
pide su suerte al pajarito:
los envuelve un aire sagrado
a los dos, descrifrando el escrito.

La costurera endomingada,
en el columpio da su risa
y enseña la liga rosada
entre la enagua y la camisa.

El estudiante se enamora;
ve dibujarse la aventura
y su pensamiento decora
un laurel de literatura.

Corona el columpio su juego
con cantos. La llanura arde:
tornóse el ocaso de fuego;
los nardos ungieron la tarde.

Por aquel rescoldo de fragua
pasa el inciso transparente
de la voz que pregona: —¡Agua,
azucarillos y aguardiente!

Vuela el columpio con un vuelo
de risas. Cayóse en la falda
de la niña, la rosa del pelo,
y Eros le ofrece una guirnalda.

Se alza el columpio alegremente,
con el ritmo de onda en la arena,
onda azul donde asoma la frente
vespertina de una sirena.

Brama el idiota en el camino,
y lanza un destello rijoso
—bajo el belfo—el diente canino
recordando a Orlando furioso.

¡Un real, la cabeza parlante!
¡A la suerte del pajarito!
¡La foca y el hombre gigante!
¡Los gozos del Santo Bendito!

¡Naranjas! ¡Torrados! ¡Claveles!
¡Claveles! ¡Claveles! ¡Claveles!
Encadenados, los pregones
hacen guirnaldas de babeles.

Se infla el buñuelo. La aceituna
aliñada reclama el vino
y muerde el pueblo la moruna
rosquilla de anís y comino.

8

## ROSA DEL SANATORIO

BAJO la sensación del cloroformo
me hacen temblar con alarido interno
la luz de acuario de un jardín moderno,
y el amarillo olor del yodoformo.

Cubista, futurista y estridente,
por el caos febril de la modorra
vuela la sensación, que al fin se borra,
verde mosca, zumbándome en la frente.

Pasa mis nervios, con gozoso frío.
el arco de lunático violín;
de un sí bemol el transparente pío.

tiembla en la luz acuaria del jardín:
y va mi barca por el ancho río
que divide un confín de otro confín.

# FRANCISCO VILLAESPESA

## VIDA

*Francisco Villaespesa y Martín-Toro nació en Laujar (Almería) en 1877. Estudió en la Universidad de Granada. En versos de encantadora nostalgia nos ha recordado su vida estudiantil: el "recogerse cuando sobre las torres brilla—como una perla húmeda la luz, la madrugada"; en épocas de exámenes, el "pasar la noche entera—pidiendo al café alientos y al tabaco energía,—al áureo parpadeo de una vela de cera,—apoyados los codos sobre la escribanía,—cabeceando sobre un libro, hasta que el día—escarche con sus ráfagas de luz la vidriera." "Y luego, por las tardes, en la Alhambra, a la orilla—de un arroyo que el césped perfuma de violeta,—proseguir estudiando, entre fuentes y flores...— Y olvidarse del texto por leer a Zorrilla,—¡y abandonar el libro divino del poeta—por oír en los álamos trinar los ruiseñores...!" (De* El encanto de la Alhambra.)

*A los veinte años viene a Madrid, y comienza a sentirse atacado "de esa exquisita enfermedad de vagos—que hemos dado en llamar literatura". Publica sus primeros libros de versos y funda (o colabora en) diversas revistas, como* Vida y Arte, La Revista Nueva, Electra, Revista Latina, Germinal *y* Revista Ibérica. *En sus primeros libros se recogen en forma de prólogos o de apéndices críticos los más encomiásticos juicios de todas las figuras literarias del momento y de todos sus compañeros de juventud poética. Salvador Rueda prologa en verso* Luchas; *Juan R. Jiménez,* La copa del rey de Thule, *en prosa.*

*Desde 1911 comienza a estrenar en el teatro* (El Alcázar de las Perlas) *y en 1917 marcha a Méjico, donde actúa como empresa-*

*rio teatral. De allí marcha a Cuba, Santo Domingo, Puerto Rico y Venezuela. Regresa a España en 1921. Y parte de nuevo a Venezuela, Puerto Rico, Cuba, Panamá, Colombia, Perú, Bolivia, Chile, Argentina, Paraguay, Uruguay y Brasil. Atraviesa los Andes a caballo (Colombia). Y en todos estos países da lecturas poéticas, estrena dramas, imprime libros, prologa otros de poetas americanos o traduce los brasileños. En 1931 vuelve a España, y reside actualmente en Madrid.*

## POETICA

*"Paleta, sí, mas sobria de colores—y rica de matices. Pintar flores—, no como son, y sí como las vemos." He aquí claramente expresado un principio estético* (El libro de Job). *Para la poesía, Villaespesa se ha encontrado con una sorprendente facilidad nativa: "El ritmo, el gran rebelde, me rinde vasallaje." Abundan en sus versos, como en sus prólogos, las confidencias de poética y de autocrítica. Añado aquí palabras suyas de una reciente—1934—conversación con G. D.:*

*"Para mí la Poesía ha sido, más bien que una disciplina clásica, un desahogo romántico. He amado sobre todas las cosas a la Naturaleza y he procurado cantarla incesantemente. El Amor, la Muerte, la Patria son temas también fundamentales de mi poesía. Me he inspirado para mi obra lírica, épica y dramática en la Historia de España y de América, en la Historia de la Raza. Y siempre he considerado como nuestros a portugueses y brasileños, en una suprema hermandad ibérica. Poetas como Eugenio de Castro y Antonio Nobre han influido eficazmente en la formación de mi gusto. Entre los españoles, Zorrilla y Rueda, con Rubén Darío. Y he admirado, sobre todos, a D'Annunzzio.*

*Creo en la Poesía como una realidad que existe en sí misma, y en el poeta como artista natural, inconfundible con el literato. En cuanto a la rima, la he sentido y empleado, no como una obligación, sino como fruto de una inclinación del sentimiento. El poeta es siempre libre para usarla o prescindir de ella, para manejar el verso con plena libertad."*

Las poesías elegidas pertenecen a los siguientes libros: número 1, a *Flores de almendro;* 2 y 3, a *Rapsodias;* 4, a *La copa del rey de Thule;* 5, a *Las canciones del camino;* 6, a *Tristitiae rerum;* 7, a *El libro de Job:* 8, a *Los remansos del crepúsculo;* 9, a *El espejo encantado;* 10, a *Panales de oro;* 11, a *La fuente de las gacelas;* 12, a *Baladas de cetrería;* 13, a *El canto de la Alhambra;* 14 a 18, inédito.

## 1
## JARAMAGO

¡Ni una cruz en mi fosa!... ¡En el olvido
del viejo camposanto,
donde no tengo ni un amigo muerto,
bajo la tierra gris, sueñan mis labios;
y de sus sueños silenciosos brotan
amarillos y tristes jaramagos!

Si alguna vez hasta mi tumba llegas,
lleva esas pobres flores a tus labios...
¡Respirarás mi alma!... ¡Son los besos
que yo soñaba darte, y no te he dado!

## 2
## OFERTORIO

EN estas horas íntimas de gran recogimiento,
cuando escuchamos hasta girar agonizante,
en torno de la lámpara que alumbra vacilante,
como una mariposa, un vago pensamiento.

Cuando en la mano helada de una tristeza inmensa
el corazón sentimos temblar, aprisionado,
como un latir medroso de pájaro asustado
y el alma está en la pluma, sobre el papel suspensa.

Cuando en el gran silencio nocturno se percibe
el hálito más tenue, el son más fugitivo,
y se funden en uno los cien ecos dispersos.

Alguien dice a mi oído, con voz muy baja: —¡Escribe!...
Y yo entonces, llorando y sin saberlo, escribo
esas cosas tan tristes que algunos llaman versos.

3

## LA HERMANA

EN tierra lejana
tengo yo una hermana.
Siempre en primavera
mi llegada espera
tras de una ventana.

Y a la golondrina,
que en sus rejas trina,
dice con dulzura:
—¡Por aquella espina
que arrancaste a Cristo,
dime si le has visto
cruzar la llanura!
El ave su queja
lanza temerosa,
y, en la tarde rosa,
bajo el sol se aleja.

Desde su ventana,
mi pálida hermana
pregunta al viajero
que camina triste:
—¡Por tu amor primero,
dime si le viste
por ese sendero!

Pero el pasajero
su Calvario sube,
y se aleja lento,
dejando una nube
de polvo en el viento.

Desde su ventana,
a la luna grita
mi pálida hermana:
—¡Por la faz bendita
del Crucificado,
dime en qué sendero
tu rayo postrero
su paso ha alumbrado!
La luna, la vaga
llanura ilumina;
trémula declina
y en el mar se apaga.

Acaso yo errante
pase, vacilante,
bajo tu ventana,
y, sin conocerme,
mi pálida hermana,
preguntes al verme
venir tan lejano:
—Dime, peregrino,
¿has visto a mi hermano
por ese camino?

## 4
## OFELIA

TURBIA de sombra el agua del remanso,
reflejó nuestras trémulas imágenes,
extáticas de amor, bajo el crepúsculo,
en la enferma esmeralda del paisaje...

Era el frágil olvido de las flores
en el azul silencio de la tarde,
un desfile de inquietas golondrinas
sobre pálidos cielos otoñales...

En un beso muy largo y muy profundo
nos bebimos las lágrimas del aire,
y fueron nuestras vidas como un sueño
y los minutos como eternidades...

Y al despertar del éxtasis, había
una paz funeraria en el paisaje,
estertores de fiebre en nuestras manos
y en nuestras bocas un sabor de sangre...

Y en el remanso turbio de tristeza
flotaba la dulzura de la tarde,
enredada y sangrante entre los juncos,
con la inconsciencia inmóvil de un cadáver.

## 5
## SONATA DE ABRIL

FRESCO aroma de rosas... Los horizontes rojos
arden en el crepúsculo... Por los verdes caminos
florecientes, cantando, pasan los peregrinos...
¡El alma, el alma entera de Abril brilla en sus ojos!

¡Abrid vuestras ventanas; abridlas a los vientos
llenos de ruiseñores, los vientos sosegados
que ahuyentan, con sus besos de rosas perfumados,
sobre las frentes pálidas los tristes pensamientos!

Es la hora en que el alma melancólica espera
la divina palabra que le dé la alegría...
Un beso, una caricia de amor, la vida entera

se escapa de los labios, buscando en este día,
bajo el eterno júbilo de la azul primavera,
un alma que no sueñe y un labio que no ría.

6

HAY veces que mi alma
abandona mi cuerpo,
y se pierde, volando, en los espacios
infinitos de luz, lejos, muy lejos...

¡Dónde va el alma en esas locas fugas?
Tan sólo sé que al regresar al cuerpo,
si se asoma a mis ojos, me parece
cielo y tierra un desierto,
y si a mis labios a subir se atreve,
mi sonrisa es tan triste que da miedo.

7

ESTA doliente música de las fuentes me inquieta
e inconsciente me llevo al corazón la mano,
como si ahogar quisiera una angustia secreta,
algo que será siempre para el alma un arcano.

Se desangra la fuente como por una herida,
y en sus aguas sonoras y corrientes me lleva
el afecto más puro y grande de mi vida
para que algún sediento corazón se lo beba.

¿De qué profundos ojos surge ese eterno llanto?
¿En qué corazón cabe tan inmenso quebranto?
Todo recorre un trágico estertor de agonía...

¡Oh, corazón humano, acalla tu tristeza!...
¿Qué vale la voz frágil de tu melancolía
ante el dolor eterno de la Naturaleza?

## 8

EN la noche, rasgando las tinieblas
con la luz de tu espíritu, llegaste
a la torre encantada donde sueño
cansado de vivir y de esperarte.

Era el silencio tan glacial. Había
tanto hielo en las ráfagas del aire,
que mi espíritu apenas si notaba
los febriles ardores de mi carne.
Al lado de mi cuerpo, parecía
un espectro velando su cadáver.

El recuerdo de todo aullaba fuera,
como un perro esquelético de hambre
que, erizado de horror, ladra a los miedos
que vagan en las sombras de la calle.

La puerta se entreabrió sin hacer ruido
y en el umbral resplandeció tu imagen,
como si en las tinieblas con un fósforo
una mano irreal la dibujase.

## 9
## MOISES

AL contemplar su estatua frente a frente
Miguel Angel tembló... Tan viva era
que para ser humana solamente
le faltaba la voz. Con faz severa,

todo de orgullo y de creación temblando:
—¡Parla!—dijo a la estatua, dando un grito,
e inmóvil se quedó, como esperando
que se abriesen las fauces de granito.

Los ojos llenos de extrahumano brillo
obsesionado por tan loca idea,
—¡Parla!—grita otra vez con voz más alta...

Y levantando su creador martillo,
en las rodillas de Moisés golpea
hasta que el mármol se estremece y salta.

10

## HUERTO CERRADO

¿DONDE la hermana dirige sus huellas?
¿Tan tempranito por qué amaneció,
si los remansos florecen estrellas,
si la alborada sus rosas no abrió?

—Voy en mi falda a cortar un tesoro
de siempreviva y rosas de luz,
de margaritas y lirios de oro
para la celda de Juan de la Cruz.

—¿Dónde florecen tan lindas estrellas?
—En los jardines de Nuestro Señor...
—¿Quién hizo abrirse corolas tan bellas?
—Santa Teresa, con llantos de amor.

—¿Cómo llegar a tan ricos jardines?
—Por los caminos que no tienen fin.
—¿Y quién custodia sus amplios confines?
—La ígnea espada de algún serafín.

—Dame, hermanita, tus manos piadosas...
Quiero ver esos jardines de luz,
y recoger las más fúlgidas rosas
para la celda de Juan de la Cruz.

11

## ACUARELA OTOÑAL

EN la quietud de la ribera sola
son un mar de esmeraldas los bancales,
que con sus tibios oros otoñales
el fausto de la tarde tornasola.

Ansiando disparar, la tercerola
sigue del viejo perro las señales,
que fustiga el verdor de los maizales
con el péndulo oscuro de la cola.

Vuela la codorniz... El aire claro
rasga la seca angustia de un disparo...
Después quedan tan sólo alguna pluma

que en florido zarzal abate el vuelo,
y un humo, leve y blando, que se esfuma
como un suspiro, en el azul del cielo.

12

LAS cancelas están herrumbrosas,
y en las húmedas sendas del huerto,
deshojadas y tristes, han muerto
en un llanto de nieve las rosas.

Brota fúnebre hierba en las losas.
El salón está triste y desierto,
y un espejo, en las sombras, ha abierto
sus moradas pupilas vidriosas...

¿Quién dejó sobre el pecho cruzadas
esas manos tan finas y heladas
donde sangra entre nieve un rubí?

¿Quién cerró sus pupilas sin brillo?
—¡Con su traje de seda amarillo,
Dama Otoño pasó por aquí!

13

## EL JARDIN DE LINDARAXA

DE de la tarde de octubre bajo la luz gloriosa,
en la fuente de mármol que el arrayán orilla,
diluyen los cipreses su esmeralda herrumbrosa
y la arcada del fondo su tristeza amarilla.

Rosales y naranjos... Mustio el jardín reposa
en un verdor que el oro del otoño apolilla...
Sólo, a veces, se enciende la llama de una rosa,
o el oro polvoriento de una naranja brilla!...

Mas, dentro de este otoño, hay tanta primavera
en gérmenes; y es todo tan dulce y apacible,
que antes de abandonarlo, mi corazón quisiera,

oyendo el melodioso suspirar de la fuente
y soñando con una Lindaraxa imposible,
sobre este viejo banco dormir eternamente!...

YO sé que la esperanza está viva, y que dentro
del corazón su lámpara dulcemente ilumina;
mas ya sin entusiasmo y sin fuerzas me encuentro
para arrancarle nuevos tesoros a la mina!...

En el jardín, a veces, de mis recuerdos entro
y encanezco de angustia mirando tanta ruina...
¡Cipreses y naranjos marchitos, y en el centro
una fuente que nunca de sollozar termina!...

Yo sé que Lindaraxa con sus besos pudiera
dar a mi otoño un nuevo frescor de primavera...
Pero está tan remota, ¡y es tan largo el sendero!...

¡Y me encuentro tan pobre, tan triste y tan rendido,
que a buscarla de nuevo por la vida, prefiero
soñar eternamente que jamás ha existido!...

## 14
## ROMANCE DE LAS OCHO HERMANAS

¡CANTARES de Andalucía!...
¡Qué bien rima la guitarra
las sonrisas de Sevilla,
los suspiros de Granada
con el silencio de Córdoba
y la alegría de Málaga!
Almería, sus amores
sueña al pie de su alcazaba.
Jaén se adormece a la sombra
de un olivo y de una parra...
Huelva, la heroica y altiva
Adelantada de España,
¡sueña con un Nuevo Mundo
en el seno de otras aguas!
Y Cádiz, la danzarina,
baila desnuda en la playa
más blanca en sus desnudeces
que las espumas más blancas.

## 15
## CONVALECENCIA

¡QUE suavidad, qué suavidad de raso,
qué acariciar de plumas en el viento;
en terciopelos se apagó mi paso
y en remansos de seda el pensamiento.

Todo impreciso es como en un cuento,
se desborda en silencio como un vaso,
y en esta tibia languidez de ocaso
desfallecer hasta morir me siento.

Como un panal disuélvome en dulzura,
desfallezco de todo: de ternura,
de claridad, del éxtasis de verte...

Y todo tan lejano, tan lejano...
En este atardecer tu frágil mano
pudiera con un lirio darme muerte!...

## 16

## BALADA DE LA SAUDADE Y EL CORAZON

¡LA saudade portuguesa!...
¿Qué es saudade, corazón?...
—¿Será la primera lágrima
de nuestro primer amor?
Y el corazón, no sabiendo
qué contestar, suspiró...

## 17

¿PARA qué soñar jardines
que luego deshoja el viento?...
¡Mi sueño es ser una palma
en la mitad del desierto!

18

## CARACOLAS MARINAS

ESCUCHA cuando estés entristecido,
en el silencio de tus noches solas,
estas maravillosas caracolas
que de remotas playas he traído.

Y oirás, entre el tumulto de las olas,
cantar a las sirenas en tu oído:
¡Ni bálsamos ni jugos de amapolas
producen un tan inefable olvido!

Te irán adormeciendo sus canciones
soñando con nereidas y tritones...
Y si algún día tu soñar despierta,

en la playa verás, bajo una palma,
la desnudez de una sirena muerta,
¡de la sirena que murió en tu alma!

# EDUARDO MARQUINA

## VIDA

"*Nací en Barcelona; 21 de enero de 1879. Estudié en el Colegio de los Jesuítas. Debo a mis primeros maestros el fondo clásico, latino y griego, de mi cultura literaria. En la Universidad empiezo Leyes y Filosofía y Letras. No pasé de uno o dos cursos. Ningún recuerdo; ninguna impresión de aquellas aulas. Huérfano de padre y madre, desde los dieciséis años me di a la literatura y al periodismo. En colaboración con Luis de Zulueta publiqué mi primer libro,* Jesús y el Diablo, *precisamente en 1898. Formé parte de la redacción de* La Publicidad. *Con mi libro* Odas, *cuya edición me regalaron amigos y lectores de aquellos versos, vine a Madrid. Algunos conocimientos de aquellos años: D. Juan Valera, para agradecerle sus críticas sobre mi libro* Odas; *Octavio Picón, Núñez de Arce, Palacio, Reina, D. Marcelino, etc. En el mundo del teatro, Echegaray, Pérez Galdós, Balart, Benavente, Martínez Sierra, etcétera. Vivía en una casa de huéspedes de la calle de Jacometrezo con el escritor catalán Pedro Corominas. Allí nos reuníamos con Amadeo Vives, Jacinto Grau, Lerroux, Maeztu, Pío Baroja, etc. En paseos y excursiones de algunos días por la sierra pude relacionarme con elementos de la Institución Libre de Enseñanza y tuve la dicha de conocer a don Francisco Giner y hablar con él dos o tres veces.*

*Regresé a Barcelona y menudearon mis viajes a Madrid, con obras de teatro, que a veces conseguía estrenar y que no siempre tenían éxito. Durante estos viajes conocí a nuevos escritores: Ramón Pérez de Ayala, José Ortega y Gasset (uno de los hombres que mayor impresión me produjeron) y algunos más. A los veinticuatro años de edad me casé en Barcelona. Hacia el año 1906 ó 1907, ya con mi hijo y mi mujer, me instalé definitivamente en Madrid. Redactor-jefe en* España Nueva, *seguía escribiendo para el teatro obras que no intentaba estrenar. Trabajaba además en cuentos, novelas y traducciones. Durante esos años, que fueron, por abundancia de corazón, los de mi primera etapa lírica, había ido publicando algunos tomos de poesías:* Eglogas, Las Vendimias *y* Elegías. *Principalmente el último consolidó mi naciente reputación de poeta español y todos le dieron cierta notoriedad a mi nombre.*

*Pasaba todos los años gran parte del invierno en París; y algunos meses del verano en Cadaqués, pueblecito de mar, en la provincia de Gerona. Así pude, en aquellos años, no sólo asomarme a Europa en París, sino viajar por ella, en ocasiones. Conocí, además de Francia, todo el norte de Italia, y Londres, Berlín, Bruselas y Varsovia.*

*El estreno de* Las Hijas del Cid, *en el Español, por María Guerrero y Fernando Díaz de Mendoza, en marzo de 1908, fue mi primer éxito de consideración en el teatro. Y tuve además una buena crítica. Pero, sobre todo, creí ver un camino posible para mis condiciones poéticas: yo veía un* teatro poético, *en el sentido de* creación poética. *No copia de la llamada realidad, ni mucho menos reconstrucción histórica. Ya a partir de esta obra, el teatro es la principal de mis actividades y casi mi profesión. Tengo el amor de la vida familiar, el sentido catalán de la casa y sus muebles; compro libros—mi pasión más costosa—y sigo pasando los otoños o los primeros días del invierno en París. Pero a los primeros éxitos suceden años de prueba. Fernando Díaz de Mendoza, aquel amigo admirable y cordial, me propuso una* tournée *por América con su compañía, para dar conferencias y asistir a mis estrenos. Con mi mujer y mi hijo, nos embarcamos en Cádiz en 1916. Recorrí así Uruguay, Argentina, Chile, Perú, Panamá, Venezuela, Puerto Rico y Cuba. Regresábamos, desembarcando en Vigo, en abril de 1917. El estreno de* Ebora *y después de* El Pavo Real *me demuestran que durante este tiempo—1920 a 1922—crítica y público parecen haber mejorado. Los años de angustia y de lucha se habían ido escalando poco a poco y el horizonte volvía a despejarse. Se casó mi hijo y el núcleo familiar se fue aumentando. Fui elegido académico en 1931 (me parece). Si puedo y logro unos días de tranquilidad para escribir mi discurso, ingresaré en la Academia este invierno. Nunca he tenido otra actividad que mi profesión de poeta y dramaturgo. Ultimamente he viajado por Italia, Yugoslavia, Hungría, Austria, Checoslovaquia, Dinamarca, Holanda, Francia, Alemania, Inglaterra y Bélgica."*

## POETICA

*"Poeta es el hombre que tiene el don de idear y expresar lo que los demás presienten y no saben decir. El poeta se mueve en esa zona misteriosa del alma en que se producen los inefables procesos psíquicos que la idea encierra y corona. Pero el poeta se mueve igualmente en esa otra zona, también misteriosa, donde se engendran las palabras que dan cuerpo a la idea y, como si dijéramos, la actúan. En el primer momento —el de la inspiración—el poeta es un poco adivino, "vate" se le ha llamado. En el segundo momento—el de la expresión— el poeta es, por instinto, a la manera del pueblo, inventor, maestro de idioma.*

*Sin embargo, al poeta no le caracterizan tanto sus ideas y sus palabras, su doctrina o su estilo, como su capacidad emocional, el* pathos *por el que, caldeándose, pasa de lo informe y puramente psíquico a la idea que lo define; y de ésta, a la palabra que la expresa y revela.*

*El poeta es el hombre que, sin detenerse en un proceso lógico,* sabe siempre qué pensar; *y, sin necesidad de recurrir a leyes biológicas del lenguaje,* encuentra y, si es preciso, crea, infaliblemente, las palabras.

*Demos un paso más. Filósofos y gramáticos derivan, el uno sus métodos y el otro sus leyes, de una anterior verdad, dada en la vida o en el tiempo, a la que es obligatorio servir y dentro de la cual procuran inscribir el complejo definido por la idea y la idea expresada por las palabras. No así el poeta. Para el poeta no existen verdades supuestas; en sus operaciones no en-*

tra la dialéctica. Al idear y al expresar no aspira a servir ninguna verdad establecida; no se preocupa de instalar, en el proceso de la historia y del mundo dados, sus creaciones personales. En realidad, ejercita un don de inventar otras verdades y de ir a parar a otros mundos.

Gramáticos y filósofos—en general, la ciencia—tratan de explicar la vida por el espíritu, cuando no de imponer a la vida las leyes del espíritu. Se mueven entre dos términos previos que enlaza una cadena de necesidad. El proceso del poeta es más sencillo. Aspira únicamente a dar vida a los anhelos del espíritu y no obedece a otra necesidad que a la de liberarse del prurito emocional por medio de formas que lo expresen. Así, la ciencia resuelve problemas planteados, y la poesía levanta enigmas nuevos. Diríase que con la primera tiende el hombre a realizarse; con la segunda, a evadirse. Con la ciencia vivimos y en la poesía sobrevivimos. Son términos "otros"; pero no sería exacto decir que son términos "opuestos".

Ideas y palabras constituyen la trama de la filosofía como de la poesía. La idea, en filosofía, como prototipo del mundo y su verdad; en poesía, como forma interior de los procesos psíquicos. La palabra, en el primer caso, como vehículo de las ideas, para comunicarlas y hacerlas comprensibles, lógicas. En el segundo caso, como tal cuerpo de las ideas, que las encarna y las hace sensibles, amables, coloridas, palpitantes; en una palabra: vivas.

Funcionalmente, en acto, la poesía es un puro proceso de amor. Las obras de poesía son fruto de un pathos emocional que embebe y agita el alma del poeta, poniéndole en trance de superación de sí mismo, inserto en la onda de la energía universal que hace a los árboles florecer, rodar a los astros, querer a los corazones. Un nexo inefable de convivencia se establece entre el poeta, la naturaleza y la humanidad. Cantan unos en otros. Dios parece mostrarse. Por momentos los efluvios se mezclan y es cuando, traspuesto, el poeta afirma (y no miente) que en la punta de rama de un endecasílabo florece una rima, que un almendro estiliza un poema de estrofas cándidas y que en la llama de dos labios ha muerto abrasada el ave de un beso... No hay límites en la conciencia íntima de la vida uni-

*versal. Sonidos, perfumes, luces, sombras, colores, sentimientos, presentimientos, misterios, se entremezclan y trasfunden, aclarándose, explicándose mutuamente.*

*El ritmo se sustituye al tiempo; la idea parodia al espacio; la palabra gesticula formas y, en el microcosmos sintético de cada poema creado, la onda eterna de la vida circula, animándolo, etc."*

E. M.

Las poesías elegidas pertenecen a los libros siguientes: número 1, a *Las vendimias;* 2, a *Elegías;* 3, a *Vendimión;* 4 y 5, a *Canciones del momento;* 6, a *Tierras de España;* 7, a *La poesía de San Francisco de Asís;* 8 y 9, inédito.

1

## CANTABA UNA CIGARRA

PST!... Cantaba una cigarra,
—el mal es bien—el bien es mal—,
cantaba que cantaba una cigarra
la gran canción de la felicidad.

Pst!... Como una chispa móvil,
—tan instantánea—que es inmortal—,
la cigarra volaba por las viñas
dichosa de vivir y de cantar.

Pst!... Con los múltiples ojos
—vivir la vida—es admirar—,
recogía del sol los resplandores,
temblaba en ellos y gozaba en paz.

Pst!... Se entregaba a la Vida
—vivir es bueno—morir igual—,
y la chispita de reflejos negros
no dejaba por nadie de cantar!

Pst!... La pequeña cigarra
—todo es alegre—y musical—,
deja las viñas y cantando sigue
su gran canción de la felicidad!

2

## VOTOS FLORIDOS

EN lo tibio del soto,
levantando las piedras,
esquivando las zarzas, apartando las hojas,
buscando violetas.

Por tu inclinarte noble
sobre las claras hierbas,
tocándolas con gracia, moviéndolas sin daño,
que encuentres violetas.

Por tu mirar sereno
cuando, irguiéndote, dejas
todo, a tu lado, el soto encendido y riente,
que encuentres violetas.

Para tus manos suaves
donde tienen las venas
el color delicado de las flores menudas,
que encuentres violetas.

Para adornarte el pecho
en el día de fiesta,
porque adoras su gracia acabada y oculta,
que encuentres violetas.

Porque, al pasar, las zarzas,
revolviéndose tercas,
en la nieve del cuello te arañaron con sangre,
que encuentres violetas.

Porque nunca maldigas
de la piadosa tierra,
y el buscar no te canse y el sufrir te consuele,
que encuentres violetas,
un montón de olorosas violetas!

3

## SALMO DE LA ESPOSA

SEÑOR, fueron tus besos como vino
y estoy toda turbada;
heme, Señor, que acabo mi camino
y no acerté a salir de la hondonada.

Cuando a mayores ansias me encendía,
fue más pronto el desmayo;
caí, cuando a los astros ya salía,
como herida del rayo.

Yo no sé, mi Señor, qué hay en tu beso,
ni qué misterio este desmayo encierra;
toda mi ligereza se hizo peso
y el alma mía gravedad de tierra.

En el mayor fervor de mis dos alas
mi vuelo se hizo duro;
perdió mi almendro en flor todas las galas,
y el fruto está maduro.

¿Quién es éste, Señor, que en sí recoge
todas mis energías?
El trigo echó raíces en mi troje,
la maravilla aletargó mis días.

Entra a espesor de sangre en mis entrañas
todo ideal anhelo;
di si he pecado, tú, que me acompañas,
y, por seguirme, has recogido el vuelo.

Di si he pecado, en esta efervescencia
de todos mis sentidos;
el aire me ha perdido transparencia,
y sólo me oigo a mí por los oídos.

Señor, la carne tengo en tiranía
y el alma en cautiverio;
habla, y tu voz me sea como el día,
que toda yo estoy negra de misterio.

Mi casa hierve en mí, y estoy tan llena
de cantidad de vida en lo repuesto,
que la interior florida me encadena
y tiene un peso secular mi gesto.

A libertad me llamas y a soltura
espiritual, por la radiante senda,
y heme que estoy atada en la clausura
inerme y especiosa de mi tienda.

¿Quién es éste, Señor, que en sí recoge
todas mis energías?...
El trigo echó raíces en mi troje,
la maravilla aletargó mis días.

## 4
## ESTROFAS VOTIVAS

¡PATRIAS montañas, fragor de la plaza,
piedras de herencia y caminos de sueño,
propicios sedles al que tiene el empeño
de fulminar un canto de raza!

A la quietud de las luengas regiones,
en el sopor secular adormecidas,
bajaré yo, con las manos tendidas,
a levantar los caídos pendones.

Son de campana en la enorme distancia,
heraldo bravo a las luces del día,
fatal dictamen a mi poesía,
fermenta en mí la ancestral resonancia.

¡Y moriré como el Fénix de España,
ebrio de fuego o fogoso de ira,
con ambas manos hundiendo mi lira
en un final resplandor de fazaña!

¡Gente bellaca de gesto muñeco,
generación del Desastre infecunda
que traes en andas a la moribunda,
la frente baja y el párpado seco;

nietos mezquinos de Juana la Loca,
que paseáis un cadáver, errante,
sin dar al aire, en el épico instante,
sino el viudo volar de la toca,

¡atrás!..., que llegan las nuevas legiones
y hurtan el muerto a los siervos ingratos;
atrás quedad, o los rostros pacatos
os marcarán con los propios blandones!

¡Surja, en la noche, el potente alarido
que junte en una las turbas dispersas!;
¡paso al cortejo que barre, atrevido,
polvo de luz, las estrellas adversas!

¡Y un puño aquí que aguante la espada
al modo aquel proverbial entre hispanos!
¡Y un gesto audaz, de unas bárbaras manos,
que en ellas tomen la insignia sagrada!

¡No serviremos el pacto de muerte
que nos injuria la frente, nacida
a la vergüenza a la vez y a la vida!
¡Manos vencidas no fijan la suerte!

¡En una inmensa discordia, volvamos
al punto aquel de la heroica partida!;
¡huérfanos, solos y pobres estamos
ante la roja explosión de la vida!

Que para alguna epopeya sangrienta
—¡parias al hambre, que forma esta Liga!—,
alza sus puños la España mendiga
en la esquivez de la Europa opulenta.

¡Y está la Ley en el Foro Romano,
común hogar de la gente latina,
para volverse a encarnar, sibilina,
pendiente acaso de un árbitro hispano!

La expectación del prodigio inminente
quietos mantiene a los pueblos en pánico.
¡Un gran desastre, un orgullo satánico:
el brazo sea que mueva a mi gente!

Que, como ayer, en el mar violento,
un Nuevo Mundo ideal se columbra:
¡nietos del Cid, vuestro rastro sangriento
marque el camino en la esquiva penumbra!

¡En marcha, al triunfo, a la vida abundante.
muertos-de-hambre de toda la Iberia;
a hurtar del puño velloso, al Atlante
las encendidas naranjas de Hesperia!

ENVÍO

Sobre tu cuna de tablas antiguas,
que me serán sepultura si miento;
hijo, nacido en las noches ambiguas
de los desastres y del vencimiento,
por estas fiebres que tú me apaciguas,
te he de decir el fatal juramento.

"¡Tú, que te harás con tus manos tu suerte;
tú, que ya recio te plantas, al verte
bajo aquel arco triunfal de la plaza,
maldíceme si llego a la muerte
sin entonar un canto de raza!"

## 5

## EL BALCON DE LA ARMERIA

PALIDO, exiguo y la cabeza fina
de bastardo de Rey entre sus manos
mira el pilluelo-golfo los lejanos
árboles que decoran la colina...

Flota en vapores la humedad del río,
y está el Sol en las horas de la puesta;
la cabezuela fina se recuesta,
para ver más, en el repecho frío.

Y, gota a gota—mientras el sonoro
trajín del día muere en la gran plaza—,
él se deja embriagar de sangre y oro,
las vendimias del Sol y de su raza...

## 6

## INVOCACION A SANTA MARIA DE RONCESVALLES

TANTO aire de montaña respirado,
tanto rumor de hayedo,
tanto riente prado,
medido al golpe de un andar tan quedo,
y todo, al fin, se desvanecería
sin recogerlo en ti, Señora mía.

Virgen del buen mirar condescendiente,
que un guardián de corderos
trajo, a darles virtud a estos oteros,
la tarde aquella en que le habló una fuente;
Señora de pastores y guerreros,
Santa María,
cerráranse tus ojos divideros,
y se trocara, hasta en sus picos fieros,
toda la forma de esta serranía.

Abeja de la miel de estas quietudes;
fuente oculta que suelta entre rebaños
los misteriosos caños
de sus castas virtudes;
que salva un recental todos los años;
cuyos divinos pies huellan los paños
blancos de los aludes;
Santa María,
heme a tus pies, sentado en tus escaños;
que, sin centrarla en ti, se desharía
la leve esfera de mi poesía.

Como un nimbo, Señora,
quédese, haciendo cerco a tu cabeza
y, halo de luna y resplandor de aurora
y niebla azul hurtada a la maleza,
todo mi canto, ahora,
abata el vuelo en torno a tu belleza
sus alas recogidas,
como velo al caer, rocen tus sienes
y enmarcando los ojos, donde tienes
todo el misterio de las altas vidas,
retenga, cautas, el devoto impulso,
Santa María,
y cúbrante la vena azul del pulso
en donde yo, a ser Dios, te besaría...

7

## PREDICACION DE SAN FRANCISCO

...AL resplandor color de miel
de un alba dorada,
el verdor penetrado de luz, y la piel
de las yerbas humildes en rocío lavada,
predicaba el de Asís: una selva, el lugar,
vegetal coliseo de troncos y nidos;
catedral con cristales de esmeralda pulidos;
mosaicos, las yerbas; los claros arbustos, altar.

Predicaba el de Asís, y le oían
muchedumbre de pájaros, que haciendo
reverencia a la prédica, venían
a posarse a sus pies, y parecían
millares de gotitas de corazón, latiendo.

"Por el amor de Dios, hermanas Aves,
alabadme al Señor, que os ha dado
agua en las fuentes y trigo en el prado
y en el pecho calor y alas de plumas suaves
para incubar las crías en el nido abrigado.
¡Alabadme al Señor, hermanas Aves!"

El silencio era de cristal,
y todas las cosas
tomaban calidades religiosas
en la hora matinal...
Gemía una alondra, piaba un pardal,
se apiñaban, en los senderos,
oscuros ruiseñores,
canarios jaros, mestizos jilgueros,
con los demás... ejércitos enteros
de innumerables pintas y colores.
Y la mano del Santo, en el aire, ascendía
como la llama de un cirial,
y, pegándose al cuerpo rígido, parecía
de madera de talla su tosco sayal.
Y el Santo bendijo a la turba
sumisa y alada
y la mandó volar. Y al volar, la bandada,
que tomó sol, trazando la curva
grácil del vuelo,
desparramó en el aire matices y fulgores,
como si, a una señal del *Poverello*,
desbandados los átomos de todos sus colores,
se diluyera el Iris para inundar el cielo...

## 8
## CAMOENS
## (1524-1924)

### EL HOMBRE

### I

TUVO un amor, hizo un poema
y murió pobre; lo demás
no hace al caso; en su vida no hay más
que sufrimiento v diadema.

Fue el hombre, turbio de pasión
y de propósitos, que cuida
de resumir en su canción
todas las ansias de su vida.

Mediocridad y desengaños
le consumían en su hogar,
y viajó diecisiete años
para hacer su poema en el mar.

### II

Tenía "saudades", había,
como todas sus gentes hermanas,
despedido al sol cada día
desde las playas lusitanas;

y llevaba en el pecho esa vaga
melancolía singular
de asistir a diario, ante el mar,
a la muerte del sol que se apaga.

Pero una vez, triste y sombrío,
alza la frente, y a través
del indefinible frío
del crepúsculo portugués,

en el índico azul de Oriente
ve que el sol nace adolescente:
un sol vivo, moreno, dorado...
Su corazón ya tiene senda,
y su pueblo ya tiene leyenda
—y la epopeya ha comenzado.

### EL POEMA

#### I

Sal de mar y virginidad
de lumbre; especies sutiles
y colores; oros, añiles
—y un aliento de tempestad...

El poema es la exaltación
de la vida, que es navegar;
sus personajes, dos: el mar
y los Lusiadas, su nación.

Y cada vez que a la luz clara
de la Polar el lusitano
tomaba el poema en su mano,
le prestaba la espalda, para
que lo escribiera el Océano.

#### II

Vaz de Camoens, al partir
de su tierra, era joven; quería
a una mujer, de quien sabía
que era el esclavo hasta morir;

y habría podido esperar
de los halagos cortesanos
brasa y leña para su hogar;
pero partió; quiso forjar
su propia vida con sus manos.

Fue dejando a su espalda, muertos,
hoy su amor, sus deseos después,
su alegría siempre, a través
de estrechos, mares y puertos;

y rimó en sus octavas el grito
de las jarcias y las entenas,
y quemó gota a gota, en su escrito,
toda la sangre de sus venas...

Pero carne del Asia besaron
sus labios; sus manos lograron
más que anunciaba su fortuna,
y sus versos se le llenaron
de auroras del sol en su cuna...

ENVÍO

—Portugal, tierra occidental
de "saudade" y melancolía,
tu corazón languidecía
de frío mortal,
y él te trajo la hoguera que había
de encendértelo, Portugal.

Portugal, declinabas doliente
como el sol, buscando en tu mar
descanso y muerte juntamente;
él habló y te enseñó a encontrar
tu equilibrio en Oriente.

Portugal, Benjamín de Europa,
vacilabas mirando el camino
sin moverte, aristócrata, fino
y débil...—; pero él, en la copa
del Asía, te trajo tu vino.

Portugal, corrosivo tesoro
de tu vida, en tu cielo es la hora
del ocaso, que canta y que llora,
y él te trajo en sus versos ¡el oro
de una nueva aurora!

## 9

## SANTIAGO RUSIÑOL

### I

HABIA sido, ardientemente,
debelador de prosaísmos;
tuvo los pies en los abismos
y en el azul bañó su frente.

Buen luchador, sólo indolente
para los propios egoísmos,
dio al arenal los espejismos
del verdor, la palma y la fuente.

Vivió décadas de abandono
sin llamarse, en el lucro, a la parte
ni añadir combustible al encono:

Y murió, fiel al estandarte
con que el siglo decimonono
hizo culto y doctrina del arte!

II

Iconoclasta y personal,
suavizó su gesto heresiarca
la cortesía provenzal
de su dulce mirada zarca.

Se acogieron al matorral
de su melena de patriarca
la cigarra azul de Mistral
y la paloma de Petrarca.

Su alma copió, mustia de tedio,
la ironía de un libro en medio
de los escombros de la vida

y fue, a un tiempo, en la palidez
de su rostro piedad y altivez,
su sonrisa que cada vez
remedaba mejor una herida.

III

La incomprensión y la estulticia,
nubarrones del aire espeso;
la ley, bastarda; el poder, grueso
de indolencia acomodaticia;

una España sin alma que vicia
la mudez del pecado inconfeso;
por única historia, el proceso
del privilegio y la injusticia;

y él, artista, y su espíritu, altar
¿qué podía, viviendo, esperar
de aquel mundo de aprovechados?

Feria la vida, antes que andar
por tenderetes de mercados,
volvió la espalda... ¡y fue a pintar
los jardines abandonados!

## IV

¡Sacro absentismo de poeta!
Clavó en el aire exaltador
las dos flechas del surtidor
y del ciprés anacoreta.

Pintó en la acequia de agua quieta
el sueño de un cielo interior;
lloró elegías al amor
en soledades de glorieta;

dio caricias de yedra a los troncos,
embalsamó de hojas el suelo
y deshizo los gritos roncos

con que al hozar por los barrancos
la humanidad manchaba el cielo,
¡en un temblor de almendros blancos!

## V

Alto Aranjuez... ¡áurea oficina
de aristocracias y esplendores!
Sobre el silencio de tus flores
y tus alcázares en ruina

soñaba... En la calma divina
de las fuentes y surtidores...
el ruiseñor de ruiseñores
libó azumbres de miel latina!...

—Guarda, obligado, su memoria;
no reniegues de la nobleza
del arte; recoge en tu historia

la herencia del huésped ¡y reza
su evangelio que lleva a la gloria
por la Bondad y la Belleza!

# MANUEL MACHADO

## VIDA

"Manuel Machado y Ruiz.—*Nacido en Sevilla, 29 de agosto de 1874. Establecida la familia en Madrid desde 1883. Primera y segunda enseñanza en la Institución Libre, dirigida por don Francisco Giner.*

*Licenciado en Filosofía y Letras por la Universidad de Sevilla (1896). Archivero-bibliotecario por la de Madrid (1910).*

*Estancia en París para ampliación de estudios, por cuenta propia, de 1898 a 1901. Numerosas traducciones de la casa "Garnier Frères". En París escribí las primeras poesías, casi todas las que forman el primer tomo de versos ("Alma"), publicado en Madrid en 1900. Amistad con los grandes escritores franceses de fin de siglo: Moréas, Tailhade, Courteline, etc.*

*De 1900 a 1910, actividad literaria en Madrid. Publicación de varios tomos de poesías. Fundación de varias Revistas: "Electra", "Juventud", "Renacimiento", "Mundo Latino", "Helios", etcétera.*

*Casado en 1910, hice en 1912 oposiciones al Cuerpo de Archiveros, Bibliotecarios y Arqueólogos y obtuve plaza, primero, en Santiago de Galicia (Biblioteca Universitaria) y luego en Madrid (Biblioteca Nacional). Colaboración en los principales periódicos y revistas, hasta entrar, en 1915, de crítico dramático en "El Liberal", que dirigía Gómez Carrillo. Pasé luego a "La Libertad" (1919), de la que soy redactor fundador y donde continúo, haciendo exclusivamente la crítica dramática.*

*Continué al mismo tiempo la publicación de mis libros de poe-*

*sías, alternando con trabajos de crítica literaria y de investigación en la "Revista de la Biblioteca, Archivo y Museo Municipales de Madrid", que fundé y dirijo.*

*En la actualidad soy director de la Biblioteca Municipal y el Museo de Madrid. Y desde 1921, fecha de mi último libro de versos, "Ars Moriendi", no he vuelto a publicar tomo alguno de poesías.*

*Interesado por el Teatro activamente, desde esa misma fecha he escrito, en colaboración con mi hermano Antonio, varias comedias, que se han representado con éxito. Y seguimos trabajando. Como preparación ya habíamos hecho antes traducciones de Schiller, Hugo, de Rostand y refundiciones de obras clásicas nacionales (Tirso, Lope, Calderón).*"

## POETICA

"*Ideas sobre la Poesía... Muchas y muy vagas y sutiles. Pero no las poseo, me poseen ellas. Nada puedo, pues, "decir" sobre eso que, para mí, cae dentro de lo indefinible, mejor: de lo inefable.*"

M. M.

Las poesías elegidas pertenecen a los siguientes libros: números 1 a 6, a *Alma:* 7 y 8, a *Caprichos;* 9, a *Apolo;* 10 a 15, a *Ars Moriendi.*

## 1
## ADELFOS

YO soy como las gentes que a mi tierra vinieron
—soy de la raza mora, vieja amiga del sol—,
que todo lo ganaron y todo lo perdieron.
Tengo el alma de nardo del árabe español.

Mi voluntad se ha muerto una noche de luna
en que era muy hermoso no pensar ni querer...
Mi ideal es tenderme, sin ilusión ninguna...
De cuando en cuando, un beso y un nombre de mujer.

En mi alma, hermana de la tarde, no hay contornos...
y la rosa simbólica de mi única pasión
es una flor que nace en tierras ignoradas
y que no tiene aroma, ni forma, ni color.

Besos, ¡pero no darlos! Gloria... ¡la que me deben!
¡Que todo como un aura se venga para mí!
Que las olas me traigan y las olas me lleven
y que jamás me obliguen el camino a elegir.

¡Ambición!, no la tengo. ¡Amor!, no lo he sentido.
No ardí nunca en un fuego de fe ni gratitud.
Un vago afán de arte tuve... Ya lo he perdido.
Ni el vicio me seduce, ni adoro la virtud.

De mi alta aristocracia, dudar jamás se pudo.
No se ganan, se heredan elegancia y blasón...
Pero el lema de casa, el mote del escudo,
es una nube vaga que eclipsa un vano sol.

Nada os pido. Ni os amo ni os odio. Con dejarme
lo que hago por vosotros hacer podéis por mí...
¡Que la vida se tome la pena de matarme,
ya que yo no me tomo la pena de vivir!...

Mi voluntad se ha muerto una noche de luna
en que era muy hermoso no pensar ni querer...
De cuando en cuando, un beso sin ilusión ninguna.
¡El beso generoso que no he de devolver!

## 2
## CANTARES

VINO, sentimiento, guitarra y poesía
hacen los cantares de la patria mía...
Cantares...
Quien dice cantares, dice Andalucía.

A la sombra fresca de la vieja parra
un mozo moreno rasguea la guitarra...
Cantares...
Algo que acaricia y algo que desgarra.

La prima que canta y el bordón que llora...
Y el tiempo callado se va hora tras hora.
Cantares...
Son dejos fatales de la raza mora.

No importa la vida, que ya está perdida;
y después de todo, ¿qué es eso, la vida?...
Cantares...
Cantando la pena, la pena se olvida.

Madre, pena, suerte, pena, madre, muerte,
ojos negros, negros, y negra la suerte...
Cantares...
En ellos el alma del alma se vierte.

Cantares. Cantares de la patria mía...
Cantares son sólo los de Andalucía.
Cantares...
No tiene más cuerdas la guitarra mía.

3

## ANTIFONA

VEN, reina de los besos, flor de la orgía,
amante sin amores, sonrisa loca...
Ven, que yo sé la pena de tu alegría
y el rezo de amarguras que hay en tu boca.

Yo no te ofrezco amores que tú no quieres:
conozco tu secreto, virgen impura;
amor es enemigo de los placeres
en que los dos ahogamos nuestra amargura.

Amarnos... ¡Ya no es tiempo de que me ames!
A ti y a mí nos llevan olas sin leyes.
¡Somos a un mismo tiempo santos e infames,
somos a un mismo tiempo pobres y reyes!

¡Bah! Yo sé que los mismos que nos adoran,
en el fondo nos guardan igual desprecio.
Y justas son las voces que nos desdoran...
Lo que vendemos ambos no tiene precio.

Así los dos, tú amores, yo poesía,
damos por oro a un mundo que despreciamos...
¡Tú, tu cuerpo de diosa; yo, el alma mía!...
Ven y reiremos juntos mientras lloramos.

Joven quiere en nosotros Naturaleza
hacer, entre poemas y bacanales,
el imperial regalo de la belleza,
luz a la oscura senda de los mortales.

¡Ah! Levanta la frente, flor siempreviva,
que das encanto, aroma, placer, colores...
Diles con esa fresca boca lasciva...
¡que no son de este mundo nuestros amores!

Igual camino en suerte nos ha cabido.
Un ansia igual nos lleva, que no se agota,
hasta que se confundan en el olvido
tu hermosura podrida, mi lira rota.

Crucemos nuestra calle de la amargura,
levantadas las frentes, juntas las manos...
¡Ven tú conmigo, reina de la hermosura;
hetairas y poetas somos hermanos!

## 4

## CASTILLA

El ciego sol se estrella
en las duras aristas de las armas,
llaga de luz los petos y espaldares
y flamea en las puntas de las lanzas.

El ciego sol, la sed y la fatiga.
Por la terrible estepa castellana,
al destierro, con doce de los suyos
—polvo, sudor y hierro—el Cid cabalga.

Cerrado está el mesón a piedra y lodo...
Nadie responde. Al pomo de la espada
y al cuento de las picas el postigo
va a ceder... ¡Quema el sol, el aire abrasa!

A los terribles golpes,
de eco ronco, una voz pura, de plata
y de cristal, responde... Hay una niña
muy débil y muy blanca
en el umbral. Es toda
ojos azules y en los ojos lágrimas.
Oro pálido nimba
su carita curiosa y asustada.

—Buen Cid, pasad... El rey nos dará muerte,
arruinará la casa,
y sembrará de sal el pobre campo
que mi padre trabaja...
Idos. El cielo os colme de venturas...
*¡En nuestro mal, oh Cid, no ganáis nada!*

Calla la niña y llora sin gemido...
Un sollozo infantil cruza la escuadra
de feroces guerreros,
y una voz inflexible grita: "¡En marcha!"

El ciego sol, la sed y la fatiga.
Por la terrible estepa castellana,
al destierro, con doce de los suyos
—polvo, sudor y hierro—, el Cid cabalga.

5

## FELIPE IV

NADIE más cortesano ni pulido
que nuestro rey Felipe, que Dios guarde,
siempre de negro hasta los pies vestido.

Es pálida su tez como la tarde,
cansado el oro de su pelo undoso,
y de sus ojos, el azul, cobarde.

Sobre su augusto pecho generoso
ni joyeles perturban ni cadenas
el negro terciopelo silencioso.

Y, en vez de cetro real, sostiene apenas,
con desmayo galán, un guante de ante
la blanca mano de azuladas venas.

## 6

## LIRIO

CASI todo alma,
vaga Gerineldos,
por esos jardines
del rey, a lo lejos,
junto a los macizos
de arrayanes...
Besos
de la reina dicen
los morados cercos
de sus ojos mustios,
dos idilios muertos.
Casi todo alma,
se pierde en silencio
por el laberinto
de arrayanes... ¡Besos!
Solo, solo, solo.
Lejos, lejos, lejos...
Como una humareda,
como un pensamiento...
Como esa persona
extraña, que vemos
cruzar por las calles
oscuras de un sueño.

## 7

## LA HIJA DEL VENTERO

*La hija callaba, y de cuando en cuando se sonreía.*

CERV.: *Quij.*

"LA hija callaba
y se sonreía..."
Divino silencio,
preciosa sonrisa,
¿por qué estáis presentes
en la mente mía?

La venta está sola.
Maritornes guiña
los ojos, durmiéndose,
la ventera hila.
Su mercé el ventero,
en la puerta, atisba
si alguien llega... El viento
barre la campiña.

...Al rincón del fuego,
sentada, la hija
—soñando en los libros
de caballerías—,
con sus ojos garzos
ve morir el día
tras el horizonte...

Parda y desabrida,
la Mancha se hunde
en la noche fría.

## 8

## DOMINGO

LA vida, el huracán, bufa en mi calle. Sobre
la turba polvorienta y vociferadora,
el morado crepúsculo desciende... El sol ahora
se va, y el barrio queda enteramente pobre.

¡Fatiga del domingo, fatiga... Extraordinario
bien conocido y bien corriente!... No hay remedio.
¡Señor, tú descansaste; aleja, en fin, el tedio
de este modesto ensueño consuetudinario!

Voces, gritos, canción apenas... Bulla. Locas
carcajadas... ¿Será que pasa la alegría?
Y yo aquí, solo, triste y lejos de las fiestas...

Dame, Señor, las necias palabras de estas bocas;
dame que suene tanto mi risa cuando ría;
dame un alma sencilla como cualquiera de éstas.

## 9

## *SANDRO BOTTICELLI*

### LA PRIMAVERA

¡OH, el *sotto voce* balbuciente, oscuro,
de la primer lujuria!...

¡Oh, la delicia
del beso adolescente, casi puro!...
¡Oh, el no saber de la primer caricia!

¡Despertares de amor entre cantares
y humedad de jardín, llanto sin pena,
divina enfermedad que el alma llena,
primera mancha de los azahares!...

Angel, niño, mujer... Los sensuales
ojos adormilados y anegados
en inauditas savias incipientes...

¡Y los rostros de almendra, virginales,
como flores al sol, aurirrosados,
en los campos de mayo sonrientes!...

10

## ARS MORIENDI

I

MORIR es... Una flor hay en el sueño
—que al despertar ya no está en nuestras manos—
de aromas y colores imposibles...
Y un día sin aurora la cortamos.

II

Dichoso es el que olvida
el porqué del viaje,
y en la estrella, en la flor, en el celaje,
deja su alma prendida.

III

Y yo había dicho: ¡Vive!
Es decir: ama y besa,
escucha, mira, toca,
embriágate y sueña...

Y ahora suspiro: ¡Muere!
Es decir: calla, ciega,
abstente, para, olvida,
resígnate... y espera.

VII

Lleno estoy de sospechas de verdades
que no me sirven ya para la vida,
pero que me preparan dulcemente
a bien morir...

IX

El cuerpo joven, pero el alma helada,
sé que voy a morir, porque no amo
ya nada.

11

## DOLIENTES MADRIGALES

I

POR una de esas raras reflexiones
de la luz, que los físicos
explicarán llenando
de fórmulas un libro...
Mirándome las manos
—como hacen los enfermos de continuo—
veo en la faceta de un diamante, en una
faceta del diamante de mi anillo,
reflejarse tu cara, mientras piensas
que divago o medito,
o sueño... He descubierto
por azar este medio tan sencillo
de verte y ver tu corazón, que es otro
diamante puro y limpio.
Cuando me muera, déjame
en el dedo este anillo.

II

ESTOY muy mal... Sonrío
porque el desprecio del dolor me asiste,
porque aún miro lo bello en torno mío,
y... por lo triste quc es el estar triste.

Pero ya la fontana
del sentimiento mana
tan lenta y silenciosa, que su canto,
sonoro otrora como risa, es llanto.

## 12

## MORIR, DORMIR...

—HIJO, para descansar
es necesario dormir,
no pensar,
no sentir,
no soñar.
—Madre, para descansar,
morir.

## 13

## MUSICA DI CAMERA

I

YA galantes no más y delicados
madrigales haré—para las flores
y las mujeres—, sobrios de colores
y vagamente estilizados.

Pintaré la preciosa
gota de sangre, roja como guinda,
en el pétalo rosa del dedo de Luscinda,
al coger una rosa...

O diré los allegros
(silenciosos y ardientes)
de las niñas de los ojos,
de las niñas de los ojos negros...
Y charlaré como las fuentes...

II

—CONSUELO,
tu nombre me sabía
igual que un caramelo.

Qué pobre
soy desde que me falta
el oro de tu pelo...

Tus ojos
azules no me miran,
y para mí no hay cielo...

¡Consuelo!...

14

## OCASO

ERA un suspiro lánguido y sonoro
la voz del mar aquella tarde... El día,
no queriendo morir, con garras de oro
de los acantilados se prendía.

Pero su seno el mar alzó potente,
y el sol, al fin, como en soberbio lecho,
hundió en las olas la dorada frente,
en una brasa cárdena deshecho.

Para mi pobre cuerpo dolorido,
para mi triste alma lacerada,
para mi yerto corazón herido,

para mi amarga vida fatigada...
¡el mar amado, el mar apetecido,
el mar, el mar, y no pensar en nada!...

## 15

## A ALEJANDRO SAWA

(EPITAFIO)

JAMAS hombre más nacido
para el placer, fue al dolor
más derecho.
Jamás ninguno ha caído
con facha de vencedor
tan deshecho.
Y es que él se daba a perder
como muchos a ganar.
Y su vida,
por la falta de querer
y sobra de regalar
fue perdida.

¿Es el morir y olvidar
mejor que amar y vivir.
Y más mérito el dejar
que el conseguir?

# ANTONIO MACHADO

## VIDA

*En 1917, al frente de las* Poesías escogidas, *nos da el poeta los siguientes datos biográficos: "Nací en Sevilla una noche de julio de 1875, en el célebre palacio de las Dueñas, sito en la calle del mismo nombre. Mis recuerdos de la ciudad natal son todos infantiles, porque a los ocho años pasé a Madrid, adonde mis padres se trasladaron, y me eduqué en la Institución Libre de Enseñanza. A sus maestros guardo vivo afecto y profunda gratitud. Mi adolescencia y mi juventud son madrileñas. He viajado algo por Francia y por España. En 1907 obtuve cátedra de Lengua francesa, que profesé durante cinco años en Soria. Allí me casé; allí murió mi esposa, cuyo recuerdo me acompaña siempre. Me trasladé a Baeza, donde hoy resido. Mis aficiones son pasear y leer." A estos datos de entonces hay que añadir que cursó Filosofía en la Universidad Central hasta el Doctorado. Que se trasladó al Instituto de Segovia en 1919 y al Instituto Calderón de Madrid en 1932. Y que la Academia Española le cuenta entre sus miembros desde hace algunos años. Amablemente, me ha dado cuenta de sus viajes. Transcribo interesantes detalles:*

*"De Madrid a París, a los veinticuatro años (1899). París era todavía la ciudad del* affaire Dreyfus *en política, del simbolismo en poesía, del impresionismo en pintura, del escepticismo elegante en crítica. Conocí personalmente a Oscar Wilde y a Jean Moréas. La gran figura literaria, el gran consagrado, era Anatole France.*

*De Madrid a París (1902). En este año conocí en París a Rubén Darío.*

*De 1903 a 1910, diversos viajes por España: Granada, Córdoba, tierras de Soria, las fuentes del Duero, ciudades de Castilla, Valencia, Aragón.*

*De Soria a París (1910). Asistí a un curso de Henri Bergson en el Colegio de Francia.*

*De 1912 a 1919, desde Baeza a las fuentes del Guadalquivir y a casi todas las ciudades de Andalucía.*

*Desde 1919 paso la mitad de mi tiempo en Segovia, y en Madrid, la otra mitad, aproximadamente. Mis últimas excursiones han sido a Avila, León, Palencia y Barcelona (1928).*"

## POETICA

"*En este año de su Antología (1931) pienso, como en los años del modernismo literario (los de mi juventud), que la poesía es la palabra esencial en el tiempo. La poesía moderna, que, a mi entender, arranca, en parte al menos, de Edgardo Poe, viene siendo hasta nuestros días la historia del gran problema que al poeta plantean estos dos imperativos, en cierto modo contradictorios: esencialidad y temporalidad.*

*El pensamiento lógico, que se adueña las ideas y capta lo esencial, es una actividad destemporalizadora. Pensar lógicamente es abolir el tiempo, suponer que no existe, crear un movimiento ajeno al cambio, discurrir entre razones inmutables. El principio de identidad—nada hay que no sea igual a sí mismo—nos permite anclar en el río de Heráclito, de ningún modo aprisionar su onda fugitiva. Pero al poeta no le es dado pensar fuera del tiempo, porque piensa su propia vida que no es, fuera del tiempo, absolutamente nada.*

*Me siento, pues, algo en desacuerdo con los poetas del día. Ellos propenden a una destemporalización de la lírica, no sólo por el desuso de los artificios del ritmo, sino, sobre todo, por el empleo de las imágenes en función más conceptual que emotiva. Muy de acuerdo, en cambio, con los poetas futuros de mi Antología, que daré a la estampa, cultivadores de una lírica, otra vez inmergida en las* mesmas vivas aguas de la vida, *dicho sea con* *frase de la pobre Teresa de Jesús*. Ellos devolverán su honor a los románticos, sin serlo ellos mismos; a los poetas del siglo lírico, que acentuó con un adverbio temporal su mejor poema, al par que ponía en el tiempo, con el principio de Carnot, la ley más general de la naturaleza.*

*Entretanto se habla de un nuevo clasicismo y hasta de una poesía de intelecto. El intelecto no ha cantado jamás, no es su misión. Sirve, no obstante, a la poesía, señalándole el imperativo de su esencialidad. Porque tampoco hay poesía sin ideas, sin visiones de lo esencial. Pero las ideas del poeta no son categorías formales, cápsulas lógicas, sino directas intuiciones del ser que deviene, de su propio existir; son, pues, temporales, nunca elementos ácronos, puramente lógicos. El poeta profesa, más o menos conscientemente, una metafísica existencialista, en la cual el tiempo alcanza un valor absoluto. Inquietud, angustia, temores, resignación, esperanza, impaciencia que el poeta canta, son signos del tiempo, y al par, revelaciones del ser en la conciencia humana."*

A. M.

Las poesías elegidas pertenecen a los siguientes libros: 1 a 3, a *Soledades* (1903); 4, a *Soledades, galerías y otros poemas* (1907); 5, a *Campos de Castilla* (1912); 6 a 11, a *Poesías completas* (1917); 12 a 18, a *Nuevas Canciones* (1924); 19 a 24, a *Poesías completas* (1928); 25, a *Antología* (1915-31); 26 a 27, a *Poesías completas* (1933).

---

* *La llamo pobre, porque recuerdo a algunos de sus comentaristas.*

I

CREAR fiestas de amores
en nuestro amor pensamos,
quemar nuevos aromas
en montes no pisados,

y guardar el secreto
de nuestros rostros pálidos,
porque en las bacanales de la vida
vacías nuestras copas conservamos,

mientras con eco de cristal y espuma
ríen los zumos de la vid dorados.

... ... ... ... ... ... ... ... ... ... ... ... ...

Un pájaro escondido entre las ramas
del parque solitario
silba burlón...
Nosotros exprimimos
la penumbra de un sueño en nuestro vaso...
Y algo que es tierra en nuestra carne siente
la humedad del jardín como un halago.

2

ANOCHE, cuando dormía,
soñé, ¡bendita ilusión!,
que una fontana fluía
dentro de mi corazón.
Di, ¿por qué acequia escondida,
agua, vienes hasta mí,
manantial de nueva vida
en donde nunca bebí?

Anoche, cuando dormía.
soñé, ¡bendita ilusión!,
que una colmena tenía
dentro de mi corazón;
y las doradas abejas
iban fabricando en él,
con las amarguras viejas,
blanca cera y dulce miel.

Anoche, cuando dormía,
soñé, ¡bendita ilusión!,
que un ardiente sol lucía
dentro de mi corazón.
Era ardiente porque daba
calores de rojo hogar
y era sol porque alumbraba
y porque hacía llorar.

Anoche, cuando dormía.
soñé, ¡bendita ilusión!,
que era Dios lo que tenía
dentro de mi corazón.

3

DESGARRADA la nube; el arco iris
brillando ya en el cielo.

y en un fanal de lluvia
y sol el campo envuelto.

Desperté. ¿Quién enturbia
los mágicos cristales de mi sueño?
Mi corazón latía
atónito y disperso.

...¡El limonar florido,
el cipresal del huerto,
el prado verde, el sol, el agua, el iris...!
¡El agua en tus cabellos!...

Y todo en la memoria se perdía
como una pompa de jabón al viento.

4

TAL vez la mano, en sueños,
del sembrador de estrellas,
hizo sonar la música olvidada

como una nota de la lira inmensa,
y la ola humilde a nuestros labios vino
de unas pocas palabras verdaderas.

5

## CAMPOS DE SORIA

## (VII, VIII Y IX)

¡COLINAS plateadas,
grises alcores, cárdenas roquedas
por donde traza el Duero
su curva de ballesta
en torno a Soria, oscuros encinares,

ariscos pedregales, calvas sierras,
caminos blancos y álamos del río,
tardes de Soria, mística y guerrera,
hoy siento por vosotros, en el fondo
del corazón, tristeza,
tristeza que es amor! ¡Campos de Soria
donde parece que las rocas sueñan,
conmigo vais! ¡Colinas plateadas,
grises, alcores, cárdenas roquedas!

He vuelto a ver los álamos dorados,
álamos del camino en la ribera
del Duero, entre San Polo y San Saturio,
tras las murallas viejas
de Soria—barbacana
hacia Aragón, en castellana tierra—.
Estos chopos del río, que acompañan
con el sonido de sus hojas secas
el son del agua cuando el viento sopla,
tienen en sus cortezas
grabadas iniciales que son nombres
de enamorados, cifras que son fechas.

¡Alamos del amor que ayer tuvisteis
de ruiseñores vuestras ramas llenas;
álamos que seréis mañana liras
del viento perfumado en primavera;
álamos del amor cerca del agua
que corre y pasa y sueña,
álamos de las márgenes del Duero.
conmigo vais, mi corazón os lleva!

¡Oh!, sí, conmigo vais, campos de Soria,
tardes tranquilas, montes de violeta,
alamedas del río, verde sueño

del suelo gris y de la parda tierra,
agria melancolía
de la ciudad decrépita,
¿me habéis llegado al alma,
o acaso estabais en el fondo de ella?
¡Gentes del alto llano numantino
que a Dios guardáis como cristianas viejas,
que el sol de España os llene
de alegría, de luz y de riqueza!

## 6

## A JOSE MARIA PALACIO

PALACIO, buen amigo,
¿está la primavera
vistiendo ya las ramas de los chopos
del río y los caminos? En la estepa
del alto Duero, Primavera tarda,
¡pero es tan bella y dulce cuando llega!...
¿Tienen los viejos olmos
algunas hojas nuevas?
Aún las acacias estarán desnudas
y nevados los montes de las sierras.
¡Oh, mole del Moncayo blanca y rosa,
allá en el cielo de Aragón, tan bella!
¿Hay zarzas florecidas
entre las grises peñas,
y blancas margaritas
entre la fina hierba?
Por esos campanarios
ya habrán ido llegando las cigüeñas.
Habrá trigales verdes,
y mulas pardas en las sementeras,
y labriegos que siembran los tardíos
con las lluvias de abril. Ya las abejas
libarán del tomillo y del romero.

¿Hay ciruelos en flor? ¿Quedan violetas?
Furtivos cazadores, los reclamos
de la perdiz bajo las capas luengas,
no faltarán. Palacio, buen amigo,
¿tienen ya ruiseñores las riberas?
Con los primeros lirios
y las primeras rosas de las huertas,
en una tarde azul, sube al Espino,
al alto Espino donde está su tierra...

7

*POEMA DE UN DIA*

MEDITACIONES RURALES

(FRAGMENTO)

HEME aquí ya, profesor
de lenguas vivas (ayer
maestro de gay-saber,
aprendiz de ruiseñor)
en un pueblo húmedo y frío,
destartalado y sombrío,
entre andaluz y manchego.
Invierno. Cerca del fuego.
Fuera llueve un agua fina,
que ora se trueca en neblina,
ora se torna aguanieve.
Fantástico labrador,
pienso en los campos. ¡Señor,
qué bien haces! Llueve, llueve
tu agua constante y menuda
sobre alcaceles y habares,
tu agua muda,
en viñedos y olivares.

Te bendecirán conmigo
los sembradores del trigo;
los que viven de coger
la aceituna;
los que esperan la fortuna
de comer;
los que hogaño
como antaño,
tienen toda su moneda
en la rueda,
traidora rueda del año.
¡Llueve, llueve; tu neblina
que se torne en aguanieve,
y otra vez en agua fina!
¡Llueve, Señor, llueve, llueve!

En mi estancia, iluminada
por esta luz invernal
—la tarde gris tamizada
por la lluvia y el cristal—,
sueño y medito.
Clarea
el reloj arrinconado,
y su tic-tic, olvidado
por repetido, golpea.
Tic-tic, tic-tic... Ya te he oído.
Tic-tic, tic-tic... Siempre igual,
monótono y aburrido.
Tic-tic, tic-tic, el latido
de un corazón de metal.
En estos pueblos, ¿se escucha
el latir del tiempo? No.
En estos pueblos se lucha
sin tregua con el reló,
con esa monotonía,
que mide un tiempo vacío.
Pero ¿tu hora es la mía?

¿Tu tiempo, reloj, el mío?
(Tic-tic, tic-tic)... Era un día
(tic-tic, tic-tic) que pasó,
y lo que yo más quería,
la muerte se lo llevó.

Lejos suena un clamoreo
de campanas...
Arrecia el repiqueteo
de la lluvia en las ventanas.
Fantástico labrador,
vuelvo a mis campos. ¡Señor,
cuánto te bendecirán
los sembradores del pan!
Señor, ¿no es tu lluvia ley,
en los campos que ara el buey
y en los palacios del rey?
¡Oh, agua buena, deja vida
en tu huida!
¡Oh, tú, que vas gota a gota,
fuente a fuente y río a río,
como este tiempo de hastío
corriendo a la mar remota,
con cuanto quiere nacer,
cuanto espera
florecer
al sol de la primavera,
sé piadosa,
que mañana
serás espiga temprana,
prado verde, carne rosa,
y más: razón y locura
y amargura
de querer y no poder
creer, creer y creer!

8

HAY dos modos de conciencia:
una es luz, y otra paciencia.
Una estriba en alumbrar
un poquito el hondo mar;
otra, es hacer penitencia
con caña o red, y esperar
el pez, como pescador.
Dime tú: ¿cuál es mejor?
¿Conciencia de visionario
que mira en el hondo acuario
peces vivos,
fugitivos,
que no se pueden pescar;
o esta maldita faena
de ir arrojando a la arena,
muertos, los peces del mar?

9

BUENO es saber que los vasos
nos sirven para beber;
lo malo es que no sabemos
para qué sirve la sed.

10

TODO pasa y todo queda;
pero lo nuestro es pasar,
pasar haciendo caminos,
caminos sobre la mar.

11

ANOCHE soñé que oía
a Dios gritándome: ¡Alerta!

Luego era Dios quien dormía,
y yo gritaba: ¡Despierta!

12

EL iris y el balcón.
Las siete cuerdas
de la lira del sol vibran en sueños.
Un tímpano infantil da siete golpes,
—agua y cristal—.
Acacias con jilgueros.
Cigüeñas en las torres.
En la plaza
lavó la lluvia el mirto polvoriento.
En el amplio rectángulo, ¿quién puso
ese grupo de vírgenes risueño,
y arriba ¡hosanna! entre la rota nube,
la palma de oro y el azul sereno?

13

¿QUIEN puso entre las rocas de ceniza,
para la miel del sueño,
esas retamas de oro
y esas azules flores del romero?
La sierra de violeta,
y, en el poniente, el azafrán del cielo,
¿quién ha pintado? ¡El abejar, la ermita,
el tajo sobre el río, el sempiterno
rodar del agua entre las hondas peñas,
y el rubio verde de los campos nuevos,
y todo, hasta la tierra blanca y rosa,
al pie de los almendros!

14

## IRIS DE LA NOCHE

HACIA Madrid, una noche,
va el tren por el Guadarrama.
En el cielo, el arco iris
que hacen la luna y el agua.
¡Oh, luna de abril serena
que empuja las nubes blancas!

La madre lleva a su niño,
dormido, sobre la falda.
Duerme el niño, y, todavía,
ve el campo verde que pasa,
y arbolillos soleados
y mariposas doradas.

La madre, ceño sombrío
entre un ayer y un mañana,
ve unas ascuas mortecinas
y una hornilla con arañas.

Hay un trágico viajero
que debe ver cosas raras,
y habla solo, y, cuando mira,
nos borra con la mirada.

Yo pienso en campos de nieve
y en pinos de otras montañas.

Y tú, Señor, por quien todos
vemos y que ves las almas,
dinos si todos, un día,
hemos de verte la cara.

15

A la vera del camino
hay una fuente de piedra,
y un cantarillo de barro
—glu-glu—que nadie se lleva.

Adivina, adivinanza,
qué quieren decir la fuente,
el cantarillo y el agua.

...Pero yo he visto beber
hasta en los charcos del suelo.
Caprichos tiene la sed...

16

HORA de mi corazón:
la hora de una esperanza
y una desesperación.

17

EL AMOR Y LA SIERRA

CABALGABA por agria serranía,
una tarde, entre roca cenicienta.
El plomizo balón de la tormenta,
de monte en monte rebotar se oía.

Súbito, al vivo resplandor del rayo,
se encabritó, bajo de un alto pino,
al borde de una peña, su caballo.
A dura rienda le tornó al camino.

Y hubo visto la nube desgarrada,
y, dentro, la afilada cresterías
de otra sierra más lueñe y levantada,

—relámpago de piedra parecía—.
¿Y vio el rostro de Dios? Vio el de su amada.
Gritó: ¡Morir en esta sierra fría!

## 18

## LOS SUEÑOS DIALOGADOS

### I

¡COMO en el alto llano tu figura
se me aparece! Mi palabra evoca
el prado verde y la árida llanura,
la zarza en flor, la cenicienta roca.

Y al recuerdo obediente, negra encina
brota en el cerro, baja el chopo al río;
el pastor va subiendo a la colina;
brilla un balcón de la ciudad: el mío,

el nuestro. ¿Ves? Hacia Aragón, lejana,
la sierra de Moncayo, blanca y rosa...
Mira el incendio de esa nube grana,

y aquella estrella en el azul, esposa.
Tras el Duero, la loma de Santana
se amorata en la tarde silenciosa.

### II

¿Por qué, decidme, hacia los altos llanos,
huye mi corazón de esta ribera,
y en tierra labradora y marinera
suspiro por los yermos castellanos?

Nadie elige su amor. Llevóme un día
mi destino a los grises calvijares
donde ahuyenta, al caer, la nieve fría
las sombras de los muertos encinares.

De aquel trozo de España, alto y roquero,
hoy traigo a ti, Guadalquivir florido,
una mata del áspero romero.

Mi corazón está donde ha nacido,
no a la vida, al amor, cerca del Duero...
¡El muro blanco y el ciprés erguido!...

III

Las ascuas de un crepúsculo, señora,
rota la parda nube de tormenta,
han pintado en la roca cenicienta
de lueñe cerro un resplandor de aurora.

Una aurora cuajada en roca fría,
que es asombro y pavor del caminante
más que fiero el león en claro día,
o en garganta de monte osa gigante.

Con el incendio de un amor, prendido
al turbio sueño de esperanza y miedo,
yo voy hacia la mar, hacia el olvido,

—y no como a la noche ese roquedo,
al girar del planeta ensombrecido—.
No me llaméis, porque tornar no puedo.

IV

¡Oh, soledad, mi sola compañía,
oh musa del portento, que el vocablo
diste a mi voz, que nunca te pedía!,
responde a mi pregunta: ¿Con quién hablo?

Ausente de ruidosa mascarada,
divierto mi tristeza sin amigo,
contigo, dueña de la faz velada,
siempre velada al dialogar conmigo.

Hoy pienso; este que soy será quien sea;
no es ya mi grave enigma este semblante
que en el íntimo espejo se recrea,

sino el misterio de tu voz amante.
Descúbreme tu rostro, que yo vea,
fijos en mí tus ojos de diamante.

19

VERAS la maravilla del camino,
camino de soñada Compostela
—¡oh monte lila y flavo!—, peregrino,
en un llano, entre chopos de candela.

Otoño con dos ríos ha dorado
el cerco del gigante centinela
de piedra y luz, prodigio torreado
que en el azul sin mancha se modela.

Verás en la llanura una jauría
de agudos galgos y un señor de caza,
cabalgando a lejana serranía,

vano fantasma de una vieja raza.
Debes entrar, cuando en la tarde fría
brille un balcón en la desierta plaza.

20

¡ESTA luz de Sevilla!... Es el palacio
donde nací, con su rumor de fuente.
Mi padre, en su despacho. —La alta frente,
la breve mosca, y el bigote lacio—.

Mi padre, aún joven. Lee, escribe, hojea
sus libros, y medita. Se levanta;
va hacia la puerta del jardín. Pasea.
A veces habla solo, a veces canta.

Sus grandes ojos de mirar inquieto
ahora vagar parecen, sin objeto
donde puedan posar, en el vacío.

Ya escapan de su ayer a su mañana;
ya miran en el tiempo, ¡padre mío!,
piadosamente mi cabeza cana.

## 21

## ROSA DE FUEGO

TEJIDOS sois de primavera, amantes,
de tierra y agua y viento y sol tejidos.
La sierra en vuestros pechos jadeantes,
en los ojos los campos florecidos,

pasead vuestra mutua primavera,
y aun bebed sin temor la dulce leche
que os brinda hoy la lúbrica pantera,
antes que, torva, en el camino aceche.

Caminad, cuando el eje del planeta
se vence hacia el solsticio de verano,
verde el almendro y mustia la violeta,

cerca la sed y el hontanar cercano,
hacia la tarde del amor, completa,
con la rosa de fuego en vuestra mano.

## 22

TENGO dentro de un herbario
una tarde disecada,
lila, violeta y dorada.
Caprichos de solitario.

Y en la página siguiente,
los ojos de Guadalupe,
cuya color nunca supe.
Y una frente...

## 23

LA plaza tiene una torre,
la torre tiene un balcón,
el balcón tiene una dama,
la dama una blanca flor.
Ha pasado un caballero,
—¡quién sabe por qué pasó!
y se ha llevado la plaza
con su torre y su balcón,
con su balcón y su dama,
su dama y su blanca flor.

## 24

CUANDO *el Ser que se es* hizo la nada
y reposó, que bien lo merecía,
ya tuvo el día noche y compañía
tuvo el hombre en la ausencia de la amada.

*Fiat umbra!* Brotó el pensar humano.
Y el huevo universal alzó, vacío,
ya sin color, desubstanciado y frío,
lleno de niebla ingrávida, en su mano.

Toma el cero integral, la hueca esfera,
que has de mirar, si lo has de ver, erguido.
Hoy que es espalda el lomo de tu fiera,

y es el milagro del no ser cumplido,
brinda, poeta, un canto de frontera
a la muerte, al silencio y al olvido.

## 25

## APUNTE DE SIERRA

ABRIO la ventana.
Sonaba el planeta.
En la piedra el agua.

Hasta el río llegan
de la sierra fría
las uñas de piedra.

¡A la luna clara,
canchos de granito
donde bate el agua!

¡A la luna llena!
Guadarrama pule
las uñas de piedra.

Por aquí fue España.
Llamaban Castilla
a unas tierras altas...

26

## CANCIONES A GUIOMAR

### I

NO sabía
si era un limón amarillo
lo que tu mano tenía,
o el hilo de un claro día,
Guiomar, en dorado ovillo.
Tu boca me sonreía.

Yo pregunté: ¿Qué me ofreces?
¿Tiempo en fruto, que tu mano
eligió entre madureces
de tu huerta?

¿Tiempo vano
de una bella tarde yerta?
¿Dorada ausencia encantada?
¿Copia en el agua dormida?

¿De monte en monte encendida,
la alborada
verdadera?
¿Rompe en tus turbios espejos
amor la devanadera
de sus crepúsculos viejos?

### II

En un jardín te he soñado,
alto, Guiomar, sobre el río,
jardín de un tiempo cerrado
con verjas de hierro frío.
Un ave insólita canta
en el almez, dulcemente,
junto al agua viva y santa,
toda sed y toda fuente.

En ese jardín, Guiomar,
el mutuo jardín que inventan
dos corazones al par,
se funden y complementan
nuestras horas. Los racimos
de un sueño—juntos estamos—
en limpia copa exprimimos,
y el doble cuento olvidamos.
(Uno: mujer y varón,
aunque gacela y león,
llegan juntos a beber.
El otro: No puede ser
amor de tanta fortuna:
dos soledades en una,
ni aun de varón y mujer.)
Por ti la mar ensaya olas y espumas,
y el iris, sobre el monte, otros colores,
y el faisán de la aurora canto y plumas,
y el buho de Minerva ojos mayores.
¡Por ti, Guiomar!...

III

Tu poeta
piensa en ti. La lejanía
es de limón y violeta,
verde el campo todavía.
Conmigo vienes, Guiomar,
nos sorbe la serranía.
De encinar en encinar
se va fatigando el día.
El tren devora y devora
día y riel. La retama
pasa en sombra; se desdora
el oro de Guadarrama.
Porque una diosa y su amante
huyen juntos, jadeante,
los sigue la luna llena.

El tren se esconde y resuena
dentro de un monte gigante.
Campos yermos, cielo alto.
Tras los montes de granito
y otros montes de basalto,
ya ès la mar y el infinito.
Juntos vamos; libres somos.
Aunque el Dios, como en el cuento,
fiero rey, cabalgue a lomos
del mejor corcel del viento,
aunque nos jure, violento,
su venganza,
aunque ensille el pensamiento,
libre amor, nadie lo alcanza.

Hoy te escribo en mi celda de viajero,
a la hora de una cita imaginaria.
Rompe el iris al aire el aguacero,
y al monte su tristeza planetaria.
Sol y campanas en la vieja torre.
¡Oh, tarde viva y quieta
que opuso al *panta rei* su nada, corre,
tarde niña que amaba tu poeta!
¡Y día adolescente
—ojos claros y músculos morenos—,
cuando pensaste a Amor junto a la fuente,
besar tus labios y apresar tus senos!
Todo a esta luz de abril se transparenta;
todo en el hoy de ayer, el Todavía
que en sus maduras horas
el tiempo canta y cuenta,
se funde en una sola melodía,
que es un coro de tardes y de auroras.
A ti, Guiomar, esta nostalgia mía.

## 27

## ULTIMAS LAMENTACIONES DE ABEL MARTIN

(CANCIONERO APÓCRIFO)

HOY, con la primavera,
soñé que un fino cuerpo me seguía
cual dócil sombra. Era
mi cuerpo juvenil, el que subía
de tres en tres peldaños la escalera.
—Hola, galgo de ayer. (Su luz de acuario
trocaba el hondo espejo
por agria luz sobre un rincón de osario.)
—¿Tú, conmigo, rapaz?
—Contigo, viejo.

Soñé la galería
al huerto de ciprés y limonero;
tibias palomas en la piedra fría,
en el cielo de añil rojo pandero,
y en la mágica angustia de la infancia
la vigilia del ángel más austero.

La ausencia y la distancia
volví a soñar con túnicas de aurora;
firme en el arco tenso la saeta
del mañana, la vista aterradora
de la llama prendida en la espoleta
de su granada.
¡Oh Tiempo, oh Todavía
preñado de inminencias,
tú me acompañas en la senda fría,
tejedor de esperanzas e impaciencias!

¡El tiempo y sus banderas desplegadas!
(¿Yo capitán? Mas ya no voy contigo.)
¡Hacia lejanas torres soleadas
el perdurable asalto por castigo!

Hoy, como un día, en la ancha mar violeta
hunde el sueño su pétrea escalinata,
y hace camino la infantil goleta,
y le salta el delfín de bronce y plata.

La hazaña y la aventura
cercando un corazón entelerido...
Montes de piedra dura
—eco y eco—mi voz han repetido.

¡Oh, descansar en el azul del día
como descansa el águila en el viento,
sobre la sierra fría
segura de sus alas y su aliento!
La augusta confianza
a ti, Naturaleza, y paz te pido,
mi tregua de temor y de esperanza,
un grano de alegría, un mar de olvido...

# JUAN RAMON JIMENEZ

## VIDA

*Juan Ramón Jiménez nació en Moguer (Huelva) el 24 de diciembre de 1881. Estudió el bachillerato en el Colegio de Jesuitas del Puerto de Santa María (Cádiz). Pintó y estudió Derecho en Sevilla. Empezó a escribir y a publicar en revistas de Andalucía y Madrid, a los catorce años (1895). Vino a Madrid en 1899 y dio su primer libro en 1900.*

*De 1900 a 1905 vivió en Madrid, en el Sanatorio del Rosario y en la casa del doctor Luis Simarro, y viajó por Francia, Suiza, Italia y España. Se recluyó siete años en Moguer y en 1912 volvió a Madrid y vivió tres años en la Residencia de Estudiantes. En 1916 fue a los Estados Unidos. Se casó en Nueva York con Zenobia Camprubí Aymar, con quien ha colaborado en la traducción de las obras de Rabindranaz Tagor. Desde 1916 reside en Madrid y viaja mucho por España.*

*Ha publicado veintiocho libros (desechados luego en su mayor parte), y tiene una extensa obra inédita y esparcida por revistas. Actualmente trabaja, aparte de su creación constante,*

* Ya en prensa esta edición, Juan Ramón Jiménez nos comunica su decisión irrevocable de no autorizar, de ahora en adelante, su inclusión en ninguna antología. Respetando esta voluntad del poeta y no pudiendo razonablemente suprimir su nombre en una antología contemporánea como la presente, nos limitamos a indicar las poesías suyas que figuraron en la primera edición de este libro, y a las indispensables referencias biográfica, poética y bibliográfica. *(Nota del editor).*

*en la ordenación y revisión de su obra poética en prosa y verso, cuyos primeros volúmenes tiene anunciados la* EDITORIAL SIGNO *para 1934.*

## POETICA

*"Para Juan Ramón Jiménez, ¿qué es la poesía? Multiplicadas definiciones, ya en forma aforística, ya por medio de imágenes poéticas, podríamos hallar en su obra, dispersa en libros, revistas y publicaciones íntimas. Para él la poesía es la esencia misma del espíritu y de la inteligencia—las dos piernas de la aurora—, la desnudez libre y perfecta de la idea en su forma justa y única, la sola diosa a quien sacrifica todos sus impulsos vitales. Si otros poetas quieren practicar una poesía humana, Juan Ramón Jiménez parece obstinarse en invocar una humanidad, un universo todo poético, que si realmente existen es sólo para que él los sueñe en sus poesías. Y él sueña para que los otros despierten y los contemplen.*

*Es decir, que su poesía es humana también, pero como efecto, no para, sino porque; no al servicio de, sino reina de. No se conforma con menos.*

*Y qué bellas y exactas cosas ha dicho en esos aforismos o sentencias que suele ofrecer en guirnaldas numeradas cuidadosamente. A veces, no el lenguaje preciso de la inteligencia lógica, sino una simple imagen vale por un tratado de poética. Otras veces su lenguaje es directo, como cuando identifica "clásico" a "vivo" o cuando niega lo popular, es decir, no su exquisita fragancia, sino que realmente lo sea."*

(De una conferencia de G. D. en Buenos Aires, 1928, publicada por la revista *Verbum.)*

Las poesías elegidas pertenecen a los siguientes libros: número 1, a *Jardines lejanos;* 2 y 3, a *Pastorales;* 4, a *Baladas de primavera;* 5, a *Unidad;* 6, a *La soledad sonora;* 7, a *Unidad;* 8, a *Poemas májicos y dolientes;* 9, a *Melancolía;* 10, a *Presente;* 11, a *La frente pensativa;* 12, a *Romances indelebles;* 13 y 14, a *Sonetos espirituales;* 15, a *Unidad;* 16, a *Estío;* 17, a *Eternidades;* 18, a *Estío;* 19 y 20, a *Diario de un poeta;* 21, a *Piedra y cielo;* 22 y 23, a *Diario de un poeta;* 24, a *Piedra y cielo;* 25 a 29, a *Poesía;* 30 a 32, a *Belleza;* 33, a *Eternidades;* 34, a *Belleza;* 35, a *Unidad;* 36, a *Piedra y cielo;* 37, a *Belleza;* 38, a *Poesía;* 39 a 41, a *Antolojía 1915-1931.*

1

JARDÍN GALANTE

Hay un oro dulce y fresco

2

PASTORAL

Doraba la luna el río

3

PASTORAL

No es así, no es de este mundo

4

EL POETA A CABALLO

5

UN RUISEÑOR

6

DOMINGO DE PRIMAVERA

7

ATMÓSFERA

8

PRIMAVERA AMARILLA

9

EN TREN

(GUIPÚZCOA)

10

MARINA DE ENSUEÑO

INTERNO

11

EL NOSTÁLGICO

12

ROMANCE INDELEBLE

13

NADA

14

A UNA JOVEN DIANA

15

PRESENCIA

16

AMANECER DE AGOSTO

17

LA POESÍA

Vino primero, pura

18

O R O

19

SOLEDAD

20

MAR, NADA

21

R O S A S

22

ROSA DEL MAR

23

PARTIDA

(PUREZA DEL MAR)

24

EPITAFIO IDEAL DE UN MARINERO

25

DESVELO

26

LA ROSA

27

HIJO DE LA ALEGRÍA

28

MAR IDEAL

29

LA OBRA

Al lado de mi cuerpo muerto

30

LA OBRA

¡Crearme, recrearme, vaciarme, hasta

31

CEÑO

32

EPITAFIO IDEAL

(¿QUIÉN?)

33

ETERNIDAD

34

ÁLAMO BLANCO

35

LA MUJER DESNUDA

36

MADRIGAL

37

LA MUERTE

Quiero dormir esta noche

38

EL LLEGADO

39

PACTOS

40

ROSA DE SOMBRA

41

EMBELESOS

# ENRIQUE DE MESA

## VIDA

*Enrique de Mesa y Rosales nació en Madrid el 9 de abril de 1878. Comenzó su vida literaria colaborando en* El Liberal, *donde publicó su crónica* Murió en silencio. *Colaboró después en varias revistas, como* Helios *y* Faro, *y en los* Lunes de El Imparcial. *Hizo la crítica teatral en* La Correspondencia, La Tribuna *y* El Imparcial. *También colaboró en* La Nación *y* Crítica, *de Buenos Aires. La Academia le concedió el premio Fastenrath por su libro* El silencio de la Cartuja. *Era Enrique de Mesa empleado del Ministerio de Instrucción Pública, y como tal fue varios años secretario del Museo de Arte Moderno. De este cargo fue destituido por la Dictadura de Primo de Rivera y confinado en Soria en enero de 1929. Falleció el 27 de mayo del mismo año.*

## POETICA

*No nos ha dejado el poeta una declaración expresa de su pensamiento. Pero es fácil adivinar a través de sus versos y de sus predilectas aficiones lo que pensaba de la poesía. En 1908 escribía:*

Y fue mi canción sencilla.
Moneda de mi terruño,
honró su metal el cuño
de la gloriosa Castilla.

*Y añade:*

Ya conocéis mi destino.
Soy poeta y español,
y no quiero más que sol
y mujer en mi camino.

*En efecto, apenas salió nunca de España. En cambio, conocía su patria palmo a palmo. Especialmente las sierras de Gredos y Guadarrama, que no se cansaba nunca de recorrer a pie. Este aroma serrano perfuma sus más significativos versos de un clasicismo más primitivo—Arcipreste, Santillana, Cancioneros—que académico. Sin que dejase por eso de prestar atención a las novedades de su tiempo. Cuidaba incansablemente la perfección de sus versos, que no prodigaba. Y gustaba sobremanera de los vocablos concretos, realistas, vivos, en la boca de zagalas y cabreros, de sabroso regusto castellano.*

Las poesías elegidas pertenecen a los siguientes libros: 1, a *Tierra y alma;* 2, a *Cancionero castellano;* 3 y 4, a *El silencio de la Cartuja;* 5 a 8, a *La posada y el camino.*

1

## VOZ DEL HUMO

DEL cielo limpio la zarca seda
manchan las nubes de tonos grises;
aves que emigran a otros países,
cruzan los picos de la roqueda.
Ya no hay verdores
en las orillas de la vereda;
bajo las frondas de la arboleda
no se oyen cantos de ruiseñores;
quejido el aire, triste, remeda,
no deleitosa canción de amores.
Ya no se escuchan en los pinares
los ritmos lentos de los cantares.
Bajo la niebla duermen los hatos,
callan los perros,
saltan y bullen frescos regatos,
que, raudos, bajan desde los cerros.
Pastor, que cantas en la majada
cuando las luces de la alborada
rompen del cielo los negros tules,
¡qué dulce el eco de tu balada
para tu moza, la enamorada,
la de los claros ojos azules!
La casa humilde, que abajo humea
—voz de amor—, llama desde la aldea.

Voz de rugosos, fragantes leños
de añosa encina,
que arrulla ensueños,
voz ruda y fresca de campesina.
¡Que siempre dulces sones modules,
oh voz que ríes y voz que lloras,
como los claros ojos azules
de las pastoras!

2

## VOZ DEL AGUA

### MADRIGAL

ERA pura nieve,
y los soles me hicieron cristal.
*Bebe, niña, bebe*
*la clara pureza de mi manantial.*

Canté entre los pinos
al bajar desde el blanco nevero;
crucé los caminos,
di armonía y frescura al sendero.

No temas que, aleve,
finja engaños mi voz de cristal.
*Bebe, niña, bebe*
*la clara pureza de mi manantial.*

Allá, cuando el frío,
mi blancura las cumbres entoca;
luego, en el estío,
voy cantando a morir en tu boca.

Tan sólo soy nieve,
no me enturbian ponzoña ni mal.
*Bebe, niña, bebe*
*la clara pureza de mi manantial.*

3

## ELEGIA DE ABRIL

¡CON cuánto alborozo
traspaso el pinar,
sendero del chozo,
te vuelvo a pisar!

Sendero que bajas,
riberas del río,
tallado entre lajas
que moja el rocío;

y trepas y brillas
allá en los alcores
con verdes orillas
cubiertas de flores.

¡Oh quién te pudiera
por siempre pisar,
en esa ladera
que baja al Paular!

Mozos cabrerillos,
rota la mañana,
entre los tomillos
y la mejorana,

suben desde el hato
saltarinamente
por aquel regato
de la clara fuente.

Cumbre y valle dora
recio sol de estío;
la hondonada llora
perlas en lo umbrío.

Arde el cielo en llamas,
fulgen los neveros;
cruzan las retamas
trochas de cabreros.

Y gris, en la fronda
de espeso pinar,
clarea la monda
de algún calvijar.

Pero el buen hermano
de la añeja andanza
se pudrió en el llano,
viva su esperanza.

¡Pobre hermano mío!
Trochas y veredas,
robles, sol y río,
puertos y roquedas,

dicen a mi paso
(¡tus amados viejos!):
—¿Nuestro amigo acaso?...—
—Ya florece lejos...—

¡Alma, no recuerdes
punzadoras cuitas!
Las praderas verdes
brotan margaritas.

Entre la verdura
de los pastizales
manan agua pura
cavas y chortales.

Y por la garganta
del pinar silente
vuela un mirlo, y canta
melodiosamente.

4

## LA GLOSA DEL PRIOR

BAJO el sayal humilde sueñas
y vives, para meditar,
don Rodrigo de Valdepeñas,
en la Cartuja del Paular.

Hijo dilecto de San Bruno,
preso entre montes carpetanos,
con oraciones, paz y ayuno,
guardas, pastor, a tus hermanos.

En el azul las siete estrellas
de los austeros fundadores
te han de guiar, mientras que huellas
la tierra encinta de dolores.

Allá en la noche silenciosa,
gélida al soplo del nevero,
junto al hogar, tu pluma glosa,
sabia, el decir de un cancionero.

Y en el claror del mediodía,
tras de la larga noche en vela,
terco tu espíritu, porfía
apostillando la vitela.

(Y es que el prior de cierto sabe
—ciencia al alcance del barbón—
que del vivir, risueño o grave
sólo la muerte es la razón.)

Mueve la brisa la noguera
del huertecillo prioral;
tiembla su sombra en la vidriera
del emplomado ventanal.

De las paredes encaladas
pende la tosca, negra cruz;
tras de los olmos, las nevadas
cumbres bañándose en la luz.

Y una impresión sedante y pura
de dulcedumbre conventual
da con su nota la blancura:
la celda, el monte y el sayal.

Pero lo mismo que negrea
la Santa Cruz en el albor,
en el espíritu la idea
traza la sombra del dolor.

Si es una y fija nuestra suerte,
vida, tu gloria, ¿qué aprovecha?
Todo lo humano al fin la muerte
pasa de claro con su flecha.

Ciegos, vivimos el acaso
del buen llorar y el mal reír;
sombra en la sombra es nuestro paso
tras de la luz, que es el morir.

Como verdura de las eras,
como en los prados el rocío
son los ensueños y quimeras,
la juventud y el poderío...

Pero el desgano, la amargura
de lo caduco y mundanal,
plasmó su rito en la armadura,
no en la estameña del sayal.

Quieto tu espíritu, no acierta,
en soledad contemplativa,
sino a erigir ceniza muerta
en torno de la llama viva.

Y en plena lucha aquel valiente
comendador de Montizón,
supo medir serenamente
la pena de su corazón.

5

¡TE guardaré en el alma,
deliciosa vereda,
ensoñando camino de ventura
perdido en la borrasca de las peñas;
brava tierra rojiza
de carrascas austeras,
en donde el agua ríe,
o, en el remanso de los huertos, sueña!
Talladas en la escarpa
de la abrupta ladera,
socavas deleitosas
en que el pastor sestea,
romerales que aroman,
y, entre las gríseas piedras,
chaparros verdinegros
donde la cabra arisca ramonea.
En la quietud dorada de la tarde,
dulces, cercanas, las esquilas tiemblan.
Lejos, las altas cumbres
de los montes blanquean,
como sus hombros blancos,
curva de nieve que mis labios queman.

¡El ramaje desnudo
y el alma en primavera!
Si mi encendida savia
brota en capullos y florece en yemas;

si el corazón es fuego,
¿qué importa que haya escarcha en la vereda?
El mundo correría
con mi planta andariega
para besar sus labios
y apoyar en mi pecho su cabeza,
de la miel de mi amor y de mis sueños
dulcísima colmena.
De amor nacen las alas
al corazón de tierra,
y en la prisión del pecho,
con ansia viva de volar, golpea.
Quiere beber azul, azul divino;
dormir, ebrio de azul, en una estrella.

6

POR la costanilla azul
remonta la luna clara.
Noche de julio serena.
Velan el viento y el agua.

Brilla, cercano a las cumbres,
un piornal entre llamas.
Late un mastín en el hato.
Tiembla una esquila lejana.

De los álamos del río
llega un sonido de plata.
¿Será la voz con que sueño,
su dulce voz que me llama?...

No es sino engaño del aire
que dialoga con las ramas...
Yo pienso—lejos, muy lejos—
en unas verdes montañas.

7

EL campo, sediento;
la nube, de paso;
un cielo azul, desesperante y limpio
y un rojo sol en el ocaso.

Llegará la noche,
lucirá la estrella...
Y el campo seco velará, soñando:
¿Dónde la nube aquella?

8

Y era la dulce casa, entre los pinos,
claro de luz en verdinegra sombra.
Para llegar a ti, ¡cuántos caminos
el alma, en llanto de recuerdo, nombra!

¡Ay, que al fin piso la senda florida!
¡Ay, la callada vereda de amor!
¡Ya qué me importa el pesar de una vida
estremecida de dolor!

Era claro cristal, rizo y espuma
la diamantina risa de la nieve:
cuando el rebaño del dolor trashuma,
he de gozar su extrañamiento breve.

¡Ay, que ya toco el umbral de su puerta!
¡Ay, que ya siento la voz que me llama!
Tras de su hoja, del aire entreabierta,
un tibio aliento se derrama.

Cielo ungido de sol de mediodía:
—oro y azul no más sobre mi frente—
en regazo de llanto sonreía
—blanca primicia—la verdad naciente.

¡Ay, deleitable, gustosa fatiga!
¡Ay, anhelado reposo supremo!
Ha de granar en mi campo la espiga:
un áureo pan en el extremo.

Y la miel del amor en la colmena
del huerto, por mis ansias florecido,
y sobre el corazón, la dulce y buena
mano que acalle el célere latido.

¡Ay, la anhelada secreta delicia!
¡Ay! ¿Son tus muros el último abrazo?
Tú sentirás mi postrera caricia.
He de morir en tu regazo.

# TOMAS MORALES

## VIDA

*Nació Tomás Morales en Moya de Gran Canaria, el 10 de octubre de 1885, y murió en Las Palmas el 15 de agosto de 1921.*

*Cursó la carrera de Medicina en la Facultad de Madrid, terminando sus estudios en 1911 y regresando a su isla nativa el mismo año para ejercer de médico titular en la villa de Agaete.*

*En dicha villa contrajo matrimonio y compuso gran parte de las poesías que habían de formar, más tarde, el segundo libro de* Las Rosas de Hércules.

*Durante sus estudios en Madrid cultivó la amistad de artistas y literatos, revelándose como poeta con su primer libro de versos,* Poemas de la Gloria, del Amor y del Mar, *editado en Madrid el año 1908, en la imprenta Gutenberg-Castro y Compañía. Este libro llevaba una poesía de Salvador Rueda, en la que el poeta malagueño saludaba al joven cantor como al futuro gran poeta de la raza.*

*El año 1919 volvió a Madrid para publicar su segundo libro de* Las Rosas de Hércules.

*Al año siguiente al de su muerte sus amigos dieron a la publicidad su primer libro de* Las Rosas de Hércules, *tal y como él lo había dejado dispuesto, con un prólogo de Enrique Díez-Canedo (donde se estudia la obra y la personalidad del poeta) y las poesías que había dejado sin terminar.*

*Victorio Macho y Villaespesa fueron los últimos artistas peninsulares que llegaron a tiempo de estrechar la mano del que había sido para ellos todo entusiasmo y cordialidad.*

*Tomás Morales murió rodeado de amigos y afectos, prueba*

*de sus bondades y simpatías excepcionales; y en su recuerdo, y como homenaje a sus méritos, su isla le ha rendido el tributo de colocar en un bello parque de la ciudad de Las Palmas su busto en bronce, obra del escultor Victorio Macho.*

## POETICA

*Será preciso adivinar, como de otros poetas de esta* ANTOLOGÍA, *prematuramente muertos, la poética de Tomás Morales, a falta de sus propias palabras. De sus preferencias habla elocuentemente la dedicatoria a Salvador Rueda de sus primeros versos marinos. El poeta de Málaga, que había presentado en verso al nuevo poeta atlántico, aparece aquí en su solio, la roca de una playa dorada:*

> ... adonde, coronada de espumas seculares
> te lanza como ofrenda este hijo de los mares
> la ola de sus estrofas que se rompe a tus pies.

*Su "Alegoría a Rubén Darío en su última peregrinación" demuestra su profunda adhesión a la obra renovadora del maestro y la emoción de la postrera despedida. Díez-Canedo, en su justo prólogo a* Las Rosas de Hércules, *alude a otros poetas favoritos o hermanos de técnica e inspiración. Verdaguer, Corbière, D'Annunzio, Catulo, Ovidio, Ausonio, Claudiano. Una gran pasión por la noble retórica de arte mayor, una exuberancia magnífica, al lado de otras notas más íntimas y tiernas, y, sobre todo, presente siempre, gran maestro tutelar de evocaciones, resonancias y latitud, el mar, el dilatado mar "de estas maravillosas Islas Afortunadas".*

Las poesías elegidas pertenecen a los siguientes libros:
1 y 2, a *Poemas de la Gloria, del Amor y del Mar;*
3 a 6, a *Las Rosas de Hércules* (libro II).

1

TARDE de oro en Otoño, cuando aún las nieblas densas
no han vertido en el viento su vaho taciturno,
y en que el sol escarlata da púrpura al poniente,
donde el viejo Verano quema sus fuegos últimos.

Una campana tañe sobre la paz del llano
y a nuestro lado pasan en un tropel confuso,
aunados al geórgico llorar de las esquilas,
los eternos rebaños de los ángeles puros.

Otoño, ensueños grises, hojas amarillentas,
árboles que nos muestran sus ramajes desnudos...
Sólo los viejos álamos elevan pensativos
sus cúpulas de plata sobre el azul profundo...

Yo quisiera que mi alma fuera como esta tarde,
y mi pensar se hiciera tan impalpable y mudo
como el humo azulado de algún hogar lejano
que se cierne en la calma solemne del crepúsculo...

2

LA HONDA

NOCHES de la Naturaleza,
hechas de sombra y de grandeza,
todas misterio y emoción;
para ser grande o valeroso

y tener fuerzas de coloso
o tener garras de león...

O débil ser como la espuma
y preferido de la bruma
en los silencios de la luz;
cuando levanta en el espacio
la media luna de topacio
su melancólica testuz...

El bosque en sombra es el santuario
donde algún genio milenario
savias eternas descubrió;
la luna plena es un diamante
que lanzó la honda de un gigante
y en la alta noche se clavó...

Y quise ser un sol de plata
o la encantada serenata
del nocherniego ruiseñor;
como la estrella que relumbra
o tener alas de penumbra
como el misterio y el dolor...

Y quise ser como el hondero:
busqué un diamante en el sendero,
mas no lo pude descubrir;
y lo busqué en mi fantasía
y lo encontré: con energía
se alzó mi brazo para herir...

Y una quimera, mi tesoro,
como un relámpago de oro,
mi honda a los aires despidió;
pero no sé lo que fue de ella...
¡Acaso sea alguna estrella
que en el silencio se clavó!

3

## ODA A LAS GLORIAS DE DON JUAN DE AUSTRIA

*Fuit homo misus a Deo, cui nomen erat Johannes.*

TAL fue el resumen que, como ejemplo de altas jornadas,
se dio a los hombres para recuerdo de tus conquistas;
y así tres razas para tu empeño coaligadas
te saludaron con las palabras evangelistas.

Por vanagloria del magno triunfo imperecedero
Marte y Neptuno se congraciaron en tu aventura:
Mano de Numen fue la que entonces filó tu acero
y esmaltó en oro los hipocampos de tu armadura.

¡Sol de Corinto! Tus resplandores su frente ornaron;
la isla Trinacria viera el ilustre vuelo aquilino
cuando a su orden trescientas gavias se desplegaron
oscureciendo la azul llanura del Mar Latino.

¡En marcha! Y lentos, cabeceando, pasan flotantes
nobles escudos, doradas proas, recias amuras,
bajo un revuelo de gallardetes altisonantes,
suntuoso ornato de las soberbias arboladuras.

¡Son las de Roma! Sus vigorosas leyes severas
al sol pregonan los orgullosos fastos papales:
bordadas llevan en el jacinto de las banderas
la Tiara augusta sobre las Llaves pontificales...

¡Son las Duxarias! En sus carenas de ébano y plata
las venecianas pompas cimentan su gloria pública:
el aire signan con su estridente signo escarlata
los pabellones galardonados de la República...

¡Son las del César! Mástiles llenos de gonfalones
donde Felipe grabó la empresa de maravillas:
cabe el severo color morado de los pendones
el columnario "Plus Ultra", emblema de las Castillas...

¡Para tres flotas, tres Capitanes! Y a su gobierno,
Marco Colonna, de quien las famas guardan memoria;
el Marqués bravo, de los Bazanes orgullo eterno,
y el condotiero, pavor de mares, Andrea Doria...

Y en la alta nao, que a todas vence por su apariencia
y el estandarte de la Gran Liga tremola ufana,
Tú, que al donarle la aristocracia de tu presencia,
sólo por eso, nombrada fuera "La Capitana"...

Llegó la noche. Tu alma, abarcando futuras huellas,
glorias soñaba sobre el alcázar, donde arrogante
vio tu silueta la muchedumbre de las estrellas:
¡tal vez prendadas de la belleza del Almirante!

Ellas sirvieron de luminares a tu fortuna;
mientras, solemne, la vía láctea de blancos velos
era la estela de un gran navío, del que la luna
—áncora rota—fue abandonada sobre los cielos.

Y en la alta noche, cuando en el sueño todo callaba
—único digno de ser consorte de tus acciones—,
otro soldado que era poeta, también dejaba
viajar su ensueño por las doradas constelaciones...

Amanecía: tras el misterio de las neblinas
se vio a lo lejos la poderosa flota sultana
como un pasmado volar de ingentes aves marinas,
partiendo en plata la raya de oro de la mañana...

¡Son las Turquescas! Bajo la libre racha sonora,
sus recias quillas la mar dividen de orgullo plenas:
son como alfanjes resplandecientes bajo la aurora,
las medias lunas en el remate de las entenas...

Se acercan... Fieras para el combate se alzan las manos.
¡La alta epopeya dará al triunfante palma completa!
¡Santiago el Grande guía la rabia de los cristianos,
y en el coraje del otomano lucha el Profeta!

Y frente a frente para el supremo trance violento,
la artillería retumbó torva su voz salvaje,
y el mar fue sangre, y el cielo incendio, y horror el viento
que unió las jarcias para la furia del abordaje.

Y en el momento de más fiereza de la jornada,
¡florón invicto sólo guardado para tus glorias!,
las enemigas naves se hundieron bajo tu espada,
que era en tu mano la del Arcángel de las Victorias...

¡Don Juan de Austria! ¡Sol de caudillos! Hispania avara
de ti recibe su más sonora pompa guerrera:
tu heroico nombre, cuya grandeza Carlos legara
para decoro de la alta popa de una galera...

¡Yo al mar invoco para estas honras a tus derechos,
y oscuro hijo de aquel Imperio que hoy se derrumba,
un ditirambo pone mi alma sobre tus Hechos,
y un estandarte negro, mi mano, sobre tu Tumba!

## 4

## ODA AL ATLANTICO

(ESTROFAS FINALES: XV-XXIV)

¡LA Nave!..., concreción de olímpica sonrisa;
vaso maravilloso de tablazón sonora,
pájaro de alas blancas para vencer la brisa:
amor de las estrellas y orgullo de la aurora...
El sol iluminaba las jarcias distendidas;
el coro dio sus hombros a las bandas pulidas;
y al deslizarse grave por la arena salada
—galardón infinito de la empeñada guerra—
de aplausos coreada,
en inverso prodigio, iba hacia el Mar la Tierra...

¡Honor para el que apresta los flotantes maderos,
para los calafates, para los carpinteros
de ribera, nutridos de las rachas eternas
de la playa sonora!...
¡Y para aquel más hábil, que trazó las cuadernas,
la caricia del aura de la fama armadora:
las condiciones náuticas del casco celebrado
nacen de su acertado
promedio entre la manga, el puntal y la eslora!

¡Honor para vosotros y gloria a los primeros
que arriesgaron la vida sobre los lomos fieros
del salvaje elemento
de la mar dilatada:
nautas sin otro amparo que la merced del viento
y sin más brujulario para la ruta incierta
que la carta marina de la noche estrellada,
sobre sus temerarias ambiciones, abierta!...

¡Tripulantes! ¡La llama
del entusiasmo prenda vuestras almas bravías!
La custodia del barco que os entregan reclama
la actividad conjunta de vuestras energías.
En vosotros se afianza la utilidad del flete.
Todos sois necesarios, todos: desde el grumete
recién nacido apenas a la brisa salobre,
hasta el contramaestre de pómulos de cobre
y cana sotabarba
que en el túrgido vientre de las nubes escarba.
Los que en la negra noche hacen de centinelas,
los que tienen las jarcias para largar las velas,
el que en la labor dura del baldeo trajina
y los estibadores de carga en la sentina.
Los que trepan a lo alto de las largas entenas
y los que desentornan las chirriantes cadenas
de las anclas combadas...
¡Amigos, camaradas!
¡Impávidos muchachos ante el acaso ignoto!...
¡Que vuestra quilla siempre taje un mar en bonanza!

Y fiad la esperanza
al arte del piloto
que cual un dios en la alta plataforma del puente
dirige con voz cruda
la sabia maniobra; y al timonel prudente
que con mano membruda
imprime al gobernalle seguros derroteros...

¡Recios trabajadores de la mar! ¡Marineros!
¡El Tritón, con su rúbrico caracol, os saluda!

Os saluda y alienta por la emprendida senda,
soberbios luchadores de estirpe soberana,
héroes arrojados en singular contienda
sin saber por la noche del día de mañana.
Nobles exploradores, argonautas valientes,
descubridores de islas, pasos y continentes...
Inclitos balleneros, prodigio de la casta,
que, con cuerpo desnudo,
exponéis vuestras vidas al coletazo rudo
y blandís los arpones como el guerrero el asta;
y a vosotros que fuera de las leyes, un día
dictasteis leyes propias y os arrogasteis fueros
e impusisteis a príncipes y navales guerreros
la profesión airada de la piratería...

¡De allá vino la práctica del valiente ejercicio!
Las gloriosas columnas del Hércules fenicio
vieron la subitánea
invasión con que, ebrias de bravura indomable,
hollaron impetuosas con viento favorable
la onda midacritánea
—con tan fastuoso orgullo que a la soberbia enoja—
las corsarias galeras de Haradín Barbarroja,
para quien era estrecha la mar mediterránea...

Y a vosotros, ¡osados!,
que escudriñáis los fondos del piélago inseguro,
pescadores de perlas, o buzos ponderados
los que hacéis el trabajo más peligroso y duro:

Cuando exploráis naufragios de indicios fabulosos,
entre limosas cuencas y huyentes arenales,
o perseguís madréporas de orientes luminosos
por entre aurirramosas florestas de corales.
No hubo para vosotros inquebrantable obstáculo:
ni la feroz mandíbula, ni el constrictor tentáculo,
a detener bastaron el ímpetu genuino;
mientras se desplegaba, magnífica y despierta,
ante el cristal redondo de la escafandra, abierta,
la maravilla enorme del mundo submarino...

Que a todos la Victoria
teja, en buen hora, olímpica guirnalda,
los que del mar sobre la hirviente espalda.
ganáis el pan o perseguís la gloria.
Vosotros sois del agua los genios redivivos,
porque, en su amor cautivos,
vigor, empeño e ilusión pusisteis;
porque en la mar nacisteis,
y en la mar moriréis..., es vuestro sino.
Y cuando ya el destino
cumpla obediente la presión del hado
y vuestro cuerpo ahogado
sea movible pasto de la deidad nocturna,
os tenderá sus brazos en fiero remolino
y os llevará a su fría morada taciturna
la mar, la sola urna
para guardar los restos sagrados del marino...

¡Túmulo extraordinario!
¡Reposo inquebrantable sin temporal medida,
para el que alzó, arbitrario,
a tan suprema dignidad su vida!
Murmurarán las olas sus rezos indolentes;
y por velar la noche de vuestros esponsales,
derivarán eternas sus círculos ardientes
las multimilenarias igniciones astrales...
De los confines últimos arribarán veloces
voces terrenas, voces

cargadas de oraciones, de terror y lamentos
que harán batir las puertas de los audaces vientos:
la que domina al Norte y al Bóreas cautiva;
las que a Occidente giran, y al Meridión y al Este;
y cual inmenso domo cobijador, arriba
—temblorosa de nubes—la bóveda celeste...

¡Atlántico infinito, tú que mi canto ordenas!
Cada vez que mis pasos me llevan a tu parte,
siento que nueva sangre palpita por mis venas
y a la vez que mi cuerpo, cobra salud mi arte...
El alma temblorosa se anega en tu corriente.
¡Con ímpetu ferviente,
henchidos los pulmones de tus brisas saladas
y a plenitud de boca,
un luchador te grita ¡PADRE! desde una roca
de estas maravillosas Islas Afortunadas!...

5

## CANTO A LA CIUDAD COMERCIAL

EN pleno Océano
sobre el arrecife de coral cambiante
que el mito de Atlante
nutriera de símbolo y de antigüedad;
donde el sol erige su solio pagano
y Céfiro cuenta,
perenne, la hazaña de Alcides, se asienta
la ciudad que hoy canto: ¡mi clara ciudad!

Sobre la ensenada
que extensa culmina,
su coloreada
comba de basalto tiende la colina.
A su abrigo hicieron cavar, previsores,
sus hondos cimientos los progenitores,
y en una alborada de luz matinal

perfiló la urbe su limpio diseño
al surgir del llano solar ribereño,
siguiendo la blanda curva litoral...

Reciente está el día
del prodigio: hería
Helios tus fronteras con rayos paternos,
cuando en armonía
pactaron tu sino los dioses eternos.
Y como rehenes
de propincuos bienes,
rindieron concordes ante tus destinos
Apis, vigoroso, su frontal armado;
Demeter, su arado,
y el timón y el ancla, los genios marinos.
Miraban tus hijos los emblemas ciertos;
abiertas las almas tenaces, abiertos
los sentidos todos al feliz augurio,
cuando, milagroso, confirmó el momento,
azotando el viento
con sus voladoras talares, Mercurio...

¡Era tu epinicio!
El áureo solsticio
de junio en su máxima cumbre fulminaba,
y el coro de islas yacentes soñaba.
Era el horizonte todo lejanía
bajo la efusiva radiación solar;
quemaban tus torres y tus miradores
y a tus pies rendía,
vibrando de amores,
la oblación ardiente de su influjo, el mar...

¡Es la Plaza, el triunfo, la contienda diaria!
Es la puesta en marcha de esta maquinaria
de ruedas audaces y ejes avizores,
que el cálculo impulsa y el oro gobierna.
¡Cólquida moderna
de los agiotistas y especuladores!

Es la Plaza. Gente,
que detrás del medro corre diligente
y a tu seno el brillo de tu bolsa atrajo,
mas este tumulto que afluye y rebosa
no es el que despierta concurrencia ociosa,
sino el combativo rumor del trabajo.
Es trajín, premura,
ideal de letras, números y cuentas;
es la oportunista labor que asegura
el lucro: locura
de compras y ventas...
Son tus anchas calles y tus malecones,
en los que se agolpa y hace transacciones
esa atareada muchedumbre varia;
por donde, atestados de feraces dones,
carromatos tardos y ágiles camiones
transportan al puerto tu riqueza agraria:
¡Plátanos, tomates, naranjas! Tributos
de tu ardiente clima, caro al extranjero.
Agapes mundiales revierten tus frutos
en inagotable raudal de dinero.
Por el gran camino que tu costa envuelve
se van a europeos, lejanos confines:
¡el mar se los lleva y el mar te los vuelve
trocados en libras, marcos o florines!

Sucinta es tu historia:
—Todo en vanagloria
de tu puerto, entonces puerto natural—.
Un barco que arriba con una avería
y halla en la bahía
refugio seguro contra el temporal.
Después, tu incremento;
un inusitado desenvolvimiento,
un infatigable sueño de grandeza
y el advenimiento
de esa soberana que llaman Riqueza.
Y a su sombra el auge; con sus mercadarias

cauciones que afianzan el negocio osado;
casas armadoras y consignatarias
y la progresiva mina del Mercado
por el poderoso Capital creado...

Hoy, el apogeo.
¡Nunca en sus delirios concibió el deseo
esta tu opulenta, sagital carrera
que al más ambicioso cálculo supera!
Tráfago, fragores,
ruido de motores;
hélices que mueven gigantes aletas
y rodar de carros y de vagonetas.
Palacios flotantes que llegan directos
cargados de efectos
o en busca de víveres, aguada y carbón;
que en las oceánicas derrotas situada
fuiste recalada,
escala obligada,
de las grandes líneas de navegación...

¿Mañana? ¡Mañana!...
En tu meridiana
brilla el caduceo del dios tutelar...
¡El dijo tus vastos destinos futuros;
lo oyeron tus muelles de sólidos muros,
que son como abiertos caminos al mar!

¡Solar populoso!
sobre tu industrioso
fervor de fecundos fastos materiales
se informa mi cántico.
Ciudad de los nuevos ritos comerciales,
abierta a los cuatro puntos cardinales...
¡Sobre el Mar Atlántico!

6

## HA LLEGADO UNA ESCUADRA

HA llegado una escuadra: anochecido
buscó refugio al Sur de la bocana
y a la ciudad entera ha sorprendido,
surta en el antepuerto, esta mañana.

Seis unidades de combate forman
la división, y sus guerreras trazas
sobre el ambiente mate se uniforman
con el esmalte gris de sus corazas.

Por toda la ciudad ha trascendido
la noticia, y el ánimo despierto,
por toda la ciudad se vio invadido,
en un afán de novedad, el puerto.

¡Helos allí! Con sus recién pintadas
carenas y sus fúlgidos metales,
torreados de cofas artilladas:
graves de orgullo y de vigor navales.

Y acusan sus severas proporciones
en son de paz, una agresión latente...
Desde las explanadas y espigones
los curiosea, a su sabor, la gente...

Más lejos, los de tipo acorazado;
ya en bahía, las fuerzas de crucero;
y junto al farallón, pulimentado
como un juguete lindo, un torpedero...

Brega por las cubiertas e imbornales,
en fajina, la tropa marinera;
y pasan los imberbes oficiales
con los gemelos a la bandolera.

Y pasma la premura diligente
con que ejecuta el atinado coro
las órdenes que mandan desde el puente
los comandantes de silbato de oro.

Todo está listo. Cesa el ajetreo.
Los artilleros guardan avizores.
¡Todo es prestigio, precisión y aseo
bajo los emblemáticos colores!

Y en tanto que làs nubes se serenan
y la mañana perezosa avanza;
a intervalos iguales, lentos, truenan
los veintiún cañonazos de ordenanza.

# JOSE DEL RIO SAINZ

## VIDA

*"Tengo en la actualidad (marzo de 1934) cuarenta y ocho años. Nací en Santander. Estudié Náutica en el Instituto de mi pueblo, y a principios de siglo salí a navegar en viajes de prácticas en el vapor "Sardinero", de la matrícula de Bilbao. En este barco y en otros de la misma empresa y de la "Santanderina" navegué muchos años, visitando Holanda, Inglaterra (casi todos sus puertos), Rusia, Suecia, Alemania, Francia, el Norte de Africa. Luego embarqué en el buque-escuela "Nautilus", un magnífico velero, e hice un viaje a América, visitando la isla de Santa Elena, donde murió Napoleón.*

*Estando convaleciente de un accidente de mar, me propusieron entrar interinamente en el diario de Santander "La Atalaya", y acepté. Anteriormente había escrito artículos de viajes en ese periódico y en algunos otros. Por haber naufragado entre tanto el barco en que yo estaba, el "San Salvador" (un naufragio horrible por cierto), mi colocación en "La Atalaya" pasó a ser definitiva. Ya no volví a dejar el periodismo. Más tarde fui director de "La Atalaya" hasta su desaparición, y pasé entonces a fundar "La Voz de Cantabria", donde sigo colaborando. Soy, desde hace varios años, capitán de la draga "Cantabria". Mi vida no es ciertamente muy brillante, pero sí variada. He dormido en los ranchos de los barcos, en el hospital, en la cárcel y en los campamentos (Marruecos). He recibido banquetes y homenajes, una puñalada y una flor natural, que es lo que más me duele."*

*Añadamos nosotros que también le ha sido otorgado el premio académico Fastenrath por sus "Versos del mar y otros poemas".*

## POETICA

*"Mi opinión sobre la poética creo que tenga poco interés. Por mi edad y mi formación soy rubeniano, y la cualidad que prefiero en el verso es la musicalidad. Uno de los poetas que más admiro después de Rubén Darío es Tomás Morales."*

J. DEL R. S.

Las poesías elegidas pertenecen a los siguientes libros: 1 a 4, *Versos del mar y de los viajes;* 5 a 8, a *Versos del mar y otros poemas;* 6 y 7, a *La belleza y el dolor de la guerra.*

1

## OFRENDA

A ti, ¡oh mar!, que me diste las primeras
robustas sensaciones que he gozado;
cómitre que remando en tus galeras
me hubiste de tener como forzado.

Escuela de la vida, templo y atrio
en que el vivir cosmopolita y pícaro,
al alejarme del terruño patrio
me dio la alada decisión de un Icaro.

A ti, a quien todo lo que soy lo debo,
porque infundiste en mí un ánimo nuevo
y el vigor me inyectaste de tu yodo;

a ti dedico, ¡oh mar!, estas estrofas,
en las que encierro el horizonte todo
que se abarca de pie sobre las cofas.

2

## LAS PEÑAS DEL NAUFRAGIO

ANTE las rocas grises, cenicientas,
el corazón sobrecogido late;
parecen unas tristes osamentas
tendidas en un campo de combate.

Sentimos como un fúnebre presagio
que de espanto la frente deja fría;
¡en esas peñas ocurrió el naufragio
de un buque de la misma Compañía!

Suben todos a verlas, en la borda
toda la dotación dobla los codos.
Se oye el rumor de la resaca sorda,

que en nuestras almas temeroso zumba,
mientras pensamos en silencio todos
en qué mares tendremos nuestra tumba.

3

## LUZ POR LA AMURA

ENTRE el ronco gemido de las olas,
única estrofa de la noche oscura,
se oye la clara voz de los serviolas,
que anuncian una luz por una amura.

Es un vapor; su luz no se confunde,
y en las nubes que velan su reflejo
tiembla sobre las olas y se hunde
cual si huyera de nuestros catalejos.

La soledad monótona del viaje
al surgir esa luz, al fin, se quiebra;
el corazón la rinde un homenaje.

¿De qué nación será? No importa nada.
Y bebemos un vaso de ginebra
a la salud del nuevo camarada.

4

## VIRAR POR AVANTE

¡SALTA escota de foques! ¡Acuartela
la botavara!..., grita el capitán;
se oye chirriar de cabos, y la vela
se hincha al soplo del rápido huracán.

Hay momentos de trágica zozobra;
el buque retrocede ante el ciclón,
mas decide eficaz la maniobra
un golpe decisivo del timón.

Pasó el instante del peligro grave
y en la agitada inmensidad, la nave
ágil salta lo mismo que una corza...

Y el capitán sonríe satisfecho
y un hurra larga cuando el buque orza
entre el empuje del turbión deshecho.

5

## LOS PATACHES

CON sus cascos cenicientos
—tablas, clavos y remaches
por las aguas carcomidos—
salen lentos
los pataches
de sus nidos.
De sus nidos en la costa
abiertos; antros ceñudos
que del mar rompen la raya;
puertos de una entrada angosta,
puertos rudos
en los que juegan desnudos
los niños sobre la playa.

Van saliendo, van saliendo
los pataches; con sus velas
la historia van reviviendo
de las viejas carabelas.
Como ellas, a la ventura
se entregan inermes, ciegos,
¡cantan en su arboladura
todos los vientos gallegos!
Sin defensa
desafían la pujanza
del viento y la mar inmensa;
y en los días de bonanza,
viéndolos en las espumas,
que son pájaros se piensa
que en el mar lavan sus plumas.

Son los gloriosos vestigios
de los pataches de Elcano;
ellos guardan los prestigios
del antiguo imperio hispano.
Aún sus proas carcomidas
el bello pasado añoran
y en sus humildes guaridas
su triste destino lloran.

Sobre ellos fueron un día
los osados navegantes
de la vieja estirpe mía...
Hoy, como antes,
nada les para ni arredra.
¡Naves de Villagarcía,
pataches de Pontevedra!

Cargan el carbón de Asturias,
los pobres frutos paternos,
y sufren todas las furias
de los trágicos inviernos.

Llevan nombres medioevales
y de un ingenuo candor:
nombres de los santorales,
de una novia o de una flor.
Los hombres que en ellos van
—fuerza, rudeza y cariño—
tienen brazos de titán
y corazones de niño.

Mientras izan una vela
dan al viento su canción:
¡Muchachas de Redondela!
¡Rapazas de Corcubión!

6

## LA GUARDIA PRUSIANA

BAJO la tragedia del cielo granate,
donde se refleja la hoguera lejana
de un incendio inmenso, se lanza al combate
la guardia prusiana.

La precede el ronco son de los tambores
y dan las cornetas sus notas agudas;
¡Sobre los fusiles alzan los Mayores
sus centelleantes espadas desnudas!

Son estos soldados los que no se rinden;
bajo la metralla avanzan tranquilos,
como si estuviesen en *Unter den Linden*
bajo el perfumado toldo de los tilos.

Abren las granadas horrorosas brechas,
torrentes de sangre empapan el cieno,
mas sobre las filas, rotas y deshechas,
pasan otras filas con fragor de trueno.

Los pies se sepultan en el sucio fango;
van por las marismas de Saint Gond traidoras;
¡nunca puso nadie más alto su rango
que la guardia en estas memorables horas!

Ninguno vacila. Siguen adelante:
¡oh los héroes fieros de faz aniñada!
Van siguiendo el vuelo de un águila errante
que es el claro símbolo de la patria amada.

A París presienten en la lejanía
tras de los incendios que el cielo enrojecen:
¡Y al beso del fuego de la muerte fría
con un gesto impávido sus pechos ofrecen!

Primero por cientos caían; a miles
ahora caen; el bosque de espesos fusiles
parece que agita un viento iracundo.
La voz del caudillo vibrante restalla.
—¡Viva el Kaiser! ¡Viva Guillermo II!—
y sigue el avance bajo la metralla.

## 7

## DETRAS DEL FRENTE

LA trompa apocalíptica de los juicios finales,
con su clamor de muerte, estremece la tierra;
y en las góticas torres de viejas catedrales,
entre tallas monstruosas de diablos y de efebos,
la lechuza sombría de la guerra
va incubando sus huevos.

El cielo es una hoguera en los tristes ocasos,
y el sol, en vez de vida, parece una amenaza;
en los pueblos desiertos el eco de los pasos
resuena con el ronco estruendo de una maza.
Nadie cruza las calles perdidas en tinieblas,
sólo unos perros flacos ensayan sus aullidos.
¡Oh el dolor de esas pueblas,
Albert, Soissons y Royes,
por las que sólo cruzan los heridos
en trágicos convoyes!

Se huele a cloroformo. Detrás de esas oscuras
ventanas entornadas el drama se presiente,
se siente el dolor hondo de las primeras curas
sobre sucios camastros,
se ve de las camillas la procesión doliente
que deja rojos rastros.

Aquí es donde la lucha más bárbara se muestra,
aquí es el dolor frío, agudo y lacerante.
¡Felices esos pueblos que están en la palestra
mirando el enemigo magnífico delante!
Lo horrendo es este drama, el drama sordo y ciego,
entre silencios hoscos y fúnebres presagios,
de los pueblos situados tras la línea de fuego,
cual playas que recogen reliquias de naufragios.
No hierve aquí la sangre igual que en las trincheras,
no pasan los dragones altivos y soberbios,
no dan su vuelo al aire las mágicas banderas
ni se crispan los nervios.

Aquí es el dolor frío, la sensación de asco
de la carne llagada que entre trapos se esconde,
es la muerte alevosa que viene sobre un casco
de granada, caído de no sabemos dónde.
Se siente el dolor sordo y la cruel agonía
que hay de los hospitales en las fúnebres salas,
se ve a la cirugía
ensanchar las heridas abiertas por las balas.

Aquí esos mismos héroes probados en cien lides
pasean abatidos, y llevan en su cara,
no el gesto legendario de Ayaxes y de Cides,
sino el cansancio impreso,
como si la tragedia sus hombros abrumara
con un horrendo peso.

A nuestra espalda suena un sordo fragor. ¿Oyes,
corazón? ¡Son las ruedas de los tristes convoyes
que llevan los heridos!
En vano es que preguntes, no habrá quien te conteste;
el alma de la guerra es cual la de la peste
que ejecuta sus fallos sin dar una razón.
¿Conoces algún drama que se compare a éste?
¡Responde, corazón!

## 8

## SAN SEBASTIAN DE GARABANDAL

ALGUNOS días, por las mañanas,
bajo las viejas, nobles ventanas,
se escucha el canto de las campanas
de los rebaños, voz de cristal;
se oye el mugido grave del toro
y los pastores cantan a coro
el romancesco nombre sonoro
del alto puerto y el invernal:

¡San Sebastián de Garabandal!

Parece un eco del Romancero,
huele a lentisco, huele a romero
y evoca el nombre de un milagrero
santuario viejo, hosco y feudal.
Oculta el puerto la niebla densa
que Peña Sagra, nevada, inmensa,
en su empinado cuerno condensa
y baja al valle como un cendal:

¡San Sebastián de Garabandal!

Marcha solemne la del ganado
que va hacia el puerto; con su cayado,
guía el vaquero el sosegado
ritmo del paso por la canal:
las ternerillas dulces y castas,
las vacas viejas de líneas bastas
y el toro enorme de enormes astas,
rey coronado, bestia imperial:

¡San Sebastián de Garabandal!

Y el viejo perro, que en su pelambre,
recia y tupida como un estambre,
guarda la huella de un lobo en hambre,
con cada diente como un puñal,
va flanqueando el paso lento
de la cabaña, la cola al viento,
y entre la yerba, a todo atento
bajo el hocico chato y leal:

¡San Sebastián de Garabandal!

Clamor agreste de los mugidos,
de las esquilas, de los ladridos,
sones dispersos, todos fundidos
en una sola voz pastoral,
que canta el himno del alto puerto,
por la neblina siempre cubierto,
y donde espera, franco y abierto,
con sus establos el invernal,
que tiene un nombre grave y guerrero
de verso suelto del Romancero:

¡San Sebastián de Garabandal!

# JOSE MORENO VILLA

## VIDA

*"Nací en Málaga el 16 de febrero de 1887.*

*Estudié el bachillerato con los jesuítas de* El Palo *(Málaga). A los dieciocho años fui a Alemania a estudiar Química. Estuve allí desde 1904 a 1908. En 1910 vine a Madrid, habiendo roto con los proyectos comerciales de mi familia y dispuesto a ganarme la vida. Varié de estudios. Hice la carrera de Historia en la Central. Trabajé en la Sección de Bellas Artes y Arqueología del Centro de Estudios Históricos. Trabajé en la Editorial Saturnino Calleja desde 1916 a 1921. Este año gané unas oposiciones y fui destinado, como bibliotecario, al Instituto Jovellanos, de Gijón. El año que estuve en ese puesto lo aproveché para hacer el Catálogo de Dibujos que legaron Jovellanos y Ceán. En 1922 volví a Madrid, y he sido bibliotecario en la Facultad de Farmacia hasta 1931. En este año fui nombrado director del Archivo de Palacio. En 1927 hice mi viaje a Norteamérica, que produjo el librito titulado "Pruebas de Nueva York". He viajado por Francia, Inglaterra, Alemania, Suiza e Italia. Conozco pueblos de todas las regiones de España.*

*Mis actividades han sido varias: conferencias, artículos periodísticos, cuadros, poemas, comedias, y las de mi profesión oficial. Estuve al frente de la revista "Arquitectura" desde 1927 hasta 1933.*

*He dado conferencias en Madrid (Ateneo, Museo del Prado, Sociedad de Cursos, Residencia de Estudiantes), en Gijón, Bilbao y San Sebastián. Todas sobre pintura o arquitectura, histó-*

*rica y contemporánea. En el verano de 1933 fui enviado a Buenos Aires por la Junta de Relaciones Culturales del Ministerio de Estado para dar conferencias con motivo de la Exposición del Libro Español.*

*Comienzo a pintar en 1924, exponiendo ese año mis primeros cuadros en la exposición llamada de los "Ibéricos", celebrada en Madrid. Después he hecho dos exposiciones particulares y he obtenido un premio en Granada (Turismo).*

*No he conseguido ver en escena ninguna de mis comedias.*

*Mi colaboración más asidua ha sido en la revista* España *y en* El Sol.

*No me he casado. De mi carácter, lo que yo considero más importante para mí es no conocer el tedio: siempre tengo algo que hacer o algún proyecto que meditar. El hacer me produce una alegría infantil por lo impulsiva y total.*

*Hablo poco; pero me gusta dialogar sobre algunos temas."*

## POETICA

*"Quisiera establecer mi línea poética, no seguida premeditadamente, ni a base de estudio, sino por inclinación de mi carácter. Yo comencé a escribir (no a publicar) en Alemania. Allí están mis raíces, aunque ligadas a las de lo popular andaluz. Yo veo la trama: copla andaluza (incluso con el tono), Heine, Goethe, Schiller, Novalis Hœlderlin, Stefan George, Mombert, más algo de Francia: Baudelaire, Verlaine, más algo de España: "La canción del otoño", de Darío, Unamuno, los Machado y Juan Ramón. Más algo de Roma, de la clásica: los elegíacos, Catulo y Tibulo.*

*Esta fue la línea mía. Después, el desenvolvimiento propio. Creo que hay una continuidad visible en toda mi producción. La dificultad ahora—para explicarla—está en que simultaneando poesía, drama y pintura, las sugestiones pasan de un campo a otro y todo va enlazado por eslabones momentáneos, que yo mismo no puedo reconstruir al cabo de los años.*

*El fenómeno poético es un estado de gracia. No sé cómo poder dibujarlo con la pluma. Yo sé que me desligo totalmente de lo circundante y que penetro en una zona luminosa y sorda, donde la situación de mi ánimo o la intención inicial que traía al penetrar en ella va cuajando o expresándose gracias a la baraja de posibilidades, recuerdos, asociaciones de la fantasía. En aquella zona mandan mucho los contrarios: la luz y la sombra, la ironía y la gravedad, la fe y la incredulidad, la pena y la alegría. Son los que dan claroscuro.*

*Una de las cosas que diferencia a la poesía moderna de la antigua es la riqueza ilimitada de elementos que maneja. Explicándome, diré: ayer, solamente la perla, el rubí, la aurora, la rosa y otras preciosidades al alcance de cualquier memoria, por indocumentada que fuese; hoy, todos los* documentos, *datos, elementos, se relacionan y montan en imágenes vívidas y tembleteantes.*

*En mis primeros libros de versos chocó a la gente de letras la admisión de adverbios y vocablos prosaicos. Esto no existe en la poesía anterior, y creo que, mérito o demérito, es algo que me corresponde en la evolución de la poesía española. Nótese que hoy dicen de todos los buenos poetas que hablan prosaicamente. Y es que desde hacía mucho tiempo no penetraban elementos nuevos en la poesía.*

*Una cosa es la lógica del arroyo y otra la coherencia lírica que jamás entenderá el estúpido. La coherencia lírica, el verbo de la poesía vive de relaciones felices y profundas que no pueden comprobarse con normas lógicas, pero que sacuden alegremente la fantasía y llegan certeramente adonde tenían que ir.*

*Creo que con la pintura y el dibujo se pueden expresar todavía muchas cosas inéditas. Cosas hasta hoy censuradas. Algo de esto ocurre con la poesía. El mayor encanto de ambas está, para mí, en que permiten expresar mucho de lo selvático que sigue habiendo en nuestra personalidad.*

*Lo más lejano a mi poética: lo parnasiano.*"

M. V.

Las poesías elegidas pertenecen a los siguientes libros: 1, a *Gorba;* 2, a *El Pasajero;* 3, a *Luchas de Pena y Alegría;* 4 y 5, a *Colección;* 6, a *Antología 1915-1931;* 7 a 9, a *Jacinta la pelirroja;* 10, 11 y 14, a *Puentes que no acaban;* 12 y 13, a *Carambas* (Primera y segunda serie).

1

## EL FUEGO

EL fuego es cosa celeste,
y cuando se va, la tierra
no es nada, desaparece.

Da la tierra buenos frutos,
agua, centeno y albergue;
pero no es el fuego planta
que por la campiña crece.

Lo tenemos de prestado.
El fuego es cosa celeste.

Cuando venga a ti, será
mañana triunfal y alegre
dentro del alma. Con mimo,
con mil zalemas retenle,
que de otro modo se irá...

que el fuego es cosa celeste,
desconocida, enigmática,
fugaz, como el aire, leve...

2

HOY el hacha ha tocado casi mi nacimiento.
Por esta boca roja se va todo mi anhelo.

Ya menguaron las ansias vehementes y confusas.
Un hacha congelada sobre mi sien fulgura.

Besos de cielo, azules; besos de estrellas, cálidos;
buscad para vosotros un nuevo enamorado.

A estas heridas largas, mártir Bartolomé,
no las riega el efluvio de un divino querer.

Mi amor se ha deslizado por esta boca roja;
quedé cuerpo sin jugo, una seca maroma.

Me voy rápido al fondo. Sin esencia, sin alma,
los cuerpos espectrales dan en la cueva helada.

Hoy el hacha ha tocado casi mi nacimiento.
¡Muerte, si yo no quise saber de tu secreto!

3

*ALEGRIA* no está en la estrella
ni en la mar de la noche, blanda.
Alegría vive en la selva
más confusa y enmarañada,
y allí brinca, retoza y huye
como cabra montés del alma.

No, no estás en la estrella absorta,
ni en la mar de la noche blanda...
¡*Alegría*, cabra montés
que aparece en la cumbre y salta!...

4

## VOZ MADURA

DEJAME tu caña verde.
Toma mi vara de granado.

¿No ves que el cielo está rojo
y amarillo el prado,

que las naranjas saben a rosas
y las rosas a cuerpo humano?

¡Déjame tu caña verde!
¡Toma mi vara de granado!

5

## LA VERDAD

UN renglón hay en el cielo para mí.
Lo veo, lo estoy mirando;
no lo puedo traducir;
es cifrado.
Lo entiendo con todo el cuerpo;
no sé hablarlo.

6

## MECANICA

SI el toro yace y el pájaro duerme,
Diana contempla a su pastor;
si el barco peligra y el río no para,
al limbo del sueño va el amor.

Si resucito de mi noche,
y Apolo vuelve todo sol,
es porque río, barco, toro,
árbol, Diana y Endimión
son celestes y son mecánicos,
hijos de Zeus y del reloj.

Abre su puerta rosa la Aurora;
todo brinca y recobra voz;
canta el árbol su verde aria,
y a cielo suena el ruiseñor.

¡Qué larga dicha ofrece el agua,
el aire, el trigo, el sol!
"Esta leticia del campo claro
es eterna", dice el amor.

Pero en la ruta se despeña
con sus cabellos Faetón,
y la fuerza prima del alma
es a la tarde sopor.

Ya no suenan los rubios cánticos
—de noche es plata la canción—.
Ya no queman grandes anhelos
—de noche es otro el corazón—.

Vela mi sueño, árbol que creces
día y noche, a lento sabor.
Vela mi sueño, río que pasas
día y noche a lento rumor.

Vela mi noche, tiempo que miras
sin entrañas la creación.
Vela mi noche y haz que sea
profunda, sin rendija de sol.

7

## ¡DOS AMORES, JACINTA!

¿HAY un amor español
y un amorzuelo anglo-sajón?
Míralos, Jacinta, en las arenas jugando.
Míralos, encima de la cama, saltando.
Mira ése, medio heleno y medio gitano.
Mira ese otro con bucles de angelillo intacto.
Uno es un torillo—torillo bravo—
y otro, encaje o capa—lienzo de engaño—.
Mira los ojos negros
y los azules claros.
Mira el amor sangriento
y el amor nevado.
El torillo-amor con su flor de sangre
y el amor-alpino, de choza, nieve y barranco.

8

## OBSERVACIONES CON JACINTA

MIRA, peliculera Jacinta,
mira bien lo que tiene por nariz el elefante.
Mira lo que necesitamos para sentarnos;
mira la casa inmensa que tiene lo que llamamos rey.
Mira esto de dormir, levantarse, dormir y levantarse;
mira la mujer y el hombre que contratan no separarse jamás;
mira al canalla, dueño de nuestro globo;
mira cómo la flor tierna sale del suelo duro;
mira que de los palos de los árboles
nacen comestibles aromáticos.
Mira que del cielo puro nos llegan
agua, rayo, luz, frío, calor, piedras, nieves.
Absurdo y misterio en todo, Jacinta.

9

## INFINITO Y MOTOR

DIMINUTAS bandas peregrinas del aire
llevan de un hilo
tensa mi atención.
Con su disciplina, su frío y su mecha,
¡qué lejos me encuentro,
de repente, a mi yo!
¡Nadie dispare sobre esta vida del cielo!
—en pluma y pico,
afán campeador—.
Nadie ponga cepos ni redes
a quienes vuelan volando su corazón.

Hay un ay en la copa del árbol
cuando pasa la banda
rozando su flor.
Hay un ay en el hacho del monte;
hay un ay en la nube sonámbula.
Hay un ay en la corte de Dios.
Sumergido en silencio verde
y en el silencio del campo del sol,
los giros errabundos se trazan
en armonía con mi yo.

Voy dibujando, creo dibujar,
según mi deseo interior,
la elipse, la parábola, el círculo
y la muda espiral del amor.
Voy con un cántico insonoro
adornando mi aviación:
este vuelo que no sé si es mío,
de los pájaros o del creador.
Se acaban los tamaños del mundo
y el tiempo pierde su reloj.
Las estrellas se caen al fondo;
no hay más que infinito y motor.

10

## ¿DONDE?

¿ACASO allí donde el mar y la tierra?
¿Tal vez donde los páramos y los pinares?
¿En el picacho donde el cielo y la roca?
¿O donde la raíz y la fuente?
¿Allí donde las sombras estelares
dibujan pasos de sonámbulos?
¿O donde se embarcan las notas
musicales para el viaje sin retorno?
¿Acaso aquí mismo,
donde te tengo,
donde me como los ojos con dientes de corazón,
para saber a qué sabe el tuyo?
¿Aquí, sin escenario, sin rito?
¡Sí! Aquí, celda desprendida de la urbe,
cabina, casa de caracol,
seno mágico,
volumen justo para dos combatientes.

11

## ¿CUANDO?

¿CUANDO la flor del tilo y la flor de la adelfa?
¿Cuando las lluvias emigren narcotizadas del sol?
¿Cuando se aúpan los sembrados rubios
o tal vez, cuando el mirlo pica la ciruela?
Dime si será cuando las estrellas en fuga
o cuando las ranas y los sapos parodian a los negros del *jazz.*
Acaso prefieras la noche de los troncos al rojo,
cuando los montes salen en sábanas por ahí,
¡No! Yo lo sé. Tú quieres que sea
en el ínterin, sobre un punto,

al sonar el vocablo final,
cuando la luz de los ojos ya es sustancia en la saliva
y cuando las manos trémulas piden el aire
de los polluelos de la incubadora.
Un ángel se esquiva en los ángulos de tus ojos;
dos ángeles alzan los ángulos de tu boca.
El azahar ensancha tu respiración
y el horizonte carda tu melena rojiza.
¿No son éstos los signos?
¿No es el "cuándo" esa pompa sutil
que ya nos lleva
en ese su seno de olvido y de mágica luz?
¿No sientes el "cuándo" de la esperanza
envolviéndonos en su película irresistente?
¿No ves que ya no hay más mundo
que el nuestro, sin ayer, sin mañana?
¿Y que todas las cosas están dichas,
y que todas las incertidumbres son ya deliciosa muerte?

12

## CARAMBA 44

TODO hace pensar que las alondras y las violetas
aguardan el regreso de los ojos en blanco.

Al subir a la sierra,
o al pasear por el campo,
miro siempre si debajo de las piedras
o entre los jaramagos,
hay un Schubert, un Bécquer o un Heine lagarto.

13

## CARAMBA 85

HE descubierto en la simetría
la raíz de mucha iniquidad.

Pero están sordos los serenos
y a las dos de la noche es honda la grieta del mundo.

¿A quién acudir?
En este pueblo no hay murciélagos
ni bebedores de limonada.

Por eso los palacios siguen incólumes
y en lo alto de la columna
se abanica la desvergüenza.

14

## CARAMBUCO XIV

LAS canciones viejas eran de otro modo.
Y las carrozas, y los ministros, y la indumentaria,
y el baile, y las horas de comer y dormir,
y las sagradas reuniones familiares.
Y entonces, ¿qué?
Pues entonces, que te tapes los oídos
y que con el mirlo, y el auto y el cine sonoro
te deslices por ese terraplén
hacia donde todos comemos y vestimos como los bienaventu-
nubes y nimbos. [rados:

# «ALONSO QUESADA»

## VIDA

*Nació Rafael Romero, que ocultó su nombre oficial bajo el seudónimo de* Alonso Quesada, *en Las Palmas de Gran Canaria el 5 de diciembre de 1886 y murió el 4 de noviembre de 1925 en Santa Brígida, pueblecito cumbrero de la isla, a donde había ido en compañía de su mujer y su hijita pequeña, buscando remedio para su fatal dolencia.*

*Huérfano de padres desde muy joven, tuvo que trabajar y luchar para ganarse el pan de él y de los suyos en una oficina colonial inglesa. El trato con los anglicanos compañeros de trabajo le inspiró los poemas de* Los ingleses de la colonia, *de su libro* El lino de los sueños. *Este libro se publicó, debido a la generosidad de don Luis García Bilbao, con un prólogo de don Miguel de Unamuno, una epístola en verso de Tomás Morales y portada y retrato del autor por Néstor.*

*Su vida, oscura y complicada, fue una eterna lucha de anhelos y esperanzas. Sintió y amó el Arte como pocos y sufrió como el que más. Los poemas de su libro último, todavía inédito, del que damos a continuación algunas muestras, reflejan la lucha de su espíritu con el ambiente que le ahogaba.*

*En prosa escribió cuentos y crónicas en* La Publicidad, *de Barcelona; muchos artículos de crítica y crónicas pintorescas en los periódicos de su tierra y varias obras dramáticas y novelescas.*

## POETICA

*Me he dirigido para averiguarlo, así como para los datos biográficos, a sus amigos de Canarias. He aquí lo que me dice amablemente su amigo el poeta Saulo Torón respecto a su formación: "Amigo íntimo de Tomás Morales, a quien quería y admiraba con pasión de hermano, no se dejó influenciar este hondo y complejo poeta por la magnificencia lírica y orquestal del gran cantor del Atlántico. Su voz fue más recatada y más honda, predominando siempre en sus versos el tono menor, la expresión adecuada a su vida modesta y dolorida." Unamuno, en su prólogo, nos habla de su poesía de aislamiento: "Estos cantos te vienen, lector, de una isla y de un corazón que es también, a su modo, una isla." Poesía árida, seca, pero ardiente. Y de su frescura de brisa doméstica. Y de la ironía de sus versos ingleses. Una cita de Antonio Machado al frente de su libro nos pone sobre la pista de otra influencia evidente. Su amigo Tomás Morales le supo ver con penetración:*

"Poeta apacentado en las maestras
lecciones de las brisas y las olas;
con un hondo querer de cosas nuestras
y líricas vejeces españolas."

"Y al par que en los guarismos cotidianos,
pensaste en las estéticas doctrinas:
y así tienen tus versos castellanos
sonoridad de libras esterlinas."

Las poesías elegidas pertenecen a los siguientes libros: números 1 a 5, a *El lino de los sueños:* 6 a 8, Inédito.

1

## ORACION VESPERAL

LA tarde muere, y tiene
todo el dulce color de mi recuerdo...
Porque cuente la historia de mi vida,
que muera así la tarde se ha dispuesto.
El lejano sonido de una esquila
pone en la brisa un pastoril comento
que al perderse al través del cielo malva
hace brotar la rosa de un lucero.

El niño corazón tiembla y solloza:
tiene miedo de amar; pero es un miedo
que le gusta tener cuando la vida
es infantil, como esta tarde el cielo.
El pobre corazón tiembla, y parece
que busca otro rincón dentro del pecho,
otro rincón más hondo en que ocultarse
por temor de saber un cuento nuevo...

La tarde entera tiene
el color de la infancia de mi ensueño:
hay una golondrina misteriosa
que ha detenido en el azul su vuelo...
¡Yo pongo mi ilusión sobre sus alas,
y la quietud del lírico momento
se diluye en el oro más lejano
que no acabó de hilar el sol que ha muerto!...

Mi vida toda tiene
la suavidad divina de un secreto:
¡Parece que me dicen al oído,
con todo el corazón, que estoy viviendo!

2

## ORACION DE MEDIA NOCHE

LA barca negra
que siempre está en la mar, viene a la orilla:
Hay un farol iluminado en ella
y un viejo manto para la partida...

Toda la turba sideral parece
que se confunde atónita y que espía
las huellas de mis pasos en la playa...
Mi sombra va delante como guía.
Llega hasta el alma el resonar de estrellas
y no se cree en nada de la vida:
La hora mejor para una muerte seria,
sin ataúd, ni cantos, ni elegías...
Voy en silencio por la oscura playa.
La noche es otoñal... Nadie camina.

Al fondo de la aldea, el cementerio
es una sombra luminosa... Brilla
como la mancha que los ojos tienen
cuando han mirado al sol, *y ya no miran*...

¿No has meditado nunca en esa losa
que ha de tener una memoria, escrita,
y en esa tenebrosa luz de lámpara
que enciende la piedad de la familia?
¿O en aquel padrenuestro extraordinario
que siempre cantan en la despedida?...
¿O en ese —¿de qué ha muerto?— que florece
en estas tardas bocas de provincia?...
¿Y luego, el día de los muertos, esas
sentimentales gentes que visitan
los camposantos, y renuevan todos
nuestros inciertos pasos por la vida?

¿No sientes el dolor de esta grotesca
danza de reglamentos, que eterniza
nuestra memoria, y graba fuertemente
la huella que te importa dejar limpia?

Y ahora el silencio es más intenso; y habla
una tranquila voz, en lejanía:
—Aleja de tu espírtu ese albergue,
que será para todos, algún día...
Y evádete, en la noche, entre las sombras,
y sé una parte de la noche misma...

3

## TIERRAS DE GRAN CANARIA

TIERRAS de Gran Canaria, sin colores,
¡secas!, en mi niñez tan luminosas.
¡Montes de fuego, donde ayer sentía
mi adolescencia el ansia de otros lares!...

Campos, eriales, soledad eterna;
—honda meditación de toda cosa—.
¡El sol dando de lleno en los peñascos
y el mar... como invitando a lo imposible!

¡Todos se han ido! Yo, desnudo y solo,
sobre una roca, frente al mar, aguardo
el mañana, ¡y el otro!...
¡Horas amadas
no nacidas aún! Ansias secretas
de esa perfecta orientación humana...

Tierra de amor, en lejanía—siempre
llena de luz para mis ojos crédulos—,
en estos campos sin color, ni alma
tiene el eco engañoso del Desierto...

En el azul están mis ideales
tan invisibles como las estrellas
en este atardecer... ¡Y, sin embargo,
allí brillando están eternamente!

Campos de Gran Canaria, sin colores,
¡secos!, en mi niñez tan luminosos...
¡Montes de fuego, donde ayer sentía
mi adolescencia el ansia de otros lares!...
Soledad, aislamiento, pesadumbre.

El corazón siempre en un punto misterioso
y el alma sobre el mar ¡blanca!... ¡El velero
que no pasa jamás del horizonte!...

## 4

## EL SABADO

SON las tres de la tarde. La oficina está envuelta
en el oro marino que nos trae el verano;
ese oro que viene de estos mares los días
luminosos... ¡El oro del desierto cercano!...
El gerente ha salido para toda la tarde
a jugar la partida de *foot-ball* porque es sábado.
Los demás, como menos, seguimos la tarea:
¡el eterno pan nuestro, de tan eterno amargo!

Lentamente, las hojas de los libros, las mueven
estos ingleses jóvenes tan hermosos, tan castos,
que el rubor los abrasa si contáis aventuras
que corristeis vosotros en los más locos años...
Yo tengo puesto el pensamiento en una columna
donde una araña teje... ¡lo que yo voy pensando!
Este decir lo ha dicho el cajero que sabe
mucho Dickens y tiene presunción de flemático...

—Oh, este míster Quesada con sus ensueños locos.
—Como el cojo poeta, es violento y romántico...
—¡El quisiera ahogarse como Schelly un día,
y ser pasto de hoguera frente a su mar Atlántico!...

Yo siento este rocío de ironía, que cae
mansamente en mi alma, mientras reviso un cálculo.
Ellos, de suma en suma, van poniendo sus burlas
con esa suficiencia sonora de hombres prácticos.

¡Oh las horas rurales de mi vida, perdida
en la evasión de un humo muy azul y lejano!...
¿Qué será, de este modo, cuando al umbral sereno
de la vejez arribe, sin haber comenzado?...

—El poeta no dice una palabra ahora,
que tiene el pensamiento de loco aprisionado.
—¿Por qué no dice nunca las trovas que ha lucido
esa testa que odia el mayor y el diario?...

Como un presuntuoso brindador, el tintero
alzo en mi mano y digo, conceptuoso y romántico:
—¡Oscar Wilde fue el primer corazón de Inglaterra!...
brindo, pues, por sus labios y sus ojos extraños,
y por la complicada ternura de su alma
y el ensueño sonoro de sus celestes años...

Ellos se ruborizan... Inclinan las cabezas
y tornan, silenciosos, de esta vez al trabajo...

## 5

## UNA INGLESA HA MUERTO

HOY ha muerto una inglesa. La han llevado
al cementerio protestante, envuelta
la caja blanca en flores y en coronas,
y el pabellón royal, como un trofeo,
lucía entre las rosas sus colores...

Un pastor anglicano la ha leído
toda una historia, al destapar la caja...
La colonia británica, elegante,
discreta y grave, no torcía el ceño...

Solemnemente, el acto fue pasando
sin dolor y sin pena bajo un cielo
español. Más correctos y pulidos
estos amables hombres desfilaron
ante la muerta... ¡y deshojaron rosas
sobre la figulina adormecida!...

Uniforme la marcha, la tristeza,
el tono de la voz y el movimiento
del brazo..., una lección bien aprendida;
¡la exquisita mesura de sus modos!...

Y la muerta, a la tierra fue tornada...
Sola, al país del sol, llegara un día
y ni amantes ni hermanos, los azules
ojos cerraron... ¡Los azules ojos!...

¡Todo lo azul de esta Britania grave!

6

## LA COMPAÑIA NUEVA

LLEGAS a mí, con un amor distinto,
con el único amor de mi trabajo.
Eres dorada y fina, pero tienes
un moreno valor dentro del ánimo.
Hemos hecho el camino, hacia los montes
a pie, camino áspero.
¡Sol y silencio! —Un leñador te mira
porque eres blanca y tu mirar es claro.
Pero sé que tu espíritu se nutre
de mayor claridad —luz de lo alto—
y el corazón es árbol, y tu ensueño,
la noche reflexiva de los campos...
Te vuelves, y tu amor maravilloso
me lleva de tu mano:
amor eterno, pensativo y serio,
como el silencio del arado en tierra...

El camino termina. El viento azota
el rincón aldeano de tu alma;
y sobre el amplio llano verdecido
me siembras la verdad de tu palabra.
¡Día primero del amor! ¡Mujer,
toda mujer, para una vida!... Sana
compañera perfecta de una idea
más mía cada vez: escucha y calla:
escucha el agua del sendero, escucha
su remoto rumor. De la montaña,
viene un eco profundo y sensitivo:
¡la emoción de la tierra es el agua!

Al retorno, el crepúsculo de oro
te hace más blanca y a tu amor más serio.
El olor del hogar —leña y aroma
de tu alegre limpieza— está contento.
¡Contento está el olor! Llega a tus labios
y se hace vivo, de color en ellos...

La puerta se abre y tu aroma pone
mayor quietud sobre mi pensamiento.
Mi corazón en este hogar sencillo
que hará tu mano y tu piedad, eterno...

7

(Calle comercial. Mediodía africano.)

DE pronto sentí un hastío infinito...
Parecía que de mi corazón iban saliendo calles,
calles rectas de una ciudad lenta y gris.
Sentí un rumor trepidante en el fondo del alma,
las calles tiraban de mi corazón.
Y esas voces de polvo, esas palpitaciones urbanas
de los hombres de hongo y de bastón,
removían, acremente, un pedazo de conciencia
que aun mantenía vivo el dolor.

Calle villana era mi vida inútil:
cuestas de piedras, yerba entre las piedras,
como alegrías viejas... Un montón
de escombros en una encrucijada...
¡Pereza de campanas de mediodía, sordas!
Y ese trabajo de hombres adormidos
por las cuerdas del sol que atan las manos.
Tal la visión del mediodía ardiente.

Hacia mi pobre corazón venían
las cosas de la calle,
esas vulgares cosas sin explicación
del que mete la mano en el bolsillo
o del que mira reflexivo su reloj.
Yo tenía dentro todos los relojes de la calle.
Y llegó a ser mi corazón,
como un bolsillo que tuviera manos
llenas de aburrimiento y de sudor.

La calle, sucia, como plomo viejo,
hasta el fin de mi alma llegó.
Los hombres huían lentamente por ella
llevándose el tiempo
y dejándome un trágico espacio acreedor.
¡Nada!
Todo era como para lograr la Nada
otra vez (Acotación
del pensamiento creador.)

...Pero siempre la Muerte, el hastío en el cielo,
y la muerte quizá un hastío mayor.
Todo se prolonga como cualquier calle,
y se mueren los hombres
también, como yo...

¡Se morirán de nuevo!
¡Morir es la nueva vía de la prolongación!...

8

(Viento africano. Rumor profundo de
soledad agitada. En lo alto del camino árido.)

¡OH, el cielo baja,
como una losa de tumba!
El corazón cautivo, se desprende
y suena, alma adentro...

¿Ese hombre del camino
me extiende su mano?
¿Es que ve, como yo, el peligro infinito?
¿Es que está alto su cielo y me lleva a su cielo?
Cierro los ojos. ¿La mano me guía
por un inverosímil corredor estrecho?
¿Mis hombros me rozan las paredes oscuras?
¿Es esto silencio?...

Elévase el cielo.
Otra vez, sobre la tierra
el viejo azul se ha abierto...

¡Es que yo era el espacio
y no sabía serlo!...

# MAURICIO BACARISSE

## VIDA

*Nació Mauricio Bacarisse en Madrid, en 1895. En la* Dedicatoria *de su libro* Mitos, *a don Ramón del Valle-Inclán, nos cuenta el poeta su visita al maestro—marzo de 1914—, que le acogió alentadoramente. "Aquel joven, casi niño, que tanto se asemejaba al monacillo del "Entierro del Conde de Orgaz", desde aquella mañana de invierno, casi de primavera, ha aprovechado poco de aquella inicial y generosa enseñanza. Se ha engolosinado, con exceso, en la larga y sabrosa experiencia que usted preconizaba. Ha vivido, ha amado, ha sufrido, ha delinquido y ha estudiado inclusive algunos libros deleitosos y maravillosamente inútiles." Colaboró en las revistas de la época de la guerra y posteriores:* España, Revista de Occidente, *etc.: artículos de estética y crítica cinematográfica, ensayos literarios y filosóficos, versos, narraciones.*

*Catedrático de Filosofía, en los Institutos de Mahón, Lugo y Avila. Recorrió las provincias españolas, comisionado por una Compañía de Seguros.*

*Murió en Madrid, 1931, al mismo tiempo que se hacía público el Premio Nacional de Literatura que se le otorgaba por su novela* Los terribles amores de Agliberto y Celedonia. *Sus amigos hemos publicado una* Antología *póstuma de sus poesías.*

## POETICA

*"Creo que la imagen, átomo poético para la literatura joven, no puede ni debe considerarse como algo sustancialmente inerte.*

*La imagen es sólo el signo de un acontecimiento, de un proceso, de un desarrollo con objeto y finalidad propios. Creo que a la imagen es menester sustituir el mito de la cual es señal, símbolo y, a veces, sólo emblema. El mundo antiguo así lo concibió y a su sentir y pensar me adhiero. No es desdén por la imagen como anillo de boda de dos ideas o de dos diseños; pero ella es al mito lo que el anillo de boda es al amor de los esposos. Y yo prefiero divagar sobre ese amor a contar los quilates de la sortija. No es mi propósito extenderme en la justificación psicológica de la formación interna de la metáfora, sino demostrar que las metáforas no se quedan en esqueleto verbal o en momia imaginativa. Cobran existencia y viven su vida.*"

M. B.

Las poesías elegidas pertenecen a los siguientes libros: número 1, a *El esfuerzo;* 2, a *El paraíso desdeñado;* 3 a 8, a *Mitos.*

1

## JUNIO

¡BAJO el cangrejo de estrellas se extasiarán las llanuras!
Hacen fecundas promesas a las campiñas los soles;
en los sidéreos trigales lucen espigas maduras
y en el agro hay una roja constelación de ababoles.

El guadañil que hace siega en matemáticas puras,
como Copérnico o Newton igual que dos girasoles
dirigirá sus pupilas hacia algebraicas lecturas
en los cielos recamados que giran cual facistoles.

Todo el misterio de Eleusis ondula en los amarillos
campos humildes al son de albogues y caramillos;
modulaciones gozosas de un hierofante jocundo.

Una oración balbucean los tartamudos cuclillos
y anaxagóricamente la glosan múltiples grillos...
¡Pasa un deleite de ciencia por la vagina del mundo!

2

LA luna es sólo la luna,
y no se parece a nada.

No vale buscarle imágenes,
ni tropos ni semejanzas.

Yo acaricié aquella noche
las breves manos doradas,

las que ni desear pude,
las manos nunca soñadas.

En el río de arco-iris
coreaban mil cascadas.

No eran laderas fluidas
de cordilleras de agua;

no eran tampoco caderas
de las náyades más cándidas.

No eran de piedra ni carne
sino de cosa más clara,

que sigue siendo lo que es
aunque sea destrozada.

Eran un poco de música
única e inesperada.

Sus manos eran sus manos,
en las mías anidadas.

La luna era incomparable,
redonda, contenta y alta.

¡Quién me volviera esa noche,
aunque muriera mañana!

La luna es sólo la luna,
y no se parece a nada.

3

## BOLIDO

DE amor se morían,
de pena y de ansia.
¡No se habían visto
en una semana!

La fuerza del mundo
sus labios guardaban,
deseo infinito
de noche estrellada.

¡Pálido mancebo,
celeste zagala,
dierais por besaros
la vida y el alma!

No fue un beso. Fue una
explosión tan rara
que despertó a toda
la urbe adormilada.

Su estruendo de música
tuvo eco de llamas.
¡No quedó un cristal
en una ventana!

¡Ay, cristalerías
gemelas del agua;
acequias de luces
que el paso vedabais!

Entraban los ángeles
en todas las casas,
con alas de aurora,
con vestes de auras.

## 4

## MARMOL

VENA sinuosa y fina que tortura
la blancura serena del Carrara,
¿das alma al cuerpo de la piedra clara,
hilillo de humareda, veta oscura?

Arroyuelo de sombra que procura
abrirse ruta hacia una mar preclara
en la comarca pura, dura y rara,
¿eres signo de amor, vida futura?

¿Qué sangre o savia llevas a los sanos
entresijos de un bloque de cantera?
¿Qué temblores de selva traes, qué humanos

descontentos le das a esa tranquila
materia desalmada y altanera,
dócil sólo al cincel que la perfila?

## 5

## VILANOS

ESTRELLAS del último
cielo de verano,
vilanitos tenues,
vilanitos claros.

Por el campo verde
de oro recamado,
¿adónde vais ágiles,
sutiles y rápidos?

Tarde de septiembre
que dora los álamos,
y lleva estorninos
al viñedo, grávido

de sombra y dulzura,
de sabrosos gajos...
(Contra la bandada
vuelan los vilanos.)

¿Dónde vais, pequeños,
pueriles y pálidos,
pajes del invierno,
farolillos blancos?

¡Ay, ciencia del mundo!
¡Códice miniado
de las verdes huertas
de frutos lozanos!

(Las capitulares
vanse dibujando,
al volver las norias
los ciegos caballos.)

En la tarde azul
de cercos dorados,
¿por qué vais de prisa,
pequeños vilanos?

¿Queréis daros cuenta
o saber de algo
del pobre universo,
y vais hacia el santo
colegio celeste
a clase de párvulos?

6

## LA LUNA DE ZAMORA

ROTUNDA comba sedosa
de la grupa de la brisa,
donde, doncella medrosa,
la racha de yerba luisa,
deja un rapto de perfume.
La rapidez se consume
frente a la opulenta hora,
perla de abril mal mojado.
Por el Duero enamorado
va la luna de Zamora.

La nocturna catarata
cae rauda entre prisa y celo.
Las herraduras de plata,
en el galope del cielo
hacen ruta diamantina.
Mira, al huir, la infantina
de aroma y aura cantora,
asida a un aliento osado,
por el Duero enamorado
ir la luna de Zamora.

En la aceña el remolino
trueca la espuma en vigor;
da el agua a mejor destino
su brío y su resplandor.
Pero los saltos de luna
cambian su luz en fortuna
de música bruñidora
del acicate afilado.
Besa al río enamorado
la madrina de Zamora.

Primavera arrebatada,
de efluvios enloquecidos,
olor de la bien llamada,
no te apresan los sentidos.
La razón del corazón
husmea tu infiel unción
y allá va, perseguidora
del aire, galán malvado.
Por el Duero enamorado
va la luna de Zamora.

7

## RUISEÑOR

LA pálida luna en flor
y la fuente, en mil promesas,
son dos hermanas siamesas
unidas por un temblor.
Riela trinos, ruiseñor,
sobre agua de astros en calma,
tú, que humedeces la palma
de la mano de Dios, y osas
probar a las lindas rosas
la inmortalidad del alma.

8

## PENSAMIENTOS DOBLES

En una tarde rubicunda y limpia
me hizo mi madre aquel sencillo obsequio:

en la maceta —barro o carne rosa—,
la mata en flor de dobles pensamientos.

Dentro del tiesto —firme y duro cráneo—
la tierra dio más savias que un cerebro

para las flores de un morado oscuro
que alivia el luto y, suave, trae consuelo

con ternura que imitan en sus borras
los tejedores de los terciopelos.

Mis pensamientos eran los prelados
que a la razón bendicen y al ingenio.

Dobles nacieron, aptos, convenientes
tanto a la exactitud como al anhelo.

Pero a quedar cautivos en la tierra,
en su afán de volar, no se avinieron

y renunciaron a morir un día
entre las hojas de algún libro, secos.

Y las ideas-flores se animaron;
se hicieron alas los ansiosos pétalos,

trocáronse en antenas los estambres
y la armazón del cáliz en artejo

de las patitas de las mariposas
que fueron mis pensares en su vuelo.

Viajaron por la tierra alegre y linda,
por fríos polos y ecuador de fuego,

y por los infinitos estrellados
que pueblan los celestes hemisferios.

Y su morado episcopal de sombra
siguió a la luz de los conocimientos,

mas como era también color de ojeras,
su ruta fue la ruta del deseo.

¡Qué hermosos érais, tiernos lepidópteros,
en la dicha y dolor de ser proteicos!

Mas los hombres tacaños y científicos
nunca dejan volar los pensamientos.

Como eran indefensas mariposas,
en sus gasas rapaces los cogieron.

Fueron clavados dentro de vitrinas;
un alfiler pasó su débil cuerpo

y entre perfumes acres ahora tienen,
en su etiqueta, un epitafio técnico.

Para el saber de la entomología,
debajo del cristal de armarios-féretros,

son cifras de una ciencia y un catálogo,
y en las doradas tardes del museo

miran mis muertos pensamientos dobles
los dulces niños y los tristes viejos.

# ANTONIO ESPINA

## VIDA

*"Natalicio: Madrid, 1894. (Antonio Espina García.)*

*Estudios: Primaria, con frailes. Bachillerato. Medicina. Abandonó esta carrera para dedicarse a la literatura y al periodismo.*

*Viajes: España, Francia, Italia, Marruecos. Fue soldado en 1915-1917.*

*Ha sido redactor de los siguientes diarios de Madrid:* Vida Nueva, Heraldo de Madrid, El Sol, Crisol y Luz. *Colaborador de otros muchos de España y extranjero y de varias revistas, entre ellas las siguientes españolas:* La Pluma, España, Revista de Occidente *y* La Gaceta Literaria. *Algunas de sus obras han sido traducidas total o fragmentariamente a diversos idiomas. Ha dirigido, en unión de Joaquín Arderíus y José Díaz Fernández, el semanario republicano de extrema izquierda* Nueva España, *Madrid, 1929-1931."*

## POETICA

*"Poesía es lo puro indecible.*

*Cuanto más nos aproximamos a lo decible, mayor peligro de —sin conocer— perdernos. Conciencia de imposibilidad, lucha, heroísmo, por vencerla. En ello está el poeta. Alma remota. Verbo puntual.*

*Yo me creo en literatura como un cazador.*

*Un pescador, que se sale de caza al mar, con un libro y un perro.*"

A. E.

Las poesías elegidas pertenecen a los siguientes libros:
1 y 2, a *Umbrales;* 3 a 10, a *Signario.*

## 1

## TINIEBLA

RONDA el diablo la plácida estancia,
el diablo de la cola encarnada...
La Hora se extiende en abismos,
en sensuales lengüetas de llamas.
Que no pase el rojo Poniente encendido.
¡Cerrar las ventanas!

Que la nieve resbale en el vidrio,
que la vida sonría en la escarcha
o en las formas sin forma del viento,
o en el drama sin fondo del alma.
La lucha por fuera, descanso por dentro.
¡Cerrar las ventanas!

Cerrar las ventanas,
que no entren amores ni glorias,
irónicos gestos de la mueca humana;
sólo quiero en mi estancia
silencios y sombras.
¡Cerrar las ventanas!

2

## CLARO DE LUNA

POR la estrella que vuela en el aire
en la noche sosegada,
y por el giro de esa estrella que vuela en la noche
y se apaga.
Y por la leyenda de los ojos que mienten
y mandan.
Y por esa sosegada noche
de la estrella lejana...
Risa de amor que dice: estrella... estrella...
palabras... palabras...

El jardín pálido que la Luna esmalta,
capa blanca del diablo,
damasco chino, amarillo, de la Luna nevada...
ya no estabas.
Yo lo sabía porque el piano sonaba
a sombras raras.
Yo lo sabía,
sólo la loca tecleaba,
la Luna bruja de la capa blanca.

Y entonces vi del rastro amarillo
el rubio de oro, oro del astro
de la Ignorada.
Supe de la leyenda de los ojos que mienten
y mandan.

Y de la Noche caía la Luna blanca.
Risa del mal que dice: amor... amor...
de la estrella incendiada.

3

## EL BELLO DESCONOCIDO

CUAL
signo féeral del lívido astral
retrato,
luce su vidente, alma de inocente
serpiente,
El Gato.
*¡Su Eminencia Gris!*
Por
raro dolor, de espectro y de flor
de lis,
dormida vigila, despierta rutila
experta pupila
gris.
*¡Monseñor El Gato!*

Es
Lindo maltés, de mirar finés,
mogol.

Al rondar la Muerte, sus pasos advierte
¡Salta de la Muerte
al Sol!

*¿Relámpago,*
*Alcohol?...*
*¿O*
*Luz de resol*
*o*
*un*
*Girasol?*

## 4

## SOFROSINE

EN esta pieza amable, gabinete y guardia,
donde el ricto filósofo en silencio acrisolo
sobre muelle *chaise-longue* mi persona tendida,
gusto el grave placer de sentirme muy solo
y muy grano de arena en mitad de la vida.

Qué poco me interesa el exterior ciclón
y el mundanal ruido de la existencia loca,
cuando ausente, dormido, sereno el corazón,
con un fuego en la estufa y un cigarro en la boca,
filósofo tumbado en mi blanda *chaise-longue.*

Medito. Eternos temas universales
prosiguen su errática, melancólica o bufa,
divagia taciturna, por mis parques mentales,
mientras crepita, fulge la lumbre de la estufa
y se resuelve en música la lluvia en los cristales.

## 5

## EL DE DELANTE

VA siempre delante. Manos a la espalda,
indeterminado. Viste de oscuro.
Avanzo, avanza.
Paro, para.

Va siempre delante.
Siluetado en mancha.
Va siempre delante.
(Es el de delante.)

Nunca le adelanto. Ni por esos campos.
Ni por estas calles. Surge del asfalto.
De la lunería
de un escaparate.

Le crucé en su duelo. Se cruzó en mi duelo.
—Señor mío —dije. —Señor mío —dijo.
El no dijo nada. Yo no dije nada.

(¡Oh, el adelantado que jamás se alcanza!)
Al que nunca alcanzo,
pues si avanzo, avanza
y si paro, para.

Va siempre delante.
su luctuosa mancha,
va siempre delante.
(Es el de delante.)

¡Sombras en el muro!

6

## F A S

TODO individuo gana en personalidad
detrás de una cortina.
Y aumenta más, si es una máscara.
Y más aún si la cortina se mueve... sin
que nadie la mueva.

7

## DON CACIQUE

(ÓLEO)

PERSONAJE torvo.
Malsín.

Al fondo la dramática sierra de Pancorbo.
Sobre la nariz
espejuelos verdes
donde se ojeriza turbio mal cariz.
Tipo de Satán,
mano de Caín.
Muy Rey de los Naipes y muy sacristán.
El semblante jalde,
capisayo gris,
empuñada en alto la vara de alcalde.

Y
a pesar de eso,
un breve infeliz
de malas costumbres y muy poco seso.
(Personaje torvo
de un pueblo de la áspera sierra de Pancorbo.)
¡Oh!
Lejos de París...

8

## FIN DE LECTURA

LIBROS ingleses, americanos,
franceses, griegos, hispanos, chinos.
Libros que tratan las mismas cosas
y en varias lenguas dicen lo mismo.

Fatiga intensa de nuestros días,
del Verbo esclavo en frase escrita,
de laberintos alfabetarios
y hondos naufragios en mar de tinta.

Este afán nuevo, fiebre moderna
de explorar fuera lo que no hay dentro,
amustia el alma como flor muerta
entre las páginas del tomo impreso.

El Hambre, la Hembra, es texto vivo.
¿Dónde está escrito? ¿Hay que leerlo?
No hay que leerlo, porque no existen
analfabetos de ese Evangelio.

¡Libros que tratan las mismas cosas
y en varias lenguas dicen lo mismo!
Libros ingleses, americanos,
franceses, griegos, hispanos, chinos.

9

## CONCENTRICA VI

RARO misterio insoluble.
Ultimo fin del saber.
La luz ignora que luce.
El agua no tiene sed.
Y en el fondo del espíritu
nuestro ser
ignora al ser.

10

## CONCENTRICA VIII

ENTRE el "Ven" de la voz de no sé cuál secreto
y el "Adiós" de un pañuelo que despide a lo lejos,
el Alma
lleva sus dudas próximas
rumbo a los días nuevos.

(Así avanzamos por la selva espesa,
con un poco—¿poco?—de avidez por todo
y un mucho de dolor de inteligencia.)

Acaso es noble este destino nuestro.
Quizá es bello contemplarse hermético,
entre llamadas de ensoñados gritos
y adioses de banderas en el viento.

# JUAN JOSE DOMENCHINA

## VIDA

*"He nacido en Madrid el día 18 de mayo de 1898. A despecho de mi enjundia nómada—de hombre propenso a absortarse o ausentarse, camino de las nubes—, soy un poeta sedentario. Mis viajes son casi exclusivamente infantiles. Ya adulto, he viajado muy poco, y sólo por España.*

*A los quince años obtuve en Madrid el título de bachiller. Y a poco conseguí, por arte de birlibirloque, en Toledo, el de maestro nacional. Pero conste que jamás fui ni aprendiz de pedagogo. Posteriormente no me he cuidado de dar validez oficial a mis estudios.*

*No he sentido nunca el prurito de la colaboración periodística, que desazona a los jóvenes y a los que ya no lo son. Sin embargo, en* Los Lunes *de* El Imparcial, La Pluma, España, Revista de Occidente *y* El Sol *han visto su primera luz algunos versos míos. También en* El Sol*—donde inicié y sostuve por espacio de algunos meses un ciclo poético diario que llevó al público lo más selecto y esencial de la poesía española contemporánea—he publicado no pocos artículos de crítica.*

*El advenimiento de la República me hizo concebir esperanzas ingentes acerca del porvenir político de España. Sin desentenderme de mis preocupaciones estéticas, me puse humildemente al servicio de la República. En el menester político que me cupo, sacrifiqué mi salud, mi tiempo y mis aspiraciones literarias al cumplimento estricto de mi obligación.*

*Soy un hombre esencialmente hogareño que, por pura paradoja, no se resuelve a contraer matrimonio."*

## POETICA

*"Poesía es aptitud—inspiración o numen—y trabajo. Numen propio es acento propio. Lo esencial es el acento. Un poeta sin acento propio, inconfundible, no es tal poeta. En poesía sólo lo estrictamente personal es valedero. El trance* logrado *de la "inspiración" y la fruición genuina—esto es, personal—del idioma caracterizan al poeta.*

*El delirio poético—o profético—alcanza y resume lo inabarcable. "El poeta absoluto—escribí en cierta ocasión—no recusa nada de cuanto contiene el orbe, ya que, como Valéry anota, el poeta es el más utilitario de los seres."*

*Por último, y como también yo he dicho, creo que "la estética propia nace o se desgaja de la propia labor". El que se aviene a una superstición catológica preconcebida, el que se ajusta a un canon apriorístico, podrá exhibir una estética flamante, pero no una obra personal y espontánea."*

## NOTA

*"Oportunamente conocí, por el propio Juan Ramón Jiménez, su designio irrevocable de no figurar en esta* ANTOLOGÍA. *Más tarde, Juan Ramón dió validez pública a este designio. Lamentemos el percance, que a todos nos afecta. A todos. Y muy esencialmente a este libro. He aquí una* ANTOLOGIA *española moderna, y he aquí que se halla ausente de esta* ANTOLOGIA *el Maestro de la poesía española moderna."*

**J. J. D.**

*Véase, para la ausencia a que aquí se alude, la nota que figura en la página 174.*

Las poesías elegidas pertenecen a los siguientes libros: números 1 a 6, a *La corporeidad de lo abstracto;* 7 a 11, a *El tacto fervoroso*; 12, a *Dédalo*; 13, 14 y 15, a *Margen*; 16, inédito.

1

## EL FERVOR

COMO en la piel de Rusia—¡ es extraño!—, el latido
del abedul—acorde de olor—y en el gemido
la lágrima y el lúpulo en el oro fluido
de la cerveza, en todo me encuentro estremecido.

Mi corporeidad—mínima y acicular—es apta.
Su tensión esotérica a la adiaforia capta,
a la emoción impulsa y al entusiasmo rapta.

Soy penumbra, ebriedad de sol, senda, abditorio,
montículo de sombra, cumbre, reclinatorio,
rémora y acicate. ¿Verdad? Contradictorio.

Y omnipresente. En todo palpito. Mis huídas
moléculas perforan la vida, estremecidas...
Mi ubicuidad, empero, no alcanza a las mentidas
verdades, ni hasta el útero de las hembras vendidas.

2

## EL HASTIO

HASTIO—pajarraco
de mis horas—. ¡Hastío!
Te ofrendo mi futuro.

A trueque de los ocios
turbios que me regalas,
mi porvenir es tuyo.

No aguzaré las ramas
de mi intelecto, grave.
No forzaré mis músculos.

¡Como un dios, a la sombra
de mis actos—en germen,
sin realidad—, desnudo!

¡Como un dios—indolencia
comprensiva—, en la cumbre
rosada de mi orgullo!

¡Como un dios, solo y triste!
¡Como un dios, triste y solo!
¡Como un dios, solo y único!

3

## SIESTA DE JUNIO

EL agua de la alberca
acorda su rumor.

De la chicharra terca
se escucha el estridor.

Un abejorro acerca
su pertinaz hervor.

Con otro gallo alterca
un gallo reñidor.

Rezuman sombra, cerca,
dos árboles en flor.

4

INTERROGOME, de manera
sarcástica: "¿Su profesión?"
Yo, serio y triste, le repuse:
"Funámbulo, meditador."

5

SEÑOR, ¿por qué pesa mi alma?
Sus manos débiles, de niña.
¡no pueden jugar con mi alma!

6

MUJER. Palabra rubia,
de miel. Vaso de oro.
Silencio puro. Balbucir sonoro.
Persistencia monótona, de lluvia.
Mármol o bronce. Simulacro.
Corporeidad rotunda. Lanza
de emoción. Fuego sacro.
Cumbre de todos los instintos. Danza.
Médula de lo ignoto. Aurea vedija
incoercible. Vientre de los nombres.
Arca de la eternidad. Hija
del Hombre. Madre de los hombres.

7

VANDALO AUGUSTO

AL fin, yo soy lo que mi ser abstracto,
de espectro múltiple y veraz, proyecta.
Concéntrico el fervor, la vida recta,
nada me mueve sino el dulce pacto.

Divina forma y aprehensión del acto
que encarna el verbo: furia de mi secta.
La vida inmune, virgen, está infecta.
El alma viva de mi carne es tacto.

Ascético rencor, turbios regímenes,
mística farsa de la pura frente:
sean de amor y de verdad mis crímenes.

No estanque, sino clima de torrente.
Vándalo augusto de floridos hímenes.
Doma de eternidad es el presente.

## 8
## DISTANCIAS

DISTANCIAS.
En la vida hay distancias.

El hombre emite su aliento,
el limpio cristal se empaña.

El hombre acerca sus labios
al espejo...,
pero se le hiela el alma.

(... pero se le hiela el alma.)

Distancias.
En la vida hay distancias.

## 9
## HALOS

Dios dejó en la ceniza
los pensamientos
que no pudo hacer luz.

Más allá del espectro,
la obra de Dios frustrada
prolonga su silencio,
perenniza su angustia
en un sordo y concéntrico
rencor, que es aureola
de todo lo perfecto.

10

LA alacridad, mariposa
del revivir, herboriza.

Y unge sus plantas ingrávidas
con jugos de hierbas finas.

Recientes la hoja y el árbol,
reciente la amanecida,

chozpa como cabra errátil,
atónita de colinas.

Diáfana de agilidad,
¡qué diáfanamente trisca!

Sus pechos, al saltar, dejan
como un temblor de caricias.

En su red coge esta trémula
prodigalidad la brisa.

Manos toscas de cabreros
palpan transparentes dichas.

11

LAS cosas que yo he tenido,
ni me tienen ni me valen.

Tener cosas que nos tengan,
guardar cosas que nos guarden.

He pisado en el sendero
las angustias de mis tardes,

oleaginosas y acedas
como de aceite y vinagre.

Si yo no soy lo que soy,
parecerlo, ¿qué me vale?

Tenga un amor que me tenga;
lleve lo que ha de llevarme.

Sepa yo toda la dicha
mutua del perfecto canje.

12

CONTEMPLAD y exaltad el aplomo con que toma
su desayuno el mayorazgo,
y el gesto heroico y digno con que "reprende y castiga a todos
los que ama" : dilectísimos siervos que llevan su sangre.

(Cuando la paternidad se investigue,
sabréis que todos sois hermanos.)

Exaltad y admirad asimismo el atuendo de la Corte,
la ofuscadora magnificencia del brocatel del pórtico,
los dilatados intercolumnios por donde apenas cabe la grandeza
del Ungido,
las broncíneas arrendaderas del atrio, sólidas argollas
donde muerden las espernadas de las cadenas cautivas,
la impaciencia del mensajero y el belfo
de la piafante cabalgadura;
la lienta pulcritud transparente del impluvio,

los bostezos seculares del puente levadizo,
la deliciosa nariz del vino de las cavas,
el primor del infantil zanguanete: ¡bellísimos pajes!,
la marcialidad primitiva de las rudas mesnadas
y la perpetua exhibición de guardainfantes suntuosos
que traslapan el grito de Algún Poder Fecundo.
¡la Realeza de un Padre!;

las costosas dalmáticas de los heraldos,
las piruetas chepudas y al rojo de los bufones,
donde chillan unánimes los escrupulillos de los cascabeles áureos;
el bote hueco, anémico de la vejiga—drolático estampido—,
la hermética gravedad de los emisarios, portadores de presentes
maravillosos, de mensajes plomados, signos de amistad a través
de un desierto de arenas;
la ambigua prestancia de los arduos augures, que espurrean su
saber astrológico, agudos de prestigio y capirote, duchos en
prestigiar, en embaucar con las verdades de los astros;
la gárrula asiduidad de los halconeros—¡cumbres de cetrería!—,
que majan en sendos almireces la concluda,
exquisita para la voracidad del halcón predilecto;
la forja de los alquimistas, sótanos de la piedra flosofal,
laberinto salitroso de la panacea universal,
refugio de macilentos lémures,
donde los alambiques interrogan a los dioses o demonios aurí-
feros;
las hidrias, con el tesoro refrigerante e insípido de las nubes
o del venero oculto,
las magníficas cráteras para las bodas y afición mutua del agua
y el vino.
el regio alabastrón, hisopo que esperja orientales perfumes
y la lobreguez de la ergástula, donde la más hermosa cautiva
menea obscenamente su cuerpo, entreabre sus ojos profusamente
ciliados e impetra la piedad magnánima del Señor,
desatándose la cabellera de espigas para ceñir y en jugar con su
anadema el cruento tributo de la más solitaria
y ardiente de sus lunas!

13

## DONCEL POSTUMO

CALIENTE amarillo: luto
de la faz desencajada;
contraluz que es atributo
y auge de presunta nada,
¡muerte! Por la hundida ojera
se asoma la calavera,
ojo avizor de un secreto
que estudia bajo la piel
su salida de doncel
póstumo: don de esqueleto.

14

## TARDE

MEJOR que tú, pensamiento,
este olvido de enramada
donde todo vive en nada:
hoja al sol, pájaro al viento.
De azul de luz sin cimiento,
¡qué cúpula! Maravilla
de ingravidez amarilla.
Mejor, pensamiento, el río;
donde apenas moja el frío
de su límite la orilla.

15

## PERFECTO, PARA LA MUERTE

SI, perfecto; recreado
en perpetuas soledades.
¡Llanura!: cinco verdades,
las del estigmatizado,
llagas vivas, en tu fuero
de altiplanicie señero,
viven de mirar lo inerte,
de oír y oler lo indistinto,
gustando y palpando instinto.
Perfecto para la muerte.

16

## PRIMAVERA DE GOZOS

ELEGÍA

ALBOROZO de verdes iniciales: apunta
en grito y luz (¡amor!) tu congoja divina.
¡Asir, maciza rosa, aprehender! Se desciñe
tu secreto en delicia, porque el viril empuje
pide gloriosamente la verdad más profunda.

Bien está tu perfume misceláneo, el que exhala
la iniciación unánime y ciega de tu fronda
el deje agudo y limpio de las lientas axilas
y el que arranca, en redondas, trémulas y calientes
ondas, del oleaje de los bustos perfectos.

Bien está la ternura de tu caos: las lágrimas
que anidan en los árboles gozosos, transparente
gravidez: verdes ojos cargados de esta lluvia
que llora el paso errante y el perfil entrevisto
de la Belleza, ¡soplos de luz, color de brisas!

Bien está este sopor de la siesta, este ámbar
de la hora, molicie que enerva y crispa a un tiempo.
Entrevisión fugaz de mujeres que huyen
de sí propias, al celo de la umbría, desnudas.
(¡Desnudas, palpitantes de acezo y de sofoco,
de luz!) Mujeres rubias que llevan en la espalda
rosas verdes, improntas de líquenes, de musgos,
y el dolor o la muerte exprimida de un trébol.)

¿Dónde el amor? La fronda cobija a los vencidos
triunfadores, hidalgos que se ocultan o duermen.
Allí, dulce refugio, cita feliz, exacta
coincidencia, en minutos de eternidad o gloria,
el paisaje a merced del amor se mecía.

¡Ay, carne enferma, torpe quejumbre sin sentido!
¡Ay avidez y envidia frente al robusto hallazgo!
Rubia deidad, o ángulo de la dicha, promesa
de oculta flor, instante sin término, ¡locura!

¡AY corazón transfijo! Como agujas sutiles
lo transverberan risas, brisas y aromas. ¡Pájaro
heroico, estremecido siempre en un aleteo
de agonía, que es pugna con su ingrávido apoyo!

# LEON FELIPE

## VIDA

*León Felipe Camino Galicia nació el 11 de abril de 1884 en Tábara (Zamora). Después vivió en la sierra de Salamanca hasta los nueve años. Luego, en Santander, donde estudió con don Quintín Zubizarreta, "único maestro que recuerdo con amor". En la capital montañesa estudió el bachillerato, y la carrera de Farmacia en Valladolid y Madrid. Después se dedicó al teatro y anduvo algún tiempo representando con la compañía de Tallaví. Farmacéutico en Almonacid de Zorita, comienza su vida literaria en Madrid, 1920, fecha de la publicación de su primer libro. Pasa luego tres años en el golfo de Guinea. Después, haciendo una pequeña escala en España, marcha a América, y pasando por Méjico, donde se casa, entra en los Estados Unidos. Allí vive cuatro años en la Universidad de Cornell, como instructor de español, y dos en Columbia University, como profesor de lírica castellana, y en la Universidad de Las Vegas, Nuevo Méjico. Ahora explica un curso de* El Quijote *para estudiantes norteamericanos en la Universidad Nacional de Méjico y dirige el cuadro dramático radiofónico de la Secretaría de Educación Pública.*

## POETICA

*"Por hoy, y para mí, la poesía no es más que un sistema luminoso de señales. Hogueras que encendemos aquí abajo, entre tinieblas encontradas, para que alguien nos vea, para que no nos olviden. ¡Aquí estamos, Señor!*

*Y todo lo que hay en el mundo es mío y valedero para entrar en un poema, para alimentar una fogata;* todo, *hasta* lo literario, *como arda y se queme.*

*Y no vale menos un proverbio rodado que una imagen virginal, un versículo de la Revelación que el último* slang *de las alcantarillas. Todo buen combustible es material poético excelente.*

*"Sé que en mi palomar hay palomas forasteras—decía Nietzsche—, pero se estremecen cuando les pongo la mano encima."*

*Lo importante es esta fuerza que lo conmueve todo por igual —lo que viene en el viento y lo que está en mis entrañas—, este fuego que lo enciende, que lo funde, que lo organiza todo en una arquitectura luminosa, en un guiño flamígero, bajo las estrellas impasibles.*

*Y que no diga ya nadie: "Esta fórmula es vieja y vernácula, y aquella otra es nueva y extranjera, porque no ha habido nunca más que una sola fórmula para componer un poema: la fórmula de Prometeo."*

L. F.

Las poesías elegidas pertenecen a los siguientes libros:
1 a 5, a *Versos y Oraciones de Caminante* (libro I);
6 a 9, a *Versos y Oraciones de Caminante* (libro II);
10, inédito; 11 y 12, variantes inéditas de *Drop a Star.*

1

## ROMERO SOLO...

SER en la vida romero,
romero solo que cruza siempre por caminos nuevos.
Ser en la vida romero
sin más oficio, sin otro nombre y sin pueblo.
Ser en la vida romero, romero..., solo romero.
Que no hagan callo las cosas ni en el alma ni en el cuerpo,
pasar por todo una vez, una vez solo y ligero,
ligero, siempre ligero.

Que no se acostumbre el pie a pisar el mismo suelo
ni el tablado de la farsa ni la losa de los templos
para que nunca recemos
como el sacristán los rezos
ni como el cómico viejo
digamos los versos.
La mano ociosa es quien tiene más fino el tacto en los dedos,
decía el príncipe Hamlet, viendo
cómo cavaba una fosa y cantaba al mismo tiempo
un sepulturero.
No sabiendo los oficios los haremos con respeto.
Para enterrar a los muertos
como debemos
cualquiera sirve, cualquiera..., menos un sepulturero.
Un día todos sabemos
hacer justicia. Tan bien como el rey hebreo

la hizo Sancho el escudero.
y el villano Pedro Crespo.

Que no hagan callo las cosas ni en el alma ni en el cuerpo.
Pasar por todo una vez, una vez solo y ligero,
ligero, siempre ligero.

Sensibles a todo viento
y bajo todos los cielos,
poetas, nunca cantemos
la vida de un mismo pueblo
ni la flor de un solo huerto.
Que sean todos los pueblos
y todos los huertos nuestros.

2

## COMO TU...

ASI es mi vida,
piedra,
como tú. Como tú,
piedra pequeña;
como tú,
piedra ligera;
como tú,
canto que ruedas
por las calzadas
y por las veredas;
como tú,
guijarro humilde de las carreteras;
como tú,
que en días de tormenta
te hundes
en el cieno de la tierra
y luego centelleas
bajo los cascos

y bajo las ruedas;
como tú, que no has servido
para ser ni piedra
de una lonja,
ni piedra de una audiencia,
ni piedra de un palacio,
ni piedra de una iglesia;
como tú,
piedra aventurera;
como tú,
que tal vez estás hecha
sólo para una honda,
piedra pequeña
y
ligera...

3

CORAZON mío,
¡qué abandonado te encuentro!
Corazón mío,
estás lo mismo que aquellos
palacios deshabitados
y llenos de misteriosos silencios.
Corazón mío,
palacio viejo,
palacio desmantelado,
palacio desierto,
palacio mudo
y lleno de misteriosos silencios...
Ni una golondrina ya
llega a buscar tus aleros
y hacen su cobijo sólo
en tus huecos los murciélagos.

4

—NO andes errante
y busca tu camino...
—Dejadme,
ya vendrá un viento fuerte que me lleve a mi sitio.

5

DESHACED ese verso,
Quitadle los caireles de la rima,
el metro, la cadencia
y hasta la idea misma.
Aventad las palabras,
y si después queda algo todavía,
eso
será la poesía.

¿Qué
importa
que la estrella
esté remota
y deshecha
la rosa?
Aún tendremos
el brillo y el aroma.

6

HUYEN. Se ve que huyen,
vueltas de espaldas a la Tierra.
Nosotros no hemos visto todavía
los ojos de una estrella.
Para buscar lo que buscamos
(¿dónde está mi sortija?) una cerilla es buena
y la luz de gas,
y la maravillosa luz eléctrica...
Nosotros no hemos visto todavía
los ojos de una estrella.

7

## PIE PARA EL NIÑO DE VALLECAS, DE VELAZQUEZ

*Bacía, yelmo, halo.*
*Este es el orden, Sancho.*

DE aquí no se va nadie.

Mientras esta cabeza rota
del Niño de Vallecas exista,
de aquí no se va nadie. Nadie.
Ni el místico ni el suicida.

Antes hay que deshacer este entuerto,
antes hay que resolver este enigma.
Y hay que resolverlo entre todos,
y hay que resolverlo sin cobardía,
sin huir
con unas alas de percalina
o haciendo un agujero
en la tarima.
De aquí no se va nadie. Nadie.
Ni el místico ni el suicida.

Y es inútil,
inútil toda huída
(ni por abajo ni por arriba).
Se vuelve siempre.
Se vuelve siempre. Siempre.
Hasta que un día (¡un buen día!)
el yelmo de Mambrino
—halo ya, no yelmo ni bacía—
se acomode a las sienes de Sancho,
y a las tuyas, y a las mías,
como pintiparado,
como hecho a la medida.

Entonces nos iremos todos
por las bambalinas:
Tú, y yo, y Sancho, y el Niño de Vallecas,
y el místico, y el suicida.

8

MAS sencilla, más sencilla.
Sin barroquismo,
sin añadidos ni ornamentos.
Que se vean desnudos
los maderos,
desnudos
y decididamente rectos.
*Los brazos en abrazo hacia la Tierra,*
*el astil disparándose a los cielos.*

Que no haya un solo adorno
que distraiga este gesto,
este equilibrio humano
de los dos mandamientos.
Más sencilla, más sencilla,
haz una cruz sencilla, carpintero.

9

SEÑOR, yo te amo porque juegas limpio:
sin trampas—sin milagros—,
porque dejas que salga,
paso a paso,
sin trucos—sin utopías—,
carta a carta, sin cambiazos,
tu formidable
solitario.

10

## ELEGIA

*A la memoria de Héctor Marqués, capitán de la Marina mercante española, que murió en alta mar y lo enterraron en Nueva York.*

MARINEROS,
¿por qué le dais a la tierra lo que no es suyo
y se lo quitáis al mar?
¿Por qué le habéis enterrado, marineros,
si era un soldado del mar?
Su frente encendida, un faro;
ojos azules, carne de iodo y de sal.
Murió allá arriba, en el puente,
en su trinchera, como un soldado del mar;
con la rosa de los vientos en la mano
deshojando la estrella de navegar.

¿Por qué le habéis enterrado, marineros?
¡Y en una tierra sin conchas! ¡¡En la playa negra!!... Allá,
en la ribera siniestra
del otro mar;
¡Nueva York!
—piedra, cemento y hierro en tempestad—.
Donde el ojo ciclópeo del gran faro
que busca a los ahogados no puede llegar:
donde se acaban las torres y los puentes;
donde no se ve ya
la espuma altiva de los rascacielos:
en los escombros de las calles sórdidas
que rompen en el último arrabal;
donde se vuelve la culebra sombría de los elevados
a meterse otra vez en la ciudad...
Allí, la arcilla opaca de los cementerios, marineros,
allí habéis enterrado al capitán.

¿Por qué le habéis enterrado, marineros,
por qué le habéis enterrado,
si murió como el mejor capitán,
y su alma—viento, espuma y cabrilleo—
está ahí, entre la noche y el mar?...

11

## ¿QUIEN SOY YO?

NO es verdad.
Yo no ahueco la voz para asustaros.
¿Voy a vestir de luto las tinieblas?
Yo digo secamente: Poetas:
para alumbrarnos
quemamos el azúcar de las viejas canciones
con un poco de ron.
Y aún andamos colgados de la sombra.
Oíd,
gritan desde la torre sin vanos de la frente:
*¿Quién soy yo?*
*¿Me he escapado de un sueño o navego hacia un sueño?*
*¿Huí de la casa del Rey o busco la casa del Rey?*
*¿Soy el príncipe esperado o el príncipe muerto?*
*¿Se enrolla o se desenrolla el film?*
*Este túnel, ¿me trae o me lleva?*
*¿Me aguardan los gusanos o los ángeles?*
*Mi vida está en el aire*
*dando vueltas, ¡miradla!,*
*como una moneda que decide...*
*¿Cara o cruz?*
*¿Quién puede decirme quién soy?*
¿Oisteis? Es la nueva canción
Y la vieja canción...
¡Nuestra pobre canción!...
*¿Quién soy yo?...*

Yo no soy nadie. Un hombre
con un grito de estopa en la garganta
y una gota de asfalto en la retina.
Yo no soy nadie. Y, sin embargo,
mis antenas de hormiga han ayudado
a clavar la lanza en el costado del mundo
y detrás de la lupa de la luna
hay un ojo que me ve como a un microbio
royendo el corazón de la tierra.
Tengo ya cien mil años, y hasta ahora
no he encontrado otro mástil de más fuste
que el silencio y la sombra donde colgar mi orgullo.
Tengo ya cien mil años
y mi nombre en el cielo se escribe con lápiz.
El agua, por ejemplo, es más noble que yo.
Por eso las estrellas se duermen en el mar
y mi frente romántica es áspera y opaca.
Detrás de mi frente (escuchad esto bien),
detrás de mi frente hay un viejo dragón:
El sapo negro que saltó de la primera charca del mundo
y está aquí, agazapado en mis sesos,
sin dejarme ver el amor y la justicia...
—Yo no soy nadie.
(¿Has entendido ya
que YO eres TU también?...)

## 12

## DROP A STAR

¿DONDE está la estrella de los nacimientos?
La tierra, encabritada, se ha parado en el viento.
Y no ven los ojos de los marineros.
Aquel pez—¡seguidle!—
se lleva, danzando,
la estrella polar.

El mundo es un *slot-machine*.
con una ranura en la frente del cielo.
sobre la cabecera del mar.
(Se ha parado la máquina,
se ha acabado la cuerda.)

El mundo es algo que funciona
como el piano mecánico de un bar.
(Se ha acabado la cuerda,
se ha parado la máquina.)

Marinero,
tú tienes una estrella en el bolsillo...
*¡Drop a Star!*
Enciende con tu mano la nueva música del mundo,
la canción marinera del mañana,
el himno venidero de los hombres...
*¡Drop a Star!*
Echa a andar otra vez este barco varado, marinero.
Tú tienes una estrella en el bolsillo...,
una estrella nueva de paladio, de fósforo y de imán.

# RAMON DE BASTERRA

## VIDA

*Nació Ramón de Basterra y Zabala en Bilbao en 1888. Estudió Derecho en varias Universidades. Residió luego en Tours; en Bélgica, donde conoció y tradujo a Verhaeren, en Weimar y en Londres. Así fue preparando sus oposiciones a la carrera diplomática. Ingresado en el Cuerpo, marcha como agregado a Roma. Luego, a Rumania, donde le sorprende la guerra. Vuelve a Bilbao y a Madrid. Luego marcha a Venezuela, donde se inspira para su libro* Los navíos de la Ilustración, *así como en Rumania, para* La obra de Trajano. *Regresado a Madrid, trabaja en el Ministerio de Estado hasta su muerte, en 1930.*

## POETICA

*Tampoco hemos encontrado entre los escritos de Basterra una expresa declaración de principios poéticos. Sus amigos más íntimos recuerdan con emoción sus "paseos hablados", en que le gustaba disertar sobre las más variadas cosas: la historia de su querido país vasco, su concepción poética del Pirineo, del que derivaba toda una política, una ética, un estilo. La contemporaneidad, o la decadencia de Occidente, la Hacienda Pública o los instrumentos de labranza. De cuando en cuando estas charlas se organizaban en conferencias, impresa alguna de ellas, como la de* El Pirineísmo. *Contrapone en ella los dos símbolos de* El Ave y la Planta, *Austrias y Borbones, Castilla y el Pirineo. Así también en su estilo de poeta coinciden el barroquismo gongorino y calderoniano, con el didacticismo económico y fabulista del siglo XVIII.*

Las poesías elegidas pertenecen a los siguientes libros: 1 y 2, a *Las ubres luminosas;* 3 a 5, a *La sencillez de los seres;* 6, a *Los labios del monte;* 7 a 9, a *Vírulo (Las Mocedades).*

1

## EL SACRIFICADOR DE SI MISMO

VEREDAS inocentes a que asoma el helecho,
la pálida flor de árgoma y el madroño encendido,
mis vías naturales, por donde hubiese ido
de poner el unísono de humildad a mi pecho.

Lejos, ante el desfile de ajenas muchedumbres
en ciudades enérgicas o a solas por los mares,
en los climas de bruma, en las tierras solares,
junto a exóticos ríos, al pie de nuevas cumbres

más de una vez, con lágrimas, interrogo al destino,
que me alueña del uso habitual de las cosas,
¡pobre de mí, dulce hábito de las manos mimosas!,
por osar rumbos, fuera del trillado camino.

Víctima y elegido de raros pensamientos
y singulares penas, hollando el rumbo al día,
pienso en las vidas quietas que hacia la dicha guía
la costumbre, lucero de parpadeos lentos.

¿A quién busco, vagando por exóticas plazas,
a sombra de las góticas flechas, del levantino
alminar y del mudo tragaluz bizantino,
ademanes que yerguen en la Historia, las razas?

Mi mocedad no oyó resonando los bronces
con las glorias antiguas, ni vio en las sombras viejas
que de las torres caen a las nativas tejas,
rumbo a ningún destino: huí mi puerta, entonces.

Pidiendo fui la lumbre al luminar ajeno,
que, como fuego fatuo, era brillante y fría;
mas la hoguera del alma sentí al fin que no ardía
sino con la centella que brota de su seno.

Llama alada del mío, la palabra de España
por los suelos, sin tumbas, en que vagó mi paso,

ardió como la luz sobre el óleo del vaso
y, lámpara de amor, se iluminó mi entraña.

Defiendo, en mi interior, contra enemigos vientos,
la llama que en mi sueño fue prendida por Roma,
y en ella, dando al aire de la Patría su aroma,
ovejas de holocausto, quemo mis pensamientos.

2

## PENSAMIENTO ANDARIEGO

SOY un siervo de Dios. En la inocencia
rubia y azul de la jornada infante,
sin rumores, sin charlas, ni el humeante
tabaco vil, ¡qué etérea transparencia!

Embebo el día en alborozo errante
y avanzo mudo, ajeno a mi presencia;
soy como una partícula de esencia
solar, en el zafir del bello instante.

¡Hermosura, ebriedad! Si, entre las nubes
con ventrudos laúdes, los querubes
mostráranse en la luz en que me pierdo,

Por un momento, pobre criatura,
pudiera replicar, con la voz pura:
¡Oh, diapasón celeste, estoy de acuerdo!

3

## ALDEANOS

AL alba hacen un gesto azul las chimeneas.
Muge el establo, cruzan la puerta, a sus tareas
corpóreas, respirando blanco, los campesinos.
La vida de uno son dos ruedas, los caminos

y los uncidos bueyes; la vida de otro, el hacha
que mordiendo en el bosque los árboles agacha;
la vida de otro, el campo labrantío, en que sabe
al detalle los días de aquel retazo suave,
en que medra la caña del maíz y se aposa,
regiamente, en el suelo, la berza, tan pomposa.
Atlantes en el lodo, estos hombres de pena,
avispas incansables de la humana colmena,
sostienen, entre angustias mortales, nuestras cortes,
los libros, las estatuas, los líricos transportes,
la seda, el cuadro, el ocio de oro de los señores.
Voces de melodía, palabras ruiseñores,
les debemos, suspensas sobre su gran fatiga,
para que, aves azules, entonen la cantiga
de que su alma inmortal a la Eternidad sube
con la nuestra, alma blanca y errante, cual la nube.

4

## REMEROS

ASEN los largos palos de bogar con prestancia
noble, como lanzones, cuando entraron en Francia
o en el Milanesado los tercios de Castilla.
La dignidad humilde del oficio les brilla
en sus ojos azules de zafiros humanos.
Como cetros empuñan los remos en las manos,
igual que un almirante en las suyas nevadas,
sostendría el canuto de púas estrelladas
y el viejo embajador el haz de credenciales.
En orgulloso amor de oficio, son iguales.
Estos hombres de pena, que hacen orden con todo
su cuerpo y que se agitan en el mar y en el lodo,
tienen su afirmación triunfal de artesanía.
Como un rey que se yergue en los oros del día,
estos duros remeros del occidente vasco
se alzan, egregiamente, en tronos de peñasco.

5

## EL ESTABLO

SOMBRA. El ambiente tibio que trasciende a la hierba
de pasto, el vaho de ubres de la noche conserva
difuso. Un raudal viene de sol, como una lanza
de querubín, del vano del umbral. La luz danza.
La silueta paciente de dos vacas, dibuja
el reflector solar, en la oscuridad bruja.
A sus pies, de tenderse, hay en el suelo un bache.
Una es color de lumbre y la otra de azabache.
Como en cuadro del arca de Noé, entre forrajes
cintos al techo, viven los más varios linajes
de bestias: una cabra barbuda y un pollino,
con un cerdo rosado cual caracol marino.
Sobre un montón de estiércol, el gallo sultanita,
para entonar su ronco clarín, se desgañita.
Un niño clama entonces: ¡Hala negra, Hala roja!,
y, dando con un ramo que tiene un pompón de hoja,
en las ancas de los bovinos pacienzudos,
hacia los verdes prados camina, pies desnudos.

6

## LOSAS DE DIFUNTOS

SOMBRA. La aromada cueva
del templo: su nube eleva
el incienso. Los hacheros
ardiendo como floreros
de llamas. ¡Oh pía, pía,
pía gruta! La bravía
luz solar deslumbra fuera.
Mañana de primavera.
En las alas de la brisa,
penetra el campo en la misa
de profano: los aromas

de las matas, las praderas,
y los trigos de las eras.

La noche es una ardentía
de mil soles, y es el día
arder de una sola estrella.
El templo es como una bella
noche, múltiple en luceros.

De los bosques, los senderos,
la hierba azul, las montañas
de aguamarina, las cañas
berilo de los maizales,
con otros soles de fuego
y otras lunas de sosiego,
usaron, en sus edades,
difuntas humanidades.

Y los próximos difuntos
que oran en la iglesia juntos,
gozan hoy, préstamo breve,
del sol, la hierba, la nieve;
del viento, que es pensamiento
de Dios que piensa; del viento
sutil romero del mundo;
del viento, gran errabundo;
la lluvia, cárcel que llora
barrotes de agua cantora;
la lluvia, que es compañía;
la lluvia, en la casería...

Carne de la carne rosa
de antaño, sobre la losa
de sus muertos se levanta
la enlutada suplicanta,
que de ellos tiene sus granos,
que van de manos a manos,
y de ellos sus bueyes rojos...

Por ellos están de hinojos
sobre la piedra de casa.

Con el voltear del sol pasa
la vida. Los ventanales
del templo vierten raudales
de claridad. Las manzanas
de las cestas aldeanas
lucen su rubor. ¡Difuntos
próximos, que veo juntos
sobre los vivos de antaño;
huye el día, vuela el año:
mezclados con cuanto es bello,
el mar, el vino, el cabello
de la mujer!

Los hacheros
ardiendo como floreros
de llamas. ¡Oh pía, pía,
pía gruta; La bravía
luz solar deslumbra fuera.
Mañana de primavera.

7

## MOCEDADES

Y fue el mundo la sorpresa
pueril, que en los ojos brilla
y que gusta al labio y pesa
la mano. Gran maravilla.
Las ventanas, los senderos,
conocieron sus primeros
transportes, ante los soles
y las lunas, ante el vuelo
de los insectos del cielo
y el ir de los caracoles.

¡Paraíso de la aurora!
Luego, dejando las ramas
de su parque, fue la hora
de que se encendieran llamas
en su sangre, al improviso
hallazgo, del dulce viso
de una niña que traía
un rasguño en el semblante,
la tilde de dolor, ante
cuyo rosa el niño ardía.

El río de las edades
que a través los libros mana,
sus bárbaras mocedades
ganó a la paciencia humana,
y en su corazón, los Reyes,
Roma, las cifras, las leyes,
perla de miel en el higo,
dejaron la gota pura
de una fiebre de finura
sobre el instinto enemigo.

8

## JUBILO

EL estío, devuelto a las hileras
de gaviotas, rozaba con el lino
del balandro, las sedas marineras
del horizonte, de un azul divino.

Entrando, en rosa natural a solas
y al sol, la carne pura
en el mar, las caricias de las olas
le hacían conocer la gran ventura
del nadador; inmerso
en el mundo universo
de los peces, emblemas iniciales

de Cristo. ¡Forcejeo
viril, sobre el gran vientre de cristales!
¡Natación, la postura de Himeneo!
¡Sabor a fémina! Hermandades
del brazo con el ala
cuando, en el zafir doble, pez querube,
el cuerpo ya no sabe si resbala
en las profundidades
o si en el denso azul del cielo sube
a atracar en la arena o en la nube.

Y Vírulo, que extenso
por la mar, yerra,
veía en seda el mediodía denso,
color de la ventura de la tierra.
¡Azul de dioses griegos! ¡Cañucelas
que canten el azul de flauta
y el candor de las velas
por el redondo globo nauta!

Tendido
en el oro molido de la arena,
decía: "*La existencia es buena.*
*La vida es buena. Pienso*
*hollar el mundo con mis huellas.*
*Porque el mundo es un mar de azul inmenso*
*con arenas de estrellas*".

9

## LA ESPERA

(Soliloquio de Vírulo a los veinte años, entre un rimero de libros de la Biblioteca Nacional.)

DESDE estas hojas, plumas con que la idea vuela,
siento entre el sol, los árboles, allende la cancela,
pasar, río de voces ambulantes, la vida.

¡Bellos brazos desnudos que yerguen la florida
cornucopia! ¡Manzanas de mejillas ardientes,
dulce árbol de la vida en que brillan pendientes
los senos quinceañeros con la divina fresa!
¡Dulces ojos, subyugadores de promesa!

Gran caudal que no es mío, por vivir a la sombra
de otras mezquinas, pobres almas que el vulgo nombra.
El presente es de ajenas almas, mis adversarias.
Un presente será todo tuyo y sus varias
voces han de sonar en aromados vientos,
los que ahora son mis más secretos pensamientos.
En el rosa y azul de futuras mañanas
proclamarán mi sueño las trompetas hispanas.

I

En tanto yo, pastor de sueños, por las laderas
de estudio, doy el pasto mejor de las praderas
a mi manada. Libros, árboles sobre el suelo,
alzan sus copas, sueños de perfección, al cielo
y a la sombra de sus hojas intelectuales, besa
mi labio la divina flauta de la promesa.
¡Música de la idea, suprema melodía
del pensamiento! El mundo se funde en armonía.
¡Oh belleza: oh, bondad; oh, dulzura! Las cosas
vuelan, como las aves, con alas melodiosas.

Mas nada es mío. Aguardo entrar en el torrente
de la acción. A su margen dejo huir al presente,
hasta que hacia él me acerque, domador a su fiera,
a imponerle el dominio de mi mejor quimera.
En su entraña, lo mismo que el jugo de una viña
existe un alma ingenua, intacta, un alma niña,
virginal, que es la flor deliciosa del día,
y que yo, en nuevo rapto de sabina, haré mía.

Entonces de ese abrazo, brotarán nuevas hojas
en que, pastor de sueños de mañana, te acojas
a soñar con tu flauta prometedora, en mano,
con raptar a tu día, como un viejo romano.

II

En esta creación, colma de dulces cosas
—las estrellas, las bellas mujeres y las rosas,
y bogando los cielos claros de la doctrina,
las almas que persiguen su perfección divina—,
existen seres bastos, espesos, cuya boca
da el pestífero aliento que mustia cuanto toca.
Son los bárbaros. Saben que en el mundo hay lodo,
que el cuerpo, hermano suyo, erótico y beodo,
conserva los resabios de bestia, que se abreva,
muge y fornica, en rojas alegrías de gleba.

¡El alma en armas! ¡Sitio al alma! Tal, peludos
enemigos del bosque, con los brazos desnudos,
treparon las murallas del langoroso Imperio.
Hasta el cerco en que vives en un suave misterio
la cabeza adversaria de algún bárbaro asoma.
¡Es el scyta frente a tu pecho, que es Roma!

III

Mientras en su vereda el rebaño levante
el polvo de lo sórdido, el agua es de diamante,
el sol de miel, la vida es la bella sustancia
que tiene de mujer y de flor la fragancia.

Médula de alegría circular por los huesos
del mundo, que se mueve movido por los besos.
Y faena de dioses la universal faena
de ir hinchando la vida como un ánfora llena,

al rumor del gran chorro que dispara la fuente,
la fuerza creadora, la energía potente,
que al manar va llenando, de la estrella al abismo,
el universo de un murmullo de erotismo.

Al sentir un aroma de limón o manzana,
al ver la hierba con sus madejas de lana,
que ovillan los arbustos de ramas laboriosas,
al contemplar, tan blancos como el papel, con rosas
picos de ámbar, los ánades, y al tener la amatista
del mundo vegetal, derramada a la vista,
siento que se abre al fondo de mi ser una mano
de demiurgo en fiesta, que empuja al gran arcano
a este mundo tan bello a que soy bienvenido...
Un dios habita en mí; yo soy un dios caído.

IV

Invoco la paciencia divina por madrina;
quiero medrar con lenta parsimonia de encina.
No dudaré en entrar, a mi hora, de la suerte
de un nublado que esparce relámpagos y muerte,
y tras relampaguear el mensaje que es mío,
Vírulo sonreirá como cielo de estío.

Meridional y fina y vieja muchedumbre
que recortas siluetas perfectas en la lumbre
contoneando caderas que ensombrecen los chales,
¡oh raza!, volverán los días imperiales,
porque el sueño de perfección que congelara
en piedra musical, teológica y clara,
el Escorial, está de nuevo en mi alma. ¡Casas
que vivís en ceniza de siglos, de unas brasas
a medio arder de fe, sobre las que no late
el águila bicéfala del imperial combate,
se encenderán en llama romana vuestros leños,
porque soy conductor del fuego de mis sueños!

V

Me pulo igual que pule al joyel el orfebre,
quemándome en la llama de la divina fiebre
de perfección. A solas, con la sustancia eximia
de mi alma, yo laboro en la moral alquimia
de alambicar pureza sobre el dolor del horno.

¿No vale más labrar en mi alma que no en torno?

Aquí está, aquí, en el barco vivo de mis mortales
costillas, el menudo Reino de mis Anales,
mi campo de batalla formidable en que doma
sus bárbaros internos mi voluntad, que es Roma.
¡Labor de despotismo secreto que acaudilla
mi alma y en la que caigo so mi misma rodilla!
¡Dura labor, oficio violento, aprendizaje
hercúleo!
Mas, ¡oh gozo!, mi ánima es del linaje
del granito barroco de España, gris y duro,
pero hecho a perdurar en aires de futuro,
aspirando a grandezas en bravas contorsiones.

También he de grabar, en mi sillar, leones.

# PEDRO SALINAS

## VIDA

*Nació el 27 de noviembre de 1892 en Madrid. Estudió en las Facultades de Derecho y de Filosofía y Letras de la Universidad Central, se doctoró en Letras (1917) y ha sido catedrático de Lengua y Literatura española (1918) en la Universidad de Sevilla, y después en la de Murcia. De 1914 a 1917 fue lector de español en la Sorbona. Y en 1922-1923, en la Universidad de Cambridge. Actualmente es Secretario general de la Universidad Internacional de Verano de la Magdalena (Santander). Reside el resto del año en Madrid, como profesor de la Escuela Central de Idiomas.*

*Además de Francia e Inglaterra, países bien conocidos de Salinas, ha viajado por casi todos los países de Europa Central y Meridional, y ha explicado conferencias en varias de sus Universidades. Residencia habitual en Madrid, ocho años en Sevilla que influyen profundamente en el poeta; temporadas en el Levante familiar y excursiones al Africa del Norte. Estado, casado.*

*Temprana vocación de artista, pero publicación tardía, si prescindimos de tal cual aparición fugaz en las revistas de antes de la guerra. Colabora con más frecuencia en "España" (1919); luego, en "La Pluma". Conoce a Juan Ramón Jiménez, y contribuye al esfuerzo de "Indice". Desde 1920 figura el nombre de Salinas entre los más adictos al poeta de Moguer. Los trabajos profesorales e histórico-literarios de D. Ramón Menéndez Pidal encuentran en Salinas un colaborador disciplinado.*

POETICA

*"La poesía existe o no existe; eso es todo. Si es, es con tal evidencia, con tan imperial y desafectada seguridad, que se me pone por encima de toda posible defensa, innecesaria. Su delicadeza, su delgadez suma, es su grande invencible corporeidad, su resistencia y su victoria. Por eso considero la poesía como algo esencialmente indefendible. Y, claro es, en justa correlación, esencialmente inatacable. La poesía se explica sola; si no, no se explica. Todo comentario a una poesía se refiere a elementos circundantes de ella, estilo, lenguaje, sentimientos, aspiración, pero no a la poesía misma. La poesía es una aventura hacia lo absoluto. Se llega más o menos cerca, se recorre más o menos camino; eso es todo. Hay que dejar que corra la aventura, con toda esa belleza de riesgo, de probabilidad, de jugada. "Un coup de dés jamais n'abolira le hasard." No quiere decir eso que la poesía no sepa lo que quiere; toda poesía sabe, más o menos, lo que se quiere; pero no sabe tanto lo que se hace. Hay que contar, en poesía más que en nada, con esa fuerza latente y misteriosa, acumulada en la palabra debajo, disfrazada de palabra, contenida, pero explosiva. Hay que contar, sobre todo, con esa forma superior de interpretación que es* le malentendu. *Cuando una poesía está escrita se termina, pero no acaba; empieza, busca otra en sí misma, en el autor, en el lector, en el silencio. Muchas veces una poesía se revela a sí misma, se descubre de pronto dentro de sí una intención no sospechada. Iluminación, todo iluminaciones. Que no es lo mismo que claridad, esa claridad que desean tantos honrados lectores de poesías. Estimo en la poesía, sobre todo, la autenticidad. Luego, la belleza. Después, el ingenio. Llamo poeta ingenioso, por ejemplo, a Walter Savage Landor. Llamo poeta bello, por ejemplo, a Góngora, a Mallarmé. Llamo poeta auténtico, por ejemplo, a San Juan de la Cruz, a Goethe, a Juan Ramón Jiménez. Considero totalmente inútiles todas las discusiones sobre el valor relativo de la poesía y de los poetas. Toda poesía es incomparable, única, como el rayo o el grano de arena.*

*Mi poesía está explicada por mis poesías. Nunca he sabido explicármela de otra manera, ni lo he intentado. Si me agrada el pensar que aún escribiré más poesías, es justamente por ese gusto de seguir explicándome mi Poesía. Pero siempre seguro de no escribir jamás la poesía que lo explicará todo, la poesía total y final de todo. Es decir, con la esperanza ciertísima de ir operando siempre sobre lo inexplicable. Esa es mi modestia."*

P. S.

Las poesías elegidas pertenecen a los siguientes libros: 1 a 5, a *Presagios;* 6 a 11, a *Seguro azar;* 12 a 16, a *Fábula y signo;* 17 a 25, a *La voz a ti debida.*

1

AGUA en la noche, serpiente indecisa,
silbo menor y rumbo ignorado;
¿qué día nieve, qué día mar? Dime.
¿Qué día nube, eco
de ti y cauce seco?
Dime.
—No lo diré: entre tus labios me tienes,
beso te doy, pero no claridades.
Que compasiones nocturnas te basten
y lo demás a las sombras
déjaselo, porque yo he sido hecha
para la sed de los labios que nunca preguntan.

2

POSESION de tu nombre,
sola que tú permites,
felicidad, alma sin cuerpo.
Dentro de mí te llevo
porque digo tu nombre,
felicidad, dentro del pecho.
"Ven": y tú llegas quedo;
"vete": y rápida huyes.
Tu presencia y tu ausencia
sombra son una de otra,
sombras me dan y quitan.
(¡Y mis brazos abiertos!)
Pero tu cuerpo nunca,
pero tus labios nunca,
felicidad, alma sin cuerpo, sombra pura.

3

EL alma tenías
tan clara y abierta,
que yo nunca pude
entrarme en tu alma.
Busqué los atajos
angostos, los pasos
altos y difíciles...
A tu alma se iba
por caminos anchos.
Preparé alta escala
—soñaba altos muros
guardándote el alma—,
pero el alma tuya
estaba sin guarda
de tapial ni cerca.
Te busqué la puerta
estrecha del alma,
pero no tenía,
de franca que era,
entradas tu alma.
¿En dónde empezaba?
¿Acababa, en dónde?
Me quedé por siempre
sentado en las vagas
lindes de tu alma.

4

¡CUANTO rato te he mirado
sin mirarte a ti, en la imagen
exacta e inaccesible
que te traiciona el espejo!
"Bésame", dices. Te beso,
y mientras te beso, pienso
en los fríos que serán
tus labios en el espejo.
"Toda el alma para ti",
murmuras, pero en el pecho

siento un vacío que sólo
me lo llenará ese alma
que no me das.
El alma que se recata
con disfraz de claridades
en tu forma del espejo.

5

NO te veo. Bien sé
que estás aquí, detrás
de una frágil pared
de ladrillos y cal, bien al alcance
de mi voz, si llamara.
Pero no llamaré.
Te llamaré mañana,
cuando, al no verte ya
me imagine que sigues
aquí cerca, a mi lado,
y que basta hoy la voz
que ayer no quise dar.
Mañana... cuando estés
allá detrás de una
frágil pared de vientos,
de cielos y de años.

6

ORILLA

¿Si no fuera por la rosa
frágil, de espuma, blanquísima,
que él, a lo lejos, se inventa,
quién me iba a decir a mí
que se le movía el pecho
de respirar, que está vivo,
que tiene un ímpetu dentro,
que quiere la tierra entera,
azul, quieto, mar de julio?

## 7
## FAR WEST

¡QUE viento a ocho mil kilómetros!
¿No ves cómo vuela todo?
¿No ves los cabellos sueltos
de Mabel, la caballista
que entorna los ojos limpios
ella, viento, contra el viento?
¿No ves
la cortina estremecida,
ese papel revolado
y la soledad frustrada
entre ella y tú por el viento?

Sí, lo veo.
Y nada más que lo veo.
Ese viento
está al otro lado, está
en una tarde distante
de tierras que no pisé.
Agitando está unos ramos
sin dónde,
está besando unos labios
sin quién.
No es ya el viento, es el retrato
de un viento que se murió
sin que yo lo conociera,
y está enterrado en el ancho
cementerio de los aires
viejos, de los aires muertos.

Sí le veo, sin sentirle.
Está allí, en el mundo suyo,
viento de cine, ese viento.

8

## DON DE LA MATERIA

ENTRE la tiniebla densa
el mundo era negro: nada.
Cuando de un brusco tirón
—forma recta, curva forma—
le saca a vivir la llama.
Cristal, roble, iluminados
¡qué alegría de ser tienen,
en luz, en líneas, ser
en brillo y veta vivientes!
Cuando la llama se apaga,
fugitivas realidades,
esa forma, aquel color,
se escapan.
¿Viven aquí o en la duda?
Sube lenta una nostalgia
no de luna, no de amor,
no de infinito. Nostalgia
de un jarrón sobre una mesa.
¿Están?
Yo busco por donde estaban.
Desbrozadora de sombras
tantea la mano. A oscuras,
vagas huellas sigue el ansia.
De pronto, como una llama
sube una alegría altísima
de lo negro: luz del tacto.
Llegó al mundo de lo cierto.
Toca el cristal, frío duro,
toca la madera, áspera.
¡Están!
La sorda vida perfecta,
sin color, se me confirma,
segura, sin luz, la siento:
realidad profunda, masa.

## 9

## M A S

¿QUE voy a ponerte a ti:
galeras de fantasía,
azahar falso, sombra falsa?

¿Qué voy a ponerte a ti,
tarde del día catorce,
si tú ya lo tienes todo:
naranjo sin flor ni fruto,
mar sin vela, luz de agosto?

En tu perfección parada,
inmóvil, así, dejarte
salvada de tu pasar,
quisiera.

¡Eternidad te pondría!

## 10

## MIRAR LO INVISIBLE

LA tarde me está ofreciendo
en la palma de su mano,
hecha de enero y de niebla,
vagos mundos desmedidos
de esos que yo antes soñaba,
que hoy ya no quiero.
Y cerraría los ojos
para no verlo. Si no
los cierro
no es por lo que veo.
Por un mundo sospechado
concreto y virgen detrás,
por lo que no puedo ver
llevo los ojos abiertos.

11

## FE MIA

No me fio de la rosa
de papel,
tantas veces que la hice
yo con mis manos.
Ni me fío de la otra
rosa verdadera,
hija del sol y sazón,
la prometida del viento.
De ti que nunca te hice,
de ti que nunca te hicieron,
de ti me fío, redondo
seguro azar.

12

## LA OTRA

SE murió porque ella quiso;
no la mató Dios
ni el Destino.

Volvió una tarde a su casa
y dijo por voz eléctrica,
por teléfono, a su sombra:
"¡Quiero morirme,
pero sin estar en la cama,
ni que venga el médico
ni nada. Tú, cállate!"

¡Qué silbidos de venenos
candidatos se sentían!
Las pistolas en bandadas
cruzaban sobre alas negras
por delante del balcón.
Daban miedo los collares
de tanto que se estrecharon.
Pero no. Morirse quería ella.
Se murió a las cuatro y media
del gran reloj de la sala,
a las cuatro y veinticinco
de su reloj de pulsera.
Nadie lo notó. Su traje
seguía lleno de ella,
en pie, sobre sus zapatos,
hasta las sonrisas frescas
arriba en los labios. Todos
la vieron ir y venir,
como siempre.
No se le mudó la voz,
hacía la misma vida
de siempre.
Cumplió diecinueve años
en marzo siguiente: "Está
más hermosa cada día",
dijeron en ediciones
especiales los periodicos.

La heredera sombra cómplice,
prueba rosa, azul o negra,
en playas, nieves y alfombras,
los engaños prolongaba.

13

## RESPUESTA A LA LUZ

SI, sí, dijo el niño; sí.
Y nadie le preguntaba.
¿Qué le ofrecías, la noche,
tu silencio, qué le dabas
para que él dijera a voces,
tanto sí, que sí, que sí?
Un gran mundo sin preguntas,
vacías las negras manos
—ámbitos de madrugada—,
alrededor enmudece.
Los síes—¡qué golpetazos
de querer en el silencio!—,
las últimas negativas
a la noche le quebraban.
Sí, sí a todo, a todo sí,
a la nada sí, por nada.

Allá por los horizontes
—sin que nadie—él sólo: nadie—
la escuchara, sigilosa
de albor, rosa y brisa tierna,
iba la pregunta muda,
naciendo ya la mañana.

14

## LA SIN PRUEBAS

¡CUANDO te marchas, qué inútil
buscar por donde anduviste,
seguirte!
Si has pisado por la nieve
sería como las nubes

—su sombra—, sin pies, sin peso
que te marcara.
Cuando andas
no te diriges a nada
ni hay senda que luego diga:
"Pasó por aquí."
Tú no sales del exacto
centro puro de ti misma:
son los rumbos confundidos
los que te van al encuentro.
Con la risa o con las voces
tan blandamente
descabalas el silencio
que no le duele, que no
te siente:
se cree que sigue entero.
Si por los días te busco
o por los años,
no salgo de un tiempo virgen:
fué ese año, fué tal día,
pero no hay señal:
no dejas huella detrás.
Y podrás negarme todo,
negarte a todo podrás,
porque te cortas los rastros
y los ecos y las sombras.
Tan pura ya, tan sin pruebas,
que cuando no vivas más,
yo no sé en qué voy a ver
que vivías,
con todo ese blanco inmenso
alrededor, que creaste.

15

## LUZ DE LA NOCHE

ESTOY pensando, es de noche,
en el día que hará allí

donde esta noche es de día.
En las sombrillas alegres,
abiertas todas las flores,
contra ese sol, que es la luna
tenue que me alumbra a mí.
Aunque todo está tan quieto,
tan en silencio en lo oscuro,
aquí alrededor,
veo a las gentes veloces
—prisa, trajes claros, risa—,
consumiendo, sin parar,
a pleno goce, esa luz
de ellos, la que va a ser mía
en cuanto alguien diga allí
"ya es de noche".
La noche donde yo estoy
ahora,
donde tú estás junto a mí
tan dormida y tan sin sol
en esa
noche y luna del dormir,
que pienso en el otro lado
de tu sueño, donde hay luz
que yo no veo.
Donde es de día y paseas
—te sonríes al dormir—
con esa sonrisa abierta,
que la noche y yo sentimos
que no puede ser de aquí.

16

## PREGUNTA MAS ALLA

¿POR qué pregunto dónde estás
si no estoy ciego,
si tú no estás ausente?

Si te veo
ir y venir,
a ti, a tu cuerpo alto
que se termina en voz,
como en humo la llama,
en el aire, impalpable.

Y te pregunto, sí,
y te pregunto de qué eres,
de quién;
y abres los brazos
y me enseñas
la alta imagen de ti
y me dices que mía.

Y te pregunto, siempre.

17

¡SI, todo con exceso:
la luz, la vida, el mar!
Plural todo, plural,
luces, vidas y mares.
A subir, a ascender
de docenas a cientos,
de cientos a millar,
en una jubilosa
repetición sin fin,
de tu amor, unidad.
Tablas, plumas y máquinas,
todo a multiplicar,
caricia por caricia,
abrazo por volcán.
Hay que cansar los números.
Que cuenten sin parar,
que se embriaguen contando,
y que no sepan ya

cuál de ellos será el último:
¡qué vivir sin final!
Que un gran tropel de ceros
asalte nuestras dichas
esbeltas, al pasar,
y las lleve a su cima.
Que se rompan las cifras,
sin poder calcular
ni el tiempo ni los besos.
Y al otro lado ya
de cómputos, de sinos,
entregarnos a ciegas
—!exceso, qué penúltimo!—
a un gran fondo azaroso
que irresistiblemente
está
cantándonos a gritos
fúlgidos de futuro:
"Eso no es nada, aún.
Buscaos bien, hay más."

18

QUE alegría, vivir
sintiéndose vivido.
Rendirse
a la gran certidumbre, oscuramente,
de que otro ser, fuera de mí, muy lejos,
me está viviendo.
Que cuando los espejos, los espías,
azogues, almas cortas, aseguran
que estoy aquí, yo, inmóvil,
con los ojos cerrados y los labios,
negándome al amor
de la luz, de la flor y de los nombres,
la verdad transvisible es que camino
sin mis pasos, con otros,

allá lejos, y allí
estoy besando flores, luces, hablo.
Que hay otro ser, por el que miro el mundo,
porque me está queriendo con sus ojos.
Que hay otra voz con la que digo cosas
no sospechadas por mi gran silencio;
y es que también me quiere con su voz.
La vida—¡qué transporte ya!—, ignorancia
de lo que son mis actos, que ella hace,
en que ella vive, doble, suya y mía.
Y cuando ella me hable
de un cielo oscuro, de un paisaje blanco,
recordaré
estrellas que no vi, que ella miraba,
y nieve que nevaba allá en su cielo.
Con la extraña delicia de acordarse
de haber tocado lo que no toqué
sino con esas manos que no alcanzo
a coger con las mías, tan distantes.
Y todo enajenado podrá el cuerpo
descansar quieto, muerto ya. Morirse
en la alta confianza
de que este vivir mío no era sólo
mi vivir: era el nuestro. Y que me vive
otro ser por detrás de la no muerte.

19

HORIZONTAL, sí, te quiero.
Mírale la cara al cielo,
de cara. Déjate ya
de fingir un equilibrio
donde lloramos tú y yo.
Ríndete
a la gran verdad final,
a lo que has de ser conmigo,
tendida ya, paralela,
en la muerte o en el beso.

Horizontal es la noche
en el mar, gran masa trémula
sobre la tierra acostada,
vencida sobre la playa.
El estar de pie, mentira:
sólo correr o tenderse.
Y lo que tú y yo queremos
y el día—ya tan cansado
de estar con su luz, derecho—
es que nos llegue, viviendo
y con temblor de morir,
en lo más alto del beso,
ese quedarse rendidos
por el amor más ingrávido,
al peso de ser de tierra,
materia, carne de vida.
En la noche y la trasnoche,
y el amor y el trasamor,
ya cambiados
en horizontes finales,
tú y yo, de nosotros mismos.

20

PERDONAME por ir así buscándote
tan torpemente, dentro
de ti.
Perdóname el dolor alguna vez.
Es que quiero sacar
de ti tu mejor tú.
Ese que no te viste y que yo veo,
nadador por tu fondo, preciosísimo.
Y cogerlo
y tenerlo yo en alto como tiene
el árbol la luz última
que le ha encontrado al sol.
Y entonces tú
en su busca vendrías, a lo alto.

Para llegar a él
subida sobre ti, como te quiero,
tocando ya tan sólo a tu pasado
con las puntas rosadas de tus pies,
en tensión todo el cuerpo, ya ascendiendo
de ti a ti misma.

Y que a mi amor entonces, le conteste
la nueva criatura que tú eres.

21

TU no las puedes ver;
yo, sí.
Claras, redondas, tibias.
Despacio
se van a su destino;
despacio, por marcharse
más tarde de tu carne.
Se van a nada; son
eso no más, su curso.
Y una huella, a lo largo,
que se borra en seguida.
¿Astros?

Tú
no las puedes besar.
Las beso yo por ti.
Saben; tienen sabor
a los zumos del mundo.
¡Qué gusto negro y denso
a tierra, a sol, a mar!
Se quedan un momento
en el beso, indecisas
entre tu carne fría
y mis labios; por fin
las arranco. Y no sé
si es que eran para mí.

Porque yo no sé nada.
¿Son estrellas, son signos,
son condenas o auroras?
Ni en mirar ni en besar
aprendí lo que eran.
Lo que quieren se queda
allá atrás, todo incógnito.
Y su nombre también.
(Si las llamara lágrimas
nadie me entendería.)

22

¡SI tú supieras que ese
gran sollozo que estrechas
en tus brazos, que esa
lágrima que tú secas
besándola,
vienen de ti, son tú,
dolor de ti hecho lágrimas
mías, sollozos míos!

Entonces
ya no preguntarías
al pasado, a los cielos,
a la frente, a las cartas,
qué tengo, por qué sufro.
Y toda silenciosa,
con ese gran silencio
de la luz y el saber,
me besarías más
y desoladamente.
Con la desolación
del que no tiene al lado
otro ser, un dolor
ajeno; del que está
solo ya con su pena.

Queriendo consolar
en un otro quimérico
el gran dolor que es tuyo.

23

¡QUE de pesos inmensos,
se apoyan
—maravilla, milagro—,
en aires, en ausencias,
en papeles, en nada!
Roca descansa en roca
cuerpos yacen en cunas,
en tumbas; ni las islas
nos engañan, ficciones
de falsos paraísos
flotantes sobre el agua.
Pero a ti, a ti, memoria
de un ayer que fue carne
tierna, materia viva,
y que ahora ya no es nada
más que peso infinito,
gravitación, ahogo,
dime, ¿quién te sostiene
soledad de la noche?
A ti, afán de retorno,
anhelo de que vuelvan
invariablemente,
exactas a sí mismas,
las acciones más nuevas
que se llaman futuro,
¿quién te va a sostener?
Signos y simulacros
trazados en papeles
blancos, verdes, azules,
querrían ser tu apoyo
eterno, ser tu suelo,
tu prometida tierra.

Pero luego, más tarde,
se rompen—unas manos—,
se deshacen, en tiempo,
polvo, dejando sólo
vagos rastros fugaces,
recuerdos, en las almas.
¡Sí, las almas, finales!
¡Las últimas, las siempre
elegidas, tan débiles,
para sostén eterno
de los pesos más grandes!
Las almas, como alas
sosteniéndose solas
a fuerza de aleteo
desesperado, a fuerza
de no pararse nunca,
de volar, portadoras
por el aire, en el aire,
de aquello que se salva.

24

¡QUE cuerpos leves, sutiles,
hay, sin color,
tan vagos como las sombras,
que no se pueden besar
si no es poniendo los labios
en el aire, contra algo
que pasa y que se parece!

¡Y qué sombras tan morenas
hay, tan duras
que su oscuro mármol frío
jamás se nos rendirá
de pasión entre los brazos!

¡Y qué trajín, ir, venir,
con el amor en volandas,
de los cuerpos a las sombras,
de lo imposible a los labios,
sin parar, sin saber nunca
si es alma de carne o sombra
de cuerpo lo que besamos,
si es algo! ¡Temblando
de dar cariño a la nada!

## 25

¿LAS oyes cómo piden realidades,
ellas, desmelenadas, fieras,
ellas, las sombras que los dos forjamos
en este inmenso lecho de distancias?
Cansadas ya de infinitud, de tiempo
sin medida, de anónimo, heridas
por una gran nostalgia de materia,
piden límites, días, nombres.
No pueden
vivir así ya más: están al borde
del morir de las sombras, que es la nada.
Acude, ven conmigo.
Tiende tus manos, tiéndeles tu cuerpo.
Los dos les buscaremos
un color, una fecha, un pecho, un sol.
Que descansen en ti, sé tú su carne.
Se calmará su enorme ansia errante,
mientras las estrechamos
ávidamente entre los cuerpos nuestros
donde encuentren su pasto y su reposo.
Se dormirán al fin en nuestro sueño
abrazado, abrazadas. Y así luego,
al separarnos, al nutrirnos sólo
de sombras, entre lejos,
ellas

tendrán recuerdos ya, tendrán pasado
de carne y hueso,
el tiempo que vivieron en nosotros.
Y su afanoso sueño
de sombras, otra vez, será el retorno
a esta corporeidad mortal y rosa
donde el amor inventa su infinito.

# JORGE GUILLEN

## VIDA

*Jorge Guillén nació en Valladolid el 13 de enero de 1893. Residió en Suiza de 1909 a 1911. Estudia Filosofía y Letras en Madrid y Granada, licenciándose en 1913. Conoce Alemania en 1914. En París, como lector de español de la Sorbona, reside de 1917 a 1923. Contrae matrimonio en 1921. Se doctora en Letras en Madrid, 1924. En 1925 obtiene la cátedra de Literatura Española de la Universidad de Murcia, donde explica tres cursos. De 1929 a 1931, lector en la Universidad de Oxford. Actualmente es catedrático de la de Sevilla. Ha colaborado en varios periódicos y revistas. Ha traducido versos de Paul Valéry y Jules Supervielle y prosa de Paul Claudel; y, a su vez, sus poesías han sido traducidas y publicadas en inglés, francés e italiano.*

## POETICA

### CARTA A FERNANDO VELA

*"Valladolid, Viernes Santo, 1926.*

*Mi querido Vela: ¡Viernes Santo! ¿Cómo hablar de poesía pura, en este día, sin énfasis? Porque lo de* puro, *tan ambiguo, con tantas resonancias morales, empuja ya al énfasis, a la confusión y a poner en la pureza todos los "Encantos de Viernes Santo", como ha hecho el abate Brémond, cuyo punto de vista no puede ser más opuesto al de cualquier "poesía pura", como me decía hace pocas semanas el propio Valéry. Brémond ha sido y es útil: representa la apologética popular, una como catequística poética para el domingo por la mañana. Y su discurso es un sermón. Pero ¡qué lejos está de todo ese misticismo, con su fantasma metafísico e inefable, de la poesía pura, según Poe, según Valéry o según los jóvenes de allí o de aquí! Brémond habla de la poesía en el poeta, de un* estado poético, *y eso ya es mala señal. No, no. No hay más poesía que la realizada en el poema, y de ningún modo puede oponerse al poema un "estado" inefable que se corrompe al realizarse y que por milagro atraviesa el cuerpo poemático: lo que el buen abate llama confusamente "ritmos, imágenes, ideas", etc. Poesía pura es matemática y es química—y nada más—, en el buen sentido de esa expresión lanzada por Valéry, y que han hecho suya algunos jóvenes, matemáticos o químicos, entendiéndola de modo muy diferente, pero siempre dentro de esa dirección inicial y fundamental. El mismo Valéry me lo repetía, una vez más, cierta mañana en la rue de Villejust. Poesía pura es todo lo que permanece en el poema después de haber eliminado todo lo que no es poesía.* Pura *es igual a* simple, *químicamente. Lo cual implica, pues, una definición esencial, y aquí surgen las variaciones. Puede ser este concepto aplicable a la poesía ya hecha, y cabría una historia de la poesía española, determinando la* cantidad*—y, por tanto, la naturaleza—de elementos simples poéticos que haya en esas enormes compilaciones heterogéneas del pasado. Es el propósito que guía, por ejemplo, a un Gerardo Diego—y a mí también—. Pero cabe asimismo la fabricación—la creación—de un poema compuesto únicamente de elementos poéticos en todo el rigor del análisis: poesía poética, poesía* pura*—poesía simple prefiero yo, para evitar los equívocos del abate—. Es lo que se propone, por ejemplo, nuestro amigo Gerardo Diego en sus obras creacionistas. Como a lo* puro *lo llamo* simple, *me decido resueltamente por la poesía compuesta, compleja, por el poema con poesía y otras cosas humanas. En suma, una "poesía bastante pura",* ma non troppo, *si se toma como unidad de comparación el elemento* simple *en todo su inhumano o sobrehumano rigor posible, teórico. Prácticamente, con referencia a la poesía realista, o con fines sentimentales, ideológicos, morales, corriente en el mercado, esta "poesía bas-*

*tante pura" resulta todavía, ¡ay!, demasiado inhumana, demasiado irrespirable y demasiado aburrida. Pero no terminaría nunca. Aquí lo dejo.*

*Su amigo*

Jorge Guillén."

Las poesías elegidas pertenecen a los siguientes libros: 1, 3 a 7, 9 y 10, 12 y 14 a 18, a *Cántico;* 13, impresa en pliego suelto por M. Altolaguirre; 19, a *Antología 1915-1931;* 2, 8, 11, 20 y 21, inédito.

1

## ADVENIMIENTO

¡OH luna! ¡Cuánto abril!
¡Que vasto y dulce el aire!
Todo lo que perdí
volverá con las aves.

Sí, con las avecillas
que en coro de alborada
pían y pían, pían
sin designio de gracia.

La luna está muy cerca,
quieta en el aire nuestro.
El que yo fui me espera
bajo mis pensamientos.

Cantará el ruiseñor
en la cima del ansia.
¡Arrebol, arrebol
entre el cielo y las auras!

¿Y se perdió aquel tiempo
que yo perdí? La mano
dispone, dios ligero,
de esta luna sin año.

2

## NATURALEZA VIVA

¡TABLERO de la mesa
que, tan exactamente
raso nivel, mantiene
resuelto en una Idea

su plano: puro, sabio,
mental para los ojos
mentales! Un aplomo,
mientras, requiere al tacto,

que palpa y reconoce
cómo el plano gravita
con pesadumbre rica
de leña, tronco, bosque

de nogal. ¡El nogal
confiado a sus nudos
y vetas, a su mucho
tiempo de potestad

reconcentrada en este
vigor inmóvil, hecho
materia de tablero
siempre, siempre silvestre!

3

## LA TORMENTA

¿VISPERA? Colmo torpe
se resquebraja. Van
en busca de otro mar
embates de rebotes

de bronce en bronces. Lívidos
gritos lanza a los seres
el espacio. Presiente
sus límites perdidos.

¡Tinieblas en acecho,
cárdeno sobresalto,
choques! Choques de pasmos
deslumbran a unos cielos

fugados que se huyen.
¡Y se arrojan instantes
atónitos de mármoles
mártires de las lumbres!

Una luz resucita
desnudos. Silbos sesgos
arrebatan lo cierto.
¿Víspera? ¡Viva, viva!

4

## CIMA DE LA DELICIA

¡CIMA de la delicia!
Todo, en el aire, es pájaro.
Se cierne lo inmediato
resuelto en lejanía.

¡Hueste de esbeltas fuerzas!
¡Qué alacridad de mozo
en el espacio airoso,
henchido de presencia!

El mundo tiene cándida
profundidad de espejo:
las más claras distancias
sueñan lo verdadero.

¡Dulzura de los años
irreparables! ¡Bodas
tardías, con la historia
que desamé a diario!

¡Más, todavía más!
Hacia el sol, en volandas,
la plenitud se escapa.
¡Ya sólo sé cantar!

5

## LOS NOMBRES

ALBOR. El horizonte
entreabre sus pestañas,
y empieza a ver. ¿Qué? Nombres.
Están sobre la pátina

de las cosas. La rosa
se llama todavía
hoy rosa, y la memoria
de su tránsito, prisa.

¡Prisa de vivir más!
¡A largo amor nos alce
esa pujanza agraz
del Instante, tan ágil

que en llegando a su meta
corre a imponer: Después!
¡Alerta, alerta, alerta!
¡Yo seré, yo seré!

¿Y las rosas?... Pestañas
cerradas: horizonte
final. ¿Acaso nada?
Pero quedan los nombres.

6

## ESTATUA ECUESTRE

PERMANECE el trote aquí,
entre su arranque y mi mano:
bien ceñida queda así
su intención de ser lejano.
Porque voy en un corcel
a la maravilla fiel:
inmóvil con todo brío.
¡Y a fuerza de cuánta calma
tengo en bronce toda el alma,
clara en el cielo del frío!

7

## BEATO SILLON

¡BEATO sillón! La casa
corrobora su presencia
con la vaga intermitencia
de su invocación en masa
a la memoria. No pasa
nada. Los ojos no ven,
saben. El mundo está bien
hecho. El instante lo exalta
a marea, de tan alta,
de tan alta, sin vaivén.

8

## PERFECCION

QUEDA curvo el firmamento,
compacto, azul, sobre el día.

Es el redondeamiento
del esplendor: mediodía.
Todo es cúpula. Reposa,
central sin querer, la rosa,
a un sol en cenit sujeta.
Y tanto se da el presente
que al pie caminante siente
la integridad del planeta.

9

## LA SALIDA

¡SALIR por fin, salir
a glorias, a rocíos
(certera ya la espera,
ya fatales los ímpetus),
resbalar sobre el fresco
dorado del estío,
¡gracias!, hasta oponer
a las ondas el tino
gozoso de los músculos
subitos del instinto,
lanzar, lanzar sin miedo
los lujos y los gritos
a través de la aurora
central de un paraíso,
ahogarse en plenitud
y renacer clarísimo
(¡rachas de espacios vírgenes,
acordes inauditos!),
feliz, veloz, astral,
ligero y sin amigo!

10

## LAS SOMBRAS

SOL. Activa persiana.
Laten sombras. —¿Quién entra?
... Huyen. Soy yo: pisadas.

(¡Oh, con palpitación
de párpado, persiana
de soledad o amor!)

Quiero lo transparente.
También las sombras quiero,
transparentes y alegres.

(¡Las sombras, tan esquivas,
soñaban con la palma
de la mano en caricia!)

¿Tal vez mi mano?... Pero
no, no puede. Las sombras
son intangibles: sueños.

## 11

## LAS LLAMAS

LAS llamas buscan noche.
La noche atesorada
más allá, la muy noble.

¡Con qué avidez indagan
avanzando por ámbitos
desolados! ¿No hay nada?

Tanto se obstinan, tanto
que asciende a sus desiertos
oro maravillado.

¿No basta el oro? ¡Viento:
aparece, socorre
con tu forma al deseo!

... Y creándose, torpes
manos palpan un cuerpo:
Toro aún y ya noche.

12

## LOS AIRES

¡DAMAS altas, calandrias!

Junten su elevación
algazara y montaña,
todavía crecientes
gracias a la mañana
trémula del rocío,
tan cándida y sin tasa,
bajo el cielo inventor
de distancias, de fábulas.

¡Libertad de la luz,
damas altas, calandrias,
lo rubio, lo ascendente!

Sean así la traza,
tan simple aún, clarísima,
de las profundas Nadas
gozosas de los aires,
con un alma inmediata,
sí, visible, total,
¡ah!, para la mirada
de los siempre amadores.

¡Damas altas, calandrias!

13

## A R D O R

ARDOR. Cornetines suenan
tercos, y en las sombras chispas
estallan. Huele a un metal

envolvente. Moles. Vibran
extramuros despoblados
en torno a casas henchidas
de reclusión y de siesta.
En sí la luz se encarniza.
¿Para quién el sol? Se juntan
los sueños de las avispas.
¿Quedará el ardor a solas
con la tarde? Paz vacía:
cielo abandonado al cielo,
sin un testigo, sin línea.
Pero sobre un redondel
cae de repente y se fija,
redonda, compacta, muda,
la expectación. Ni respira.
¡Qué despejado lo azul,
qué gravitación tranquila!
Y en el silencio se cierne
la unanimidad del día,
que ante el toro estupefacto
se reconcentra amarilla.
¡Ardor: reconcentración
de espíritus en sus dichas!
Bajo Agosto van los seres
profundizándose en minas.
¡Calientes minas del ser,
calientes de ser! Se ahincan,
se obstinan profundamente
masas en bloques. ¡Canícula
de bloques iluminados,
plenarios, para más vida!
Todo en el ardor va a ser,
¡amor!, lo que más sería.
—¡Ser más, ser lo más, y ahora
alzarme a la maravilla
tan mía, que está aquí ya,
que me rige! La luz guía.

14

## NOCHE DE LUNA

(SIN DESENLACE)

ALTITUD veladora:
descienden ya vigías
por tanta luz de luna.

¡Astral candor del mar!
Los plumajes del frío
tensamente se ciernen.

Y, planicie, la espera:
callada se difunde
la expectación de espuma.

¡Ah! ¿Por fin?... Desde el fondo,
los sueños de las algas
a la noche iluminan.

Voluntad de lo leve:
adorables arenas
exigen gracia al viento.

¡Ascensión a lo blanco!
Los muertos más profundos,
aire en el aire, van.

Difícil delgadez:
¿busca el mundo una blanca,
total, perenne ausencia?

15

## LOS JARDINES

TIEMPO en profundidad: está en jardines.
Mira cómo se posa. Ya se ahonda.
Ya es tuyo su interior. ¡Qué transparencia

de muchas tardes, para siempre juntas!
Sí, tu niñez: ya fábula de fuentes.

16

## NOCHE ENCENDIDA

TIEMPO, ¿prefieres la noche encendida?
¡Qué lentitud, soledad, en tu colmo!
Bien, radiador, ruiseñor del invierno.
¿La claridad de la lámpara es breve?
Cerré las puertas: el mundo me ciñe.

17

## PRIMAVERA DELGADA

CUANDO el espacio, sin perfil, resume
con una nube

su vasta indecisión a la deriva...
¿dónde la orilla?

Mientras el río con el rumbo en curva
se perpetúa

buscando sesgo a sesgo, dibujante,
su desenlace,

mientras el agua, duramente verde,
niega sus peces

bajo el profundo equívoco reflejo
de un aire trémulo...

Cuando conduce la mañana, lentas,
sus alamedas

gracias a las estelas vibradoras
entre las frondas,

a favor del avance sinuoso
que pone en coro

la ondulación suavísima del cielo
sobre su viento

con el curso tan ágil de las pompas,
que agudas bogan...

¡Primavera delgada entre los remos
de los barqueros!

18

## DESNUDO

BLANCOS, rosas... Azules casi en veta,
retraídos, mentales.
Puntos de luz latente dan señales
de una sombra secreta.

Pero el color, infiel a la penumbra,
se consolida en masa.
Yacente en el verano de la casa,
una forma se alumbra.

Claridad aguzada entre perfiles,
de tan puros tranquilos,
que cortan y aniquilan con sus filos
las confusiones viles.

Desnuda está la carne. Su evidencia
se resuelve en reposo.
Monotonía justa: prodigioso
colmo de la presencia.

¡Plenitud inmediata, sin ambiente,
del cuerpo femenino!
Ningún primor: ni voz ni flor. ¿Destino?
¡Oh absoluto Presente!

19

## ESOS CERROS

¿PUREZA, soledad? Allí: son grises.
Grises intactos que ni el pie perdido
sorprendió, soberanamente leves.
Grises junto a la Nada, melancólica,
bella, que el aire acoge como un alma,
visible de tan fiel a un fin: la espera.
—¡Ser, ser, y aún más remota, para el humo,
para los ojos de los más absortos,
una Nada amparada: gris intacto
sobre tierna aridez, gris de esos cerros!

20

## EL DISTRAIDO

¡QUE bien llueve por el río! Llueve poco y llueve
tan tiernamente
que a veces
vaga en torno de un hombre la paciencia del musgo.
A través de lo húmedo
punzan, huyen amagos
de presagios.
Amable todavía por los últimos
términos arbolados,
un humo
va dibujando
yedras.

¿Para quién de esta soledad? ¿Para el más vacante?
Alguien,
alguien espera.
Y yo voy—¿quién será?—por el río, por un río
recién llovido.
¿Por qué me miran tanto
los álamos,
si apenas los ve mi costumbre?
En su silencio el abandono alarga la rama
deshabitada.
Pero flora cortés aún emerge sobre un agua
de octubre.
Yo por el verde liso
voy buscando a los dos
aquí perdidos:
al pescador atento que, muy joven,
de bruces
en la ribera, nubes
recoge
de la corriente, distraídas,
y al músico pródigo que, sin mucha pericia,
por entre las orillas
va cantando y dejando las palabras en sílabas
desnudas y continuas,
lararira, lararira, lararira...
¡Entre dientes y labios
he de tener al tiempo!
Sin mirar contemplando,
aquí no, más allá de la mirada
sí veo.
¡Yo sé de un río en que por la mañana
flotan, se cruzan
curvas
de márgenes!
Errantes,
a punto de no ser, ¿adónde
van las yedras, hacia qué torres

de nadie?
A través de lo húmedo
se abren
túneles con anhelo de extramuros:
hacia puentes amantes,
hacia caminos bajo algún follaje,
hacia refugios
de lejanía en valles.
¡Embeleso tarareado!
¡Cómo sueña la voz que se tumba en el canto
perdido!
¡Tan perdido y fluido hacia ensanches de días
sin lindes, resbalados!
Lararira, lararira, lararira...
El curso del río
conduce.
Las nubes,
desmoronándose tranquilas,
guardan su lentitud, no se detienen,
y me acercan los cielos
en una sucesión sin pesadumbre
de eterno firmamento.
¡Cortas, urgentes
verticales de lluvia, haz de apuntes!
Llueve y no hay malicia,
llueve.
Lararira...
Oigo
caer a las gotas,
que se derraman, sin fuerza de globos,
sobre las últimas hojas
crujidoras,
aún pendientes del otoño.
En tanto, sucediéndose visibles las burbujas,
el río reúne y ofrece un arrullo
continuo, seguro.

¿Nadie escucha?
Para mí, para mí todo el amor del musgo.
¡Ventura:
alma tarareada goza de río suyo!

21

## VIENTO SALTADO

¡OH violencia de revelación en el viento
profundo y amigo!
¡El día plenario profundamente se agolpa
sin resquicios!

¡Y oigo una voz entre rumores de espesuras,
oigo una voz
que, de repente desligada, quiere
más: más creación!

¡Esa blancura de nieve salvada
que es fresno,
la ligereza de un goce cantado,
un avance en el viento!

¡En el viento, por entre el viento
saltar, saltar,
porque sí, porque sí, porque
zas!

¡Arrancar, ascender—y un nivel
de equilibrio,
que en apariciones de flor apunta y suspende
su ímpetu!

¡Por el salto a un segundo
de cumbre,
que la Tierra sostiene sobre irrupciones
de fustes!

¡Por el salto a una cumbre!
¡Mis pies
sienten la Tierra en una ráfaga
de redondez!

¡Cuerpo en el viento y con cuerpo la gloria!
¡Soy
del viento, soy a través de la tarde más viento,
soy más que yo!

# DAMASO ALONSO

## VIDA

*Nació en Madrid en 1898. Vive ordinariamente en Madrid y veranea en Ribadeo (Lugo) durante sus años de estudiante. Obtiene los títulos de licenciado en Derecho y de doctor en Letras. Desde 1921 pertenece al Centro de Estudios Históricos y colabora en los Cursos para Extranjeros y en la "Revista de Filología Española". Ha pasado nueve años enseñando literatura y lengua española en Universidades extranjeras: Berlín, Cambridge y Oxford (Inglaterra), Stanford University (California) Hunter College y Columbia University (Nueva York). Actualmente es catedrático de Lengua y Literatura Española en la Universidad de Valencia. Estado, casado. Literariamente ha simultaneado sus trabajos de Filología e Historia Literaria (Erasmo, Gil Vicente, poesía clásica española), con sus obras de creación poética y literaria, publicadas parcialmente en revistas, pero no recogidas en libro las posteriores a 1921. Pueden leerse sus colaboraciones en la "Revista de Occidente", "Revista de las Españas", "Sí", "Horizonte", "La Gaceta Literaria", "La Verdad", de Murcia; "Verso y Prosa", etc.*

## POETICA

### EXPLICACIÓN DE LA POESÍA

*"La Poesía es un fervor y una claridad. Un fervor, un deseo íntimo y fuerte de unión con la gran entraña del mundo y su causa primera. Y una claridad por la que el mundo mismo es comprendido de un modo intenso y no usual.*

*Este fervor procede del fondo más oscuro de nuestra existencia. El impulso poético, por su origen y su dirección, no está muy lejano del religioso y del erótico: con ellos se asocia frecuentemente.*

*Poeta es el ser humano dotado en grado eminente de este fervor y esta claridad y de una feliz capacidad de expresión.*

*Poema es un nexo entre dos misterios: el del poeta y el del lector.*

*El objeto del poema no puede ser la expresión de la realidad inmediata y superficial, sino de la realidad iluminada por la claridad fervorosa de la Poesía: realidad profunda, oculta normalmente en la vida, no intuible, sino por medio de la facultad poética, y no expresable por nuestro pensamiento lógico.*

*Históricamente, se da con mucha frecuencia el "falso poema", expresión lógica de la realidad superficial. Estos "falsos poemas" tienen a veces un valor retórico* (Ayer don Ermeguncio, aquel pedante...—Cuando recuerdo la piedad sincera...).

*Mecanismo de la producción poética. En el poeta, excitado por algún objeto de la realidad, se produce una conmoción de elementos de su profunda conciencia. El poeta siente el deseo de la creación artística: fijar aquel momento suyo, hacerlo perenne. Resuelve en palabras los elementos de su profunda conciencia, elimina los menos significativos, los enlaza por medio de un número mayor o menor de elementos lógicos y no poéticos... (El automatismo no ha sido practicado ni aun por sus mismos definidores.)*

*El poema ya está creado. Y ahora su virtualidad consiste en producir en el lector una conmoción de elementos de conciencia profunda igual o semejante a la que fue el punto de partida de la creación, hacer que el hombre volandero se abstraiga un momento en la velocidad de su camino, hacerle comprender bellamente el mundo, comprenderse a sí mismo y comprenderlo todo.*"

D. A.

Las poesías elegidas pertenecen a los siguientes libros: 1 a 3, a *Poemas puros;* 4 a 8, a *El viento y el verso;* 9 y 10, a *Antología 1915-1931.*

1

## ¿COMO ERA?

LA puerta, franca.
Vino queda y suave.
Ni materia ni espíritu. Traía
una ligera inclinación de nave
y una luz matinal de claro día.

No era de ritmo, no era de armonía
ni de color. El corazón la sabe,
pero decir cómo era no podría
porque no es forma ni en la forma cabe.

¡Lengua, barro mortal, cincel inepto,
deja la flor intacta del concepto
en esta clara noche de mi boda,

y canta mansamente, humildemente,
la sensación, la sombra, el accidente,
mientras ella me llena el alma toda!

2

## LOS CONTADORES DE ESTRELLAS

YO estoy cansado.
Miro

esta ciudad
—una ciudad cualquiera—
donde ha veinte años vivo.

Todo está igual.
Un niño
inútilmente cuenta las estrellas
en el balcón vecino.

Yo me pongo también...
Pero él va más deprisa: no consigo
alcanzarle:
Una, dos, tres, cuatro.
cinco...

No consigo
alcanzarle: Una, dos...
tres...
cuatro...
cinco...

3

## TARDE

ESTA el alma tranquila
y la tarde desnuda tiene una luz rosada.

El padre Sol vigila
—inútilmente, pues no ocurre nada—.

Mi alma está de alivio
luto, y tiene una gracia interesante
mientras el aire tibio
la empuja, sin timón, hacia adelante.

Y bien vale la pena
de dejarse llevar así, al azar...

Que toda playa es buena
y... no tengo interés en navegar.

4

## LA VICTORIA NUEVA

ESTA es la nueva escultura:

Pedestal, la tierra dura.
Ambito, los cielos frágiles.

El viento, la forma pura.
Y el sueño, los paños ágiles.

5

## MORIR

POR un sahara de nieblas,
caravana de la noche,
el viento dice a la noche
tu secreto.

Y el eco, buho a intervalos,
te lo trae de vuelta ciego
—paños de la noche—ciego.

Mundos fríos bajo lunas,
de saberlo a eternidades
y niebla, se están muriendo.

De niebla que poco a poco
te va parando a ti yertos
pies y manos, corazón
—farolillo de tu pecho,
verbena de junio, al río—.

De niebla que un hoyo negro,
engualdrapado de espantos
—¡martillo del eco, viento!—
cuévano de claridades,
sombra, te está construyendo.

## 6
## EJEMPLOS

LA veleta, la cigarra.
Pero el molino, la hormiga.
Muele pan, molino, muele.
Trenza, veleta, poesía.

Lo que Marta laboraba,
se lo soñaba María.

Dios, no es verdad, Dios no supo
cuál de las dos prefería.

Porque El era sólo el viento
que mueve y pasa y no mira.

## 7
## PUERTO CIEGO DE LA MAR

YA se han llevado el mar.
La última casa aún tiene la enseña marinera
Y las vacas (gabarras en el prado
de la marisma) hacia el ocaso hienden
la tierra crasa, donde
aún hay conchas doradas, caracolas en voz
y una canción marina.

El viento no lo sabe.
En las noches sin luna,

se va a besar el lomo de la ola
dormida sin romper.
Y a rajarse en el mástil
agudo.
Y a preñar el gran vientre de la vela.

Mas...
Se rasga en los cantiles polvorientos
y palpa como un ciego el derruido
malecón. Luego extiende su larga lengua y lame
el arenal sediento, palmo a palmo.

Hasta que vuelve
(vela de la llanura, desflecada)
a rascarse en las casas doloridas
del pueblo, en silbos largos,
contra la aurora atónita.

8

## CANCIONCILLA

OTROS querrán mausoleos
donde cuelguen los trofeos;
donde nadie ha de llorar.

Y yo no los quiero, no
(que lo digo en un cantar),
porque yo

*morir quisiera en el viento,*
*como la gente de mar*
*en el mar.*

*Me podrían enterrar*
*en el amado elemento.*

*¡Oh qué dulce descansar*
*ir sepultado en el viento,*

*como un capitán del viento:*
*como un capitán del mar*
*muerto en medio de la mar!*

9

## A UNA HABITACION

PRISION de cal y de canto,
ataúd de piso y techo,
anclado en la cruz exacta
de los espacios y el tiempo,
en mar de campos, marina
de horas mansas, tierra adentro.

Seis planos pulcros velaban
un corazón volandero
(puerta patente a la vida;
ventana abierta al ensueño),
y una lámpara soñaba,
dormida, en la noche, puerto.

Desarraigado de ti,
por mar, por tierra, me muevo.
Por forma y luz: hondo tajo
de olvido, que cruza el tiempo,
puente, roto hacia mi vida,
de orillas de tu recuerdo.

Que, aguas azules, los días
te irán los muros lamiendo,
y un viento frío, el espacio,
te impele, navío muerto,
a medida que tu carne
rasgo, mi tierra, y me alejo.

10

## TORMENTA

### PAUSA

PAUSA, espantosa pausa
de pálpebras de plomo,
tromba dormida al aire,
pompa de paños, polvo,

donde irrumpen frenéticas
cien mil cristalerías
de fábricas de viento,
que el huracán derriba,

y un martillo de sangre
—¡clo!—que estrangula a pausas
—¡morir!—las simas súbitas
—silencio—de la ráfaga.

### PROFUNDIDAD

Cavernas que a la rosa
se asoman de los vientos,
si las persigna el rayo,
¿augurio de bostezo,

profundidad? No: dime,
tu centro inviolable,
¿hacia qué aurora extática,
rosa sin viento, late?

Mas callarás. E incógnito
—cavernas, bajo el rayo—
el corazón del mundo
late en la sombra, tácito.

## BURLA

Por las praderas hondas,
avizor y azoradas
—¡oh ciervas en huída!—,
las ideas se escapan

con tan ligeros pies,
que si se abate el rayo
raptor del alto cielo,
no encuentra más que campo:

paréntesis de cauce,
asomos de colina,
árbol agudo, huella
de pie veloz: sonrisa.

# JUAN LARREA

## VIDA

*Nació en Bilbao en 1895. Estudió el Bachillerato en el Colegio de Miranda de Ebro, y Filosofía y Letras en la Universidad de Deusto (Bilbao). Se licenció en Letras en la Universidad de Salamanca. Después vivió habitualmente en Madrid. En 1921 ingresó en el Cuerpo de Archivos, Bibliotecas y Museos (como Manuel Machado y Moreno Villa) y trabajó algunos años en el Archivo Histórico Nacional.*

*Después de algunos viajes por Francia e Italia, decidió solicitar la excedencia voluntaria en su carrera y fijó su residencia en París, donde residió cinco años. Contrae matrimonio en 1929 y a los pocos meses emprende un viaje al Perú, y vuelve a residir en Paris desde 1931.*

*Literariamente, y prescindiendo de alguna colaboración casi infantil en revistas escolares, aparece por primera vez su firma al pie de varios poemas publicados en las revistas "Grecia" y "Cervantes" en 1919. Estos poemas, publicados algunos sin su voluntad, son su única obra impresa hasta 1926, en que funda y dirige—en unión del poeta peruano César Vallejo—su revista "Favorables París Poema", de la que sólo aparecieron dos números. Rara vez se ha visto su firma en otras revistas, si se exceptúa "Carmen", que publicó poemas de Larrea en todos sus números.*

## POETICA

(Fragmento de "Presupuesto vital") (1926).

*"Para el individuo escribir, pintar, son actos estrictamente voluntarios. El ente mejor dotado puede, en efecto, someterse a dique. Pero no es menos evidente que un irascible impulso, no tanto íntimo como nacido más atrás de su espalda, le encarará, tarde o temprano, con la obra en blanco. Hacia ella le empuja la capacidad de una lucha más: la lucha entre el temperamento dotado y el implacable artístico. Entonces es cuando todo aquel que no se sienta velludo y poblado de sí mismo, carne de animal y valor de intemperie, debe dar media vuelta hacia el silencio. Hoy el arte es un problema de generosidad. Todo menos el simulacro cobarde. Ya nos sobran poemas y esculturas y músicas para admirar la ligereza cerval a que puede llegar un rico temperamento que huye, arrojando al azar todo lo que pudiera comprometerle. Queramos, pues, o no.*

*Inteligencia y sensibilidad son enemigos, pero no en el tiempo ni en el espacio, sino en cada interior humano, donde únicamente existen. Ese y no otro es su campo de refriega.*

*No se escamotee, pues, el hombre su propio drama. No lo confunda ni lo difunda. No se consuele buscando aliados. Está solo. Por el contrario, golpee sus millares de aristas contra sí mismo y contra todos, colisiónese arcilla y soplo, declárese para siempre invicto. Esta esencia dramática es su esencia, por la que existe; la misma que engendra movimiento, calor y vida; la misma que enemista dos palabras en el cráneo del poeta y obliga a todo el idioma a entrar en ebullición; la misma que, la obra terminada, levanta en el sujeto recipiente a brazo partido contra todo lo que en él preexiste.*

*Porque, ¿qué otra cosa puede ser una obra artística que un artefacto animado, una máquina de fabricar emoción, que, introducida en un complejo humano, desencadene la multiforme vibración de lo encendido? Sólo en el polvo de esta batalla encarnarán los poblados del entresueño, amable y ávido país.*

*Véase que no presento una estética entre las numerosas que cualquier espíritu puede formular dando una pequeña vuelta filosófica alrededor de lás cosas. Nuestra literatura no es ni literatura; es pasión y vitavirilidad por los cuatro costados."*

J. L.

Los poemas elegidos pertenecen a los siguientes libros: números 1 a 22, *Antología 1915-1931;* 23 a 25, Inédito. (Los poemas 1 a 9, originales en español; 10 a 25, traducidos del original francés por G. D.).

## 1

## JUAN LARREA

SUCESION de sonidos elocuentes movidos a resplandor
es esto y esto y esto [poema
Y esto que llega a mí en calidad de inocencia hoy
que existe porque yo existo y porque el mundo existe
y porque los tres podemos dejar correctamente de existir

## 2

## TIERRA AL ANGEL CUANTO ANTES

DURMIENDO por tributo de flor a ya altos trigos
ángel en puertas de huracán sin nieve
arbusto a más alzar manos de eclipse
pies ardiendo al revés de los días yo os siento
porfiar de cautela en la cercada angustia
y deshojar coronas de mundo en mis salinas
te amasaré al cantar caudillo a fuerza de arcos
de puente asomado a tu cintura
tu mirada adolece de torre y cerradura
serenamente hablando
paciente el lobo que acecha a cada tiempo
como el trozo de mármol destinado a la estatua
de mi voz
se incorpora al helado cadáver de las horas

caen los ojos y el polvo se despierta al recuerdo
para las curvadas hoces
mas la vida se amolda a la carne que aún queda
entre dientes y losas
dime si te aflijo remedando andenes

3

## DIENTE POR DIENTE

(I Y III)

EN el país de la risa la ceniza precede al fuego
la nieve al álamo
las lagrimas a sus tronos
Lo que es esperanza en un comienzo se hace huella en el [camino
Lo que ocurre deja los colores desunidos
pero sujetos a una especie de impostura oscura
Para perder la vida no hay más que un motivo el cielo
Las bocas huelen al deseo de descubrir un hermoso crimen
Un café nunca está lejos

Unidos por una misma tendencia
cuando el alba paga las nubes con su vida
unidos por el bajorrelieve de una voz venida a menos
unidos como monedas en el precio de una mujer desnuda
los miembros de un hombre no dejan allí nada que desear
como eclipses parciales
como solos de arpa
como tiros al aire
como cerillas

TANTO progreso introducido en
nuestra jaqueca pálida miseria de estufa
sin dolor sin domador sin
nada parecido a vientre maternal y
a tesoros ocultos

Viejos lobos de esperanza fumando
en el origen de las lágrimas lejos de las
montañas que sangran por la nariz de las flores
amargura reemplaza las úlceras de lacre
Los cangrejos en las tardes de lluvia
las mujeres perdidas en cada
emboscada de frío que
sobresale aún de las ramas disfrazadas de estatura
mercancías luminosas de sus rodillas
dispuestas a caer al borde de la sombra en llamas
como grúas de sinceros impulsos
Cadenas de los siempre incomprendidos

4

## EL MAR EN PERSONA

HE aquí el mar alzado en un abrir y cerrar de ojos de pastor
He aquí el mar sin sueño como un gran miedo de tréboles en [flor
y en postura de tierra sumisa al parecer
Ya se van con sus lanas de evidencia su nube y su labor
A la sombra de un olmo nunca hay tiempo que perder

Crédula exquisita la oscuridad sale a mi encuentro
Mi frente abriga la corteza del pan que llevo adentro
cortado a pico sobre un pájaro inseguro

Y así me alejo bajo la acción del piano
que me cose a las plantas precursoras del mar
Un ciervo de otoño baja a lamer la luna de tu mano
Y ahora a mi orilla el mundo se empieza a desnudar
para morirse de árboles al fondo de mis ojos.

Mis cabellos se llenan de peces de penumbra
y de esqueletos de navíos forzosos

Sin ir más lejos
tú eres fría como el hacha que derriba el silencio
en la lucha entre el paisaje y su golpe de vista

Mas cuando el cielo exporta sus célebres pianistas
y la lluvia el olor de mi persona
cómo tu hermoso corazón se traiciona

5

## ESPINAS CUANDO NIEVA

### (EN EL HUERTO DE FRAY LUIS)

SUEÑAME suéñame aprisa estrella de tierra
cultivada por mis párpados cógeme por mis asas de sombra
alócame de alas de mármol ardiendo estrella estrella entre mis
cenizas

Poder poder al fin hallar bajo mi sonrisa la estatua
de una tarde de sol los gestos a flor de agua
los ojos a flor de invierno

Tú que en la alcoba del viento estás velando
la inocencia de depender de la hermosura volandera
que se traiciona en el ardor con que las hojas se vuelven
hacia el pecho más débil

Tú que asumes luz y abismo al borde de esta carne
que cae hasta mis pies como una viveza herida

Tú que en selvas de error andas perdida

Supón que en silencio vive una oscura rosa sin salida
y sin lucha

6

## OCUPADO

AMPAREME un autobús a motor de golondrinas
entre esta bruma rellena de miga de violín
y aun más cautelosa que un prejuicio de casta

ahora que el corazón del turismo palpita
suavemente escondido
y el universo se llena de miradas
y de gorras a cuadros

Qué asfixias en tus ojos de aeródromo asomado
a un antifaz oscurecido de suspiros
mírame extenderme sin esfuerzo
pegado a la pared
mientras mis cabellos se limitan a aplacar las grietas
de este horizonte tan mudo y ya tan mío
Veintidós de enero marcan las hojas de una luna crecida
a la orilla de un ciego moderado de cisnes

Aún es pronto para hacer un buen papel
enfrente de la chimenea que maneja su buena conducta
como supremo argumento sobre las avenidas

7

## OTOÑO IV EL OBSEQUIOSO

COMO un hombre de color el otoño sigue sus inclinaciones
una flauta contempla por los agujeros del horizonte
todo lo madre que aún queda dentro
He aquí el río que se olvida a dos dedos de los bordes
y un poco menos lejos
la lluvia que despega las palomas del viento

La lluvia registra los días hasta el fondo de los ojos
que viajan a la velocidad de los ritmos conocidos
La lluvia mientras llueve es toda oídos
y ay del que como un piano no se muerda los labios

Allí a las plantas del ocaso
la ciudad se estira y arde por los cuatro costados

Un emigrante brota de trecho en trecho
su barba crece a medida que te alejas de mi pecho
describiendo un círculo instintivo

Pero a la hora en que el cinema baja los peldaños de mármol
que conducen al fondo de cada espectador
el nivel del silencio oscila como una flor
hecho olvido por un resto de delicadeza

La luz se arrastra cortando los rastrojos
como la cola del perro que levanta la tristeza
y el horizonte se dobla bajo el peso de mis ojos

Verde de mar o sobre todo o nada
al borde del abismo de los oscuros labradores
nuestra suerte está echada
Horizonte horizonte ¿estás seguro?

Llueve a campos perdidos pedernal de mi mirada

8

## PUESTA EN MARCHA

ENTRE estos charcos de flauta
qué ave herida persigue el universo

Candado diluido en mi metal de voz

mi temperamento superficial
está velando a favor de un alma fina
y el viento se escuece en un balido roto

Esta oscura actitud de puente
que adopta estirándose el silencio
este buscar ojos y encontrar alicientes
este ausentarse en sábanas y al menor descuido

como una barca transmitida de padres a hijos
y cuando la marina de un ciego se estremece
este no ser ajeno a una docena de suspiros
será siempre un buen camino
para hacer de un álamo una excusa cortés

Como siempre el cielo finge un hermoso desinterés
y deja flotar al borde sus extremidades
pero ved las palomas que se desprenden de sus pies
al menor cambio de tiempo

9

## POSICION DE ALDEA

CONDESCENDIENTE sé frágil a lo largo
de las mieses
más calientes que un acto de presencia
Un gallo aconsejado de gris por el horizonte
escarba entre mis cabellos y hace tiempo
bajo el ala
de los brazos del reloj algo desciende
a grandes rasgos
antes de que la noche nos rocíe de frente
y mariposa
yo me siento invadido por un principio de sendero

La mayor parte del sol ilumina mi sombrero

10

## ALGUNAS VECES CON LAGRIMAS

ELIGE tu más hermosa claridad y tu corazón preferido
Es hora de sentarse en medio de la vida
Ya no te queda sino el sentido de este poco de agua que
azularon al temblar por ti los que te amaban

Tus cabellos son tan débiles que tu cabeza puede apenas sostener la noche

Cuando la felicidad se hastía y llora tanto como al atardecer la gota que le colma
cuando el clima es al cielo pensativo lo que un sombrero viejo es a la mano
cuando tus párpados luchan contra un viento de valles tan sombríos que tus inclinaciones son a tus brazos lo que la rapidez es a los trenes

No siendo ya la luz una lejana ausencia de iniciativas
ni ofreciendo la penumbra las sólidas apariencias de las bestias de carga
dispensa a manos llenas cuanto hay de alma todavía entre tus dos orillas
aprovéchate de tus cabellos para atravesar el otoño

11

## BAJO LAS ALUSIONES

SE tomaría a la luz por una animosidad
aplicada a otro objeto menos pesado que una paloma
el ala educa las miradas en el temor de nuestros ojos
cada ojo ordena la luz en su deseo de agradar

A juzgar por el número de sus hojas está el árbol muy avergonzado
la sombra sobre su debilidad el verde en el aire
cuando nos desenmascaramos severo nos vigila
no exijamos de él lo que no se puede comprender

12

## EL NIÑO OFRECE LOS OJOS A LOS TALLOS DEL VIENTO

DESHECHOS como lechos profundos de gestos pero descarnados
dejando caer nuestras paredes a lo largo de nuestro cuerpo

en este otoño que no osa llenar la distancia entre tus manos
en este otoño desfigurado por el color de mis desvelos

Adivinando las sombrillas de un viento de carne mis cicatrices
han olvidado sus llaves en los furtivos reflejos de las aguas
pero la canastilla que flota allí llena de pestañeos efímeros
me indemniza de tantas y tantas puertas cerradas detrás de ti

Comparte tú mi angustia y mis banderas llovedoras
vela por el canario que persigue su flauta entre mis huesos
que come y bebe las tardes en los huecos de ausencia de una hoja
exponiéndose a ser sorprendido demasiado lejos de su sueño

## 13

## SILLA FELICIDAD

LA caída de vuestros cabellos es el ángel que me eterniza
señora
pero cada día nos sirve una sombra de manjar posible
en la vajilla que rompe vuestra risa
sobre el fondo incansable de vuestro carácter

El abanico instalado en vuestro aire de familia
retiene su soplo y vuestro rostro se aquieta
Fuera hace entonces frío todas las piedras están huérfanas
todos los puños cerrados todas las cenizas al acecho
cada gota de sol testimonia una voluntad inclinada a amontonar
riquezas

Parcialmente sentado sobre un filón de alma no me atrevo
a oscilar de miedo a que cielo y tierra rechinen los goznes de
nuestra vida privada
Si yo os contemplo la noche deposita un árbol en el empleo de
un suspiro
Si me duermo el viento abre el armario de mi espalda
y deja huir las alas de los verdores

## 14

## NECESIDADES DE FLAUTA

LO mismo que un tejido de buen caer y por languidez nativa
lo mismo que el pájaro obtenido de los temblores de la hiedra
en nuestros ojos adheridos a las horas por matices votivos
la sombra del mar se agranda sin ruido ni extrema dulzura

La nuca del cielo se dobla a la pequeña velocidad de antaño
alguna cosa se mueve a lo lejos
músico que espantas los salmones hacia el alba
más que isla tu cabeza es casi calva
pero tú no estás contento
¿Por qué?

He aquí el invierno que viene a grandes pasos

Los ingleses del éxtasis se pierden en conjeturas

## 15

## UN COLOR LE LLAMABA JUAN

BENDIGAMOS el confort de las hormigas regulares
y la noche aún más triste que el papel secante
después de la muerte de las palabras
ahora que el silencio se hace dulcemente festín de pájaro
entre los trigos capricho de una cárcel florida

Todos los arroyos interiores hemos acudido
a aliviar este molino de individuo
único convidado que nos queda
de aquel que ha partido hacia el invierno sin pretexto
Sobre un dolor de pradera antigua
las hormigas arrastran nuestras lágrimas de este a oeste

Se fue por transparencia como las vagas promesas
de una ribera más bien banal
Hacía calor de héroe y el tiempo estaba pálido

Con una nada de delicadeza y el insomnio de las lluvias
que atrae a seda el reflejo de las catedrales
agujereemos la esponja de nuestras súplicas
para borrar el juramento de luna tejido de gusanos
donde sus ojos sostienen la esperanza de las corrientes de aire

Porque él nos dejó su tristeza
sentada al borde del cielo como un ángel obeso

## 16

## BELLA ISLA 10 DE SEPTIEMBRE

DE pie sobre el cascabel de este pulso emigrante
de este pulso de pájaros influyente sobre el humor del mar
ligero ligero
al releer tus cartas para mantenerse a distancia
de un crepúsculo más frágil que caliente es el silencio
yo sirvo de transición entre la pluma y el ángel

El cazador furtivo a esta hora cruje como un camino que se bifurca
o bien como las lilas que brotan dulcemente de los cerebros
al discutir la utilidad de una selva lejana
él acaba de perder la esperanza
como se pierde un collar a las siete
en vano es que se diga
sonreír a pesar de todo no es asesinar la tarde
aunque algunas plumas caigan de ella

Lo mismo que cuando el mar estrangula una paloma
por amor a la geografía
las olas no ocultan el efecto que el viento les produce
yo me acuerdo de tus senos en forma de ciudad

cuando mi corazón despliega sus banderas de actividad
hacia el horizonte que estalla
ingratuela
ingrata ingrata a la hora de los cumplimientos
sin más distancia que algunos paquebotes de aliento
tú eres más deseable que la guerra de los cien años
En cuanto al tiempo yo te amo como una aduana serena
te amo por transparencia te amo

Juan

17

## EN LA NIEBLA

En la niebla raza de nuestra raza domicilio
de las faltas de convicción de nuestros fantasmas
desde los gendarmes hasta las hipótesis más atrevidas
hasta los almendros obligados a presagiar el porvenir de nuestra
Europa
la nuestra la de los diplomáticos
que subordinan las flores a las secretas inclinaciones de nuestra
[piel
guardando un equilibrio exento de ociosidad
occidente bello occidente
antes que el sol encuentre la máscara que busca
entre las ramas y que ya se inclina a recoger

El hombre es la más mella conquista del aire

18

## LOCURA DEL CHARLESTON

SU olor se alía a la obediencia de mi memoria
si en el mundo existen hojas ella no tiene la culpa
los muros de alas sufren olvidos cambiables por muebles de
época
su voz agrupa en la sombra las ráfagas de ojos negros

Sus manos de habitación que comunica con el establo
respiran el orden que reina en el corazón de los rompientes de
luz
sus ojos se agrietan en la superficie de un agua de mesa
sobre la mesa una flor sostiene su presencia de espíritu

Ella come las víctimas de un durmiente solitario
al andar desprende una estatua a cada paso
pero cuando su piel no es más que una nueva forma de obe-
la pelusa que mi alma despide hacia su ombligo [diencia
sale en tribus de nieve o de huesos sacudidos por la danza
sale de los pequeños túneles de mis piernas fatigosas

19

## NO SER MAS

NO ser más que una brizna de tierra pero mezclada a la caza
de los gamos
una articulación
de soplo y de polvo
tener un chaleco sin siquiera una sombra de hiedra
y un poco de atardecer entre los ladrillos del corazón

20

## RIBERA EN QUE COMIENZAN LAS CONJETURAS

YO mantengo el silencio como un mapa de Oceanía
tus cartas de calor me llegan sin hacer ruido
He viajado tanto que mis ojos tienen la pesantez de los frutos

El horizonte abre sus manos y algunos días se le vuelan

Moneda moneda en sandalias de párpados frívolos
que luce y se gasta un poco en todas partes
Señor de cuarenta años qué ve usted?

Yo soy el explorador
que el otoño estimula
Yo interpreto trazos de viento y de nubes
empolvadas como botellas de un carácter soñador

Adoro los gestos tan frágiles que canalizan la edad
y el día que te sigue más leal que un tatuaje

En el interior de los seres hay numerosas avenidas
conduciendo a la misma estrella de mar conocida
y la experiencia sigue la espuma del corazón que bala

Las velas de la costumbre se inflan pero todavía nos queda
un poco de viento
para hacer una estatua bien orientada

La luna acaba de ser amada
en silencio
en silencio de claveles

Bello mármol de antaño

La tierra sumerge sus ojos en el origen de los árboles
pero yo te olvido según la dirección del viento

21

## UN DEBIL PARA LA LUZ

LA noche cae en abundancia
Reflexionemos pues como pájaros de lentitud
o aún mejor como plumeros sobre los muebles del silencio

Qué bella es tu manera de seguir el ejemplo de los ríos
entre las pérdidas del cielo y la canción de las islas

Tu párpado no está todavía a la altura del desenlace de las [aguas
pero eso no tiene importancia

Supongamos una iglesia rodeada de turistas
ahora que tu ojo se contrista
y que un escalofrío recorre el ángel disuelto en el agua bendita
para mejor decir al Señor
Señor
contrátanos como maniquíes de tus lágrimas
a nosotros tus pequeños funcionarios
adoramos los bombones y la compota de encantos
nosotros seremos tus aves de corral todos los días a las siete
ya que los ángeles han muerto muerto muerto
como bohardillas sin arañas y sin gritos

## 22

## GUARDANDO LAS DISTANCIAS

EN la eventualidad posible de una superficie
jamás un hombre podrá edificar tantas paredes
como veces se muerde a todo arriesgar los labios
apenas si con la ayuda de los pesados párpados de la
noche podrá hacer llegar su sangre hasta el jardín profundo
donde la espina jadeante de un surtidor
detiene su cielo al borde de una dilatada ansia de llorar

Todos los enigmas que el sol resuelve
con astros sobre sus cabeceras
como barcos cortados en dos por una línea ideal
a la derecha los horizontes los bellos naufragios padecidos
a la izquierda el aliento en cruz de las leyes físicas
piden un sitio en su razón que sangra
entre las garras de un paraíso errante hacia la lágrima infinita

Con su sangre desnuda el silencio pasea una rosa
sobre los caminos del hombre
Como una linterna sentida por no haber iluminado en suma
más que una sensación de agua fría en el remordimiento
de la sombra
más que una muleta en el lugar de cada estrella apagada

Cuanto más el tabernáculo del tiempo se rodea de rodillas
de párpados
rogando por la ligereza de las horas culpables
más lleno está el horizonte de alarmas efímeras
soñadas a río de flores por las arenas de las arenas

23

## CARNE DE MI CARNE

ENTRE lirios de falsa alarma
la insistencia de una avispa deja adivinar tu cuerpo
el ardor ahoga una presa demasiado mía para ser fingida
nodriza de dos filos sobre su lecho de convidado
el ardor deshace el nudo de la marisma viviente
donde el amor te esparce y se retira

El ancla de tu palidez se sumerge
hasta la detención de las formas    es aquí
donde la lluvia se pinta de azul el corazón
y furtiva una corriente de aire
desmiente ese gesto que significa    ignoro
el bello blanco que ofrezco

El ojo lava su párpado al borde confuso de la duda
y descompone tu cabeza en siete ruiseñores ácidos
no hay ya necesidad de apagar nuestras heridas
el espacio por sí mismo se olvida para plegarse a tus alas

24

## LUNA DE ALAS EN EL CORAZON DE LA JUSTICIA

HARA un frío de estatuas visibles
en mis manos el silencio desgreñado
cielo de multitud encogimientos de hombros
y yo estaré a la puerta sentado

En su lengua materna cuántos árboles
buscarán salvación en la elocuencia del número
cuántos cuartos vacíos gastarán sus espejos
en luchar contra un pueblo desgarrador de nieblas

Los látigos de corazón cercado de pájaros lúcidos
domarán el poniente y sus lavas de estupor
un cetro escondido será la medida única
pues yo estaré a la puerta sentado

La piedra tragará de nuevo todas las formas esenciales
el peso muerto de un niño caerá rodando como un dado
y los errores alojados en la cabeza que se desploma
harán de prisa un yo de su palidez intensa

Descalzando sus guijarros para mejor atravesar el hombre
las diademas las rutas los ojos del esplendor
impulsarán la apariencia de saber a cometer crímenes
mas yo estaré a la puerta sentado

Cuando un ser de plata saliendo de mi imagen de sombra
en previsión de una duda de un quizás de un quién sabe
pasará sin mirarla mi más hermosa tarde de otoño
en los corazones deslumbrados de dos hermanas gemelas

Al crecer una de ellas me pondrá de pie
(La otra se desplomará a la puerta)

25

## ATRACCION DEL RIESGO

AQUEL que piensa que yo deshojaré mis huesos
está mucho más cerca del cielo que de aquello que piensa
sus cenizas le cuidan su falta de arte le imagina
es puro como el hálito al tomar rumbo un velero

Si está solo los espejos del vacío le codician
el cascabel del amor extrae de su juventud
este mármol en sí que encierra todas las formas
meticulosas del pesar

Si está de pie la carne apacible le ilumina
y todos cuantos le miran
se ven en el deber de ignorarse

# GERARDO DIEGO

## VIDA

*"Nací en Santader el 3 de octubre de 1896. Estudié Filosofía y Letras en Deusto (Bilbao) con los Padres Jesuitas y me licencié en Letras en las Universidades de Salamanca y de Madrid, estudiando en esta última el Doctorado. Catedrático de Instituto desde 1920, he explicado Literatura dos cursos en Soria, ocho en Gijón y dos en Santander. Actualmente profeso en el Instituto Velázquez, de Madrid.*

*Conozco casi toda España, París y algunos rincones de Francia. En 1928 hice un viaje a la República Argentina y Uruguay. He explicado numerosas conferencias de Poesía, Literatura y Música en diversas ciudades de España y América. No he sido escritor precoz. Mis comienzos no pudieron ser más brillantes, pues tuve el honor de estrenarme como prosista en* La Revista General, *de la Editorial Calleja, donde colaboré en 1918 con Homero, Esquilo, Shakespeare, Racine, Díez-Canedo y Moreno Villa, a consecuencia de un premio que la misma casa me otorgó en un concurso pedagógico-literario. En ese mismo año comencé a intentar versos. Obtuve el Premio Nacional de Literatura de 1924-1925, al alimón con Alberti, por mis* Versos humanos.

*Creo que han influido en mis gustos y en mis versos algunos clásicos, Lope sobre todo, a quien adoro, y entre mis contemporáneos, el chileno Vicente Huidobro y Juan Larrea, a quien me une una entrañable amistad desde los años de Bilbao. También han influido en mi formación poética mis aficiones a la Naturaleza, a la Pintura y, sobre todo, a la Música."*

POETICA

*"En conferencias, artículos y libros he expuesto con alguna prolijidad mis creencias poéticas de ayer y de hoy. Aquí me limito a reunir nueve definiciones mías de la Poesía, una para cada musa:*

1.—*La Poesía es el sí y el no: el sí en ella y el no en nosotros. El que prescinda de ella —el del qué sé yo— vive entregado a todo linaje de sustitutivos y supercherías, al demonio de la Literatura, que es sólo el rebelde y sucio ángel caído de la Poesía.*

2.—*La Poesía es la encrucijada del Norte-Sur=Imaginación-Inteligencia, con el Este-Oeste=Sensibilidad-Amor.*

3.—*La Poesía no es álgebra. Es aritmética, aritmética pura. El álgebra es la Filosofía. La Literatura es todo lo más aritmética aplicada, aritmética mercantil, contabilidad.*

4.—*La Poesía es la creación por la palabra mediante la oración, la efusión amorosa, la libre invención imaginativa o el pensamiento metafísico.*

5.—*La Poesía biográficamente tiene su principio de Arquímedes, que dice: "Poesía es el volumen de anhelo espiritual que automáticamente ocupa el espacio desalojado por un volumen equivalente—casi un alma entera—de pasión humana concreta."*

6.—*La Poesía es la luminosa sombra divina del hombre. Sin él no existiría, y, sin embargo, le precede y en cierto modo le causa.*

7.—*La Poesía hace el relámpago, y el poeta se queda con el trueno atónito en las manos, su sonoro poema deslumbrado.*

8.—*La Poesía existe para el poeta en todas partes, excepto en sus propios versos. Es la invisible perseguida que llega siempre demasiado pronto a la cita. En todo poema "ha estado" la Poesía, pero ya no está. Sentimos el calor reciente de su ausencia y el modelado tibio de su carne desnuda.*

9.—*Creer lo que no vimos, dicen que es la Fe. Crear lo que nunca veremos, esto es la Poesía.*"

Los poemas y poesías elegidas pertenecen a los siguientes libros: núm. 1, a *Soria;* 2 y 3, a *Versos humanos;* 4, a *Viacrucis;* 5 a 8, a *Antología 1915-1931;* 9 a 12, a *Imagen;* 13 a 16, a *Manual de espumas;* 17, a *Fábula de Equis y Zeda;* 18, a *Poemas adrede;* 19 y 20, a *Antología 1915-1931;* 21, inédito.

1

## ROMANCE DEL DUERO

RIO Duero, río Duero,
nadie a acompañarte baja;
nadie se detiene a oír
tu eterna estrofa de agua.

Indiferente o cobarde,
la ciudad vuelve la espalda.
No quiere ver en tu espejo
su muralla desdentada.

Tú, viejo Duero, sonríes
entre tus barbas de plata,
moliendo con tus romances
las cosechas mal logradas.

Y entre los santos de piedra
y los álamos de magia
pasas llevando en tus ondas
palabras de amor, palabras.

Quién pudiera como tú,
a la vez quieto y en marcha,
cantar siempre el mismo verso
pero con distinta agua.

Río Duero, río Duero,
nadie a estar contigo baja,
ya nadie quiere atender
tu eterna estrofa olvidada,

sino los enamorados
que preguntan por sus almas
y siembran en tus espumas
palabras de amor, palabras.

2

## EL CIPRES DE SILOS

ENHIESTO surtidor de sombra y sueño,
que acongojas el cielo con tu lanza.
Chorro que a las estrellas casi alcanza,
devanado a sí mismo en loco empeño.

Mástil de soledad, prodigio isleño,
flecha de fe, saeta de esperanza.
Hoy llegó a ti, riberas del Arlanza,
peregrina al azar, mi alma sin dueño.

Cuando te vi señero, dulce, firme,
qué ansiedades sentí de diluirme
y ascender como tú, vuelto en cristales,

como tú, negra torre de arduos filos,
ejemplo de delirios verticales,
mudo ciprés en el fervor de Silos.

3

MUJER de ausencia,
escultura de música en el tiempo.
Cuando modelo el busto

faltan los pies y el rostro se deshizo.
Ni el retrato me fija con su química
el momento justo.
Es un silencio muerto
en la infinita melodía.
Mujer de ausencia, estatua
de sal que se disuelve, y la tortura
de forma sin materia.

4

HE aquí helados, cristalinos,
sobre el virginal regazo
muertos ya para el abrazo,
aquellos miembros divinos.
Huyeron los asesinos.
Qué soledad sin colores.
Oh, Madre mía, no llores.
Cómo lloraba María.
La llaman desde aquel día
la Virgen de los Dolores.

5

## ROMANCE DEL JUCAR

AGUA verde, verde, verde,
agua encantada del Júcar,
verde del pinar serrano
que casi te vio en la cuna

—bosques de san sebastianes
en la serranía oscura,
que por el costado herido
resinas de oro rezuman—,

verde de corpiños verdes,
ojos verdes, verdes lunas,

de las colmenas, palacios
menores de la dulzura,

y verde —rumor temprano
que te asoma a las espumas—
de soñar, soñar —tan niña—
con mediterráneas nupcias.

Alamos, y cuántos álamos
se suicidan por tu culpa,
rompiendo cristales verdes
de tu verde, verde urna.

Cuenca, toda de plata,
quiere en ti verse desnuda,
y se estira, de puntillas,
sobre sus treinta columnas.

No pienses tanto en tus bodas,
no pienses, agua del Júcar,
que de tan verde te añilas,
te amoratas y te azulas.

No te pintes ya tan pronto
colores que no son tuyas.
Tus labios sabrán a sal,
tus pechos sabrán a azúcar

cuando de tan verde, verde,
¿dónde corpiños y lunas,
pinos, álamos y torres
y sueños del alto Júcar?

6

## LA GIRALDA

GIRALDA en prisma puro de Sevilla,
nivelada del plomo y de la estrella,
molde en engaste azul, torre sin mella,
palma de arquitectura sin semilla.

Si su espejo la brisa enfrente brilla,
no te contemples —ay, Narcisa—, en ella:
que no se mude esa tu piel doncella,
toda naranja al sol que se te humilla.

Al contraluz de luna limonera,
tu arista es el bisel, hoja barbera,
que su más bella vertical depura.

Resbala el tacto su caricia vana.
Yo mudéjar te quiero y no cristiana.
Volumen nada más: base y altura.

7

## INSOMNIO

TU y tu desnudo sueño. No lo sabes.
Duermes. No. No lo sabes. Yo en desvelo,
y tú, inocente, duermes bajo el cielo.
Tú por tu sueño, y por el mar las naves.

En cárceles de espacio, aéreas llaves
te me encierran, recluyen, roban. Hielo,
cristal de aire en mil hojas. No. No hay vuelo
que alce hasta ti las alas de mis aves.

Saber que duermes tú, cierta, segura
—cauce fiel de abandono, línea pura—,
tan cerca de mis brazos maniatados.

Qué pavorosa esclavitud de isleño;
yo, insomne, loco, en los acantilados,
las naves por el mar, tú por tu sueño.

8

## TORERILLO EN TRIANA

TORERILLO en Triana,
frente a Sevilla.
Cántale a la sultana
tu seguidilla.

Sultana de mis penas
y mi esperanza.
Plaza de las Arenas
de la Maestranza.

Arenas amarillas,
palcos de oro.
Quién viera a las mulillas
llevarme el toro.

Relumbrar de faroles
por mí encendidos.
Y un estallido de oles
en los tendidos.

Arenal de Sevilla,
Torre del Oro.
Azulejo a la orilla
del río moro.

Azulejo bermejo,
sol de la tarde.
No mientas, azulejo,
que soy cobarde.

Guadalquivir tan verde
de aceite antiguo.
Si el barquero me pierde
yo me santiguo.

La puente no la paso,
no la atravieso.
Envuelto en oro y raso
no se hace eso.

Ay, río de Triana,
muerto entre luces.
No embarca la chalana
los andaluces.

Ay, río de Sevilla,
quién te cruzase
sin que mi zapatilla
se me mojase.

Zapatilla escotada
para el estribo.
Media rosa estirada
y alamar vivo.

Tabaco y oro. Faja
salmón. Montera.
Tirilla verde baja
por la chorrera.

Capote de paseo.
Seda amarilla.
Prieta para el toreo
la taleguilla.

La verónica cruje.
Suenan caireles.
Que nadie la dibuje.
Fuera pinceles.

Banderillas al quiebro.
Cose el miura
el arco que le enhebro
con la cintura.

Torneados en rueda,
tres naturales.
Y una hélice de seda
con arrabales.

Me perfilo. La espada.
Los dedos mojo.
Abanico y mirada.
Clavel y antojo.

En hombros por tu orilla.
Torre del Oro.
En tu azulejo brilla
sangre de toro.

Adiós, torero nuevo,
Triana y Sevilla,
que a Sanlúcar me llevo
tu seguidilla.

9

## ANGELUS

SENTADO en el columpio
el ángelus dormita

Enmudecen los astros y los frutos

Y los hombres heridos
pasean sus surtidores
como delfines líricos

Otros más agobiados
con los ríos al hombro
peregrinan sin llamar en las posadas

La vida es un único verso interminable

Nadie llegó a su fin

Nadie sabe que el cielo es un jardín

Olvido.

El ángelus ha fallecido

Con la guadaña ensangrentada
un segador cantando se alejaba

10

## COLUMPIO

A caballo en el quicio del mundo
un soñador jugaba al sí y al no

Las lluvias de colores
emigraban al país de los amores

Bandadas de flores
Flores de sí          Flores de no

Cuchillos en el aire
que le rasgan las carnes
forman un puente

Sí          No

Cabalga el soñador
Pájaros arlequines

cantan el sí          cantan el no

11

## REFLEJOS

EN este río lácteo
los navíos no sueñan sobre el álveo

Como un guante famélico
el día se me escapa de los dedos

Me voy quedando exhausto
pero en mi torso canta el mármol

Una rueda lejana
me esconde y me suaviza
las antiguas palabras

Cae el líquido fértil de mi estatua
y los navíos cabecean
amarrados al alba

12

## GUITARRA

HABRA un silencio verde
todo hecho de guitarras destrenzadas

La guitarra es un pozo
con viento en vez de agua

13

## PRIMAVERA

AYER Mañana
los días niños cantan en mi ventana
Las casas son todas de papel

y van y viven las golondrinas
doblando y desdoblando esquinas

Violadores de rosas
gozadores perpetuos del marfil de las cosas
Ya tenéis aquí el nido
que en la más bella grúa se os ha construido

Y desde él cantaréis todos
en las manos del viento

Mi vida es un limón
pero no es amarilla mi canción

Limones y planetas
en las ramas del sol
cuántas veces cobijasteis
la sombra verde de mi amor
la sombra verde de mi amor

La primavera nace
y en su cuerpo de luz la lluvia pace
El arco iris brota de la cárcel

Y sobre los tejados
mi mano blanca es un hotel
para palomas de mi cielo infiel

14

## NUBES

YO pastor de bulevares
desataba los bancos
y sentado en la orilla corriente del paseo
dejaba divagar mis corderos escolares
Todo había cesado

Mi cuaderno
única fronda del invierno
y el quiosco bien anclado entre la espuma

Yo pensaba en los lechos sin rumbo siempre frescos
para fumar mis versos y contar las estrellas

Yo pensaba en mis nubes
olas tibias del cielo
que buscan domicilio sin abatir el vuelo

Yo pensaba en los pliegues de las mañanas bellas
planchadas al revés que mi pañuelo

Pero para volar
es menester que el sol pendule
y que gire en la mano nuestra esfera armilar

Todo es distinto ya

Mi corazón bailando equivoca a la estrella
y es tal la fiebre y la electricidad
que alumbra incandescente la botella

Ni la torre silvestre
distribuye los vientos girando lentamente
ni mis manos ordeñan las horas recipientes

Hay que esperar el desfile
de las borrascas y las profecías
Hay que esperar que nazca de la luna
el pájaro mesías

Todo tiene que llegar

El oleaje del cine es igual que el del mar
Los días lejanos cruzan por la pantalla
Banderas nunca vistas perfuman el espacio
y el teléfono trae ecos de batalla

Las olas dan la vuelta al mundo
Ya no hay exploradores del polo y del estrecho
y de una enfermedad desconocida
se mueren los turistas
la guía sobre el pecho

Las olas dan la vuelta al mundo

Yo me iría con ellas

Ellas todo lo han visto
No retornan jamás ni vuelven la cabeza
almohadas desahuciadas y sandalias de Cristo
Dejadme recostado eternamente

Yo fumaré mis versos y llevaré mis nubes
para todos los caminos de la tierra y del cielo

Y cuando vuelva el sol en su caballo blanco
mi lecho equilibrado alzará el vuelo

15

## NOCTURNO

ESTAN todas
También las que se encienden en las noches de moda

Nace del cielo tanto humo
que ha oxidado mis ojos

Son sensibles al tacto las estrellas
No sé escribir a máquina sin ellas

Ellas lo saben todo
graduar el mar febril
y refrescar mi sangre con su nieve infantil

La noche ha abierto el piano
y yo las digo adiós con la mano

16

## VENTANA

EL violín descorre la cortina

Pende de un clavo la ventana
Aún está clausurado el paisaje

El sol        balón de oxígeno
mantiene puro el cuadro
y la lluvia hace el barnizaje

Esta casa está viva
Dos veces por minuto
la ventana respira

Y de mis manos surge
esta humareda votiva

En la pared el cuadro muere todos los años

Yo soy el pianista otoñal

Yo abro y cierro la noche como un libro
e interpreto la música
de mi cielo manual

Podéis elegir
la hora y la puerta

Pero después de amar hay que morir

El viento deja de nuevo en blanco mi cuaderno

Otra vez a empezar

No busquéis en el techo el planeta paterno

## 17

## AMOR

*(Tiempo II de la* FÁBULA DE EQUIS Y ZEDA)

ERA el mes que aplicaba sus teorías
cada vez que un amor nacía en torno
cediendo dócil peso y calorías
cuando por caridad ya para adorno
en beneficio de esos amadores
que hurtan siempre relámpagos y flores

Ella llevaba por vestido combo
un proyecto de arcángel en relieve
Del hombro al pie su línea exacta un rombo
que a armonizar con el clavel se atreve
A su paso en dos lunas o en dos frutos
se abrían los espacios absolutos

Amor amor obesidad hermana
soplo de fuelle hasta abombar las horas
y encontrarse al salir una mañana
que Dios es Dios sin colaboradoras
y que es azul la mano del grumete
—amor amor amor— de seis a siete

Así, con la mirada en lo improviso
barajando en la mano alas remotas
iba el galán ladrándole el aviso
de plumas blancas casi gaviotas
por las calles que huelen a pintura
siempre buscando a ella en cuadratura

Y vedla aquí equipando en jabón tierno
globos que nunca han visto las espumas
vedla extrayendo de su propio invierno

la nieve en tiras la pasión en sumas
y en margaritas que pacerá el chivo
su porvenir listado en subjuntivo

Desde el plano sincero del diedro
que se queja al girar su arista viva
contempla el amador nivel de cedro
la amada que en su hipótesis estriba
y acariciando el lomo del instante
disuelve sus dos manos en menguante

"A ti la bella entre las iniciales
la más genuina en tinta verde impresa
a ti imposible y lenta cuando sales
tangente cuando el céfiro regresa
a ti envío mi amada caravana
larga como el amor por la mañana

Si tus piernas que vencen los compases
silencioso el resorte de sus grados
si más difícil que los cuatro ases
telegrama en tu estela de venados
mis geometrías y mi sed desdeñas
no olvides canjear mis contraseñas

Luna en el horno tibio de aburridas
bien inflada de un gas que silba apenas
contempla mis rodillas doloridas
así no estallen tus mejillas llenas
contempla y dime si hay otro infortunio
comparable al desdén y al plenilunio

Y tú inicial del más esbelto cuello
que a tu tacto haces sólida la espera
no me abandones no Yo haré un camello
del viento que en tus pechos desaltera
Y para perseguir tu fuga en chasis
yo te daré un desierto y un oasis

Yo extraeré para ti la presuntuosa
raíz de la columna vespertina
Yo en fiel teorema de volumen rosa
te expondré el caso de la mandolina
Yo peces te traeré (entre crisantemos)
tan diminutos que los dos lloremos

Para ti el fruto de dos suaves nalgas
que al abrirse dan paso a una moneda
Para ti el arrebato de las algas
y el alhelí de sálvese el que pueda
y los gusanos de pasar el rato
príncipes del azar en campeonato

Príncipes del azar Así el tecleo
en ritmo y luz de mecanografía
hace olvidar tu nombre y mi deseo
tu nombre que una estrella ama y enfría
Príncipes del azar gusanos leves
para pasar el rato entre las nieves

Pero tú voladora no te obstines
Para cantar de ti dame tu huella
La cruzaré de cuerdas de violines
y he de esperar que el sol se ponga en ella
Yo inscribiré en tu rombo mi programa
conocido del mar desde que ama"

Y resumiendo el amador su dicho
recogió los suspiros redondeles
y abandonado al humo del capricho
se dejó resbalar por dos rieles
Una sesión de circo se iniciaba
en la constelación décimoctava

18

## AZUCENAS EN CAMISA

VENID a oír de rosas y azucenas
la alborotada esbelta risa
Venid a ver las rosas sin cadenas
las azucenas en camisa

Venid las amazonas del instinto
los caballeros sin espuelas
aquí al jardín injerto en laberinto
de girasoles y de bielas

Una música en níquel sustentada
cabellos curvos peina urgente
y hay sólo una mejilla acelerada
y una oropéndola que miente

Agria sazón la del febril minuto
todo picado de favores
cuando al jazmín le recomienda el luto
un ruiseñor de ruiseñores

Cuando el que vuelve de silbar a solas
el vals de "Ya no más Me muero"
comienza a perseguir por las corolas
la certidumbre del sombrero

No amigos míos Vuelva la armonía
y el bienestar de los claveles
Mi corazón amigos fue algún día
tierno galope de corceles

Quiero vivir La vida es nuevo estilo
grifo de amor grifo de llanto
Girafa del vivir Tu cuello en vilo
yo te estimulo y te levanto

Pasad jinetes leves de la aurora
hacia un oeste de violetas
Lejos de mí la trompa engañadora
y al ralantí vuestras corbetas

Tornan las nubes a extremar sus bordes
más cada día decisivos
Y a su contacto puéblanse de acordes
los dulces nervios electivos

Rozan mis manos dádivas agudas
lunas calientes y dichosas
Sabed que desde hoy andan desnudas
las azucenas y las rosas

## 19

## VALLE VALLEJO

ALBERT Samain diría Vallejo dice
Gerardo Diego enmudecido dirá mañana
y por una sola vez Piedra de estupor
y madera dulce de establo querido amigo
hermano en la persecución gemela de los
sombreros desprendidos por la velocidad de los astros

Piedra de estupor y madera noble de establo
constituyen tu temeraria materia prima
anterior a los decretos del péndulo y a la
creación secular de las golondrinas
Naciste en un cementerio de palabras
una noche en que los esqueletos de todos los verbos intransi-
[tivos
proclamaban la huelga del te quiero para siempre siempre
una noche en que la luna lloraba y reía y lloraba [siempre
y volvía a reír y a llorar
jugándose a sí misma a cara o cruz
Y salió cara y tú viviste entre nosotros

Desde aquella noche muchas palabras apenas nacidas falle-
[cieron repentinamente
tales como Caricia Quizás Categoría Cuñado Cataclismo
y otras nunca jamás oídas se alumbraron sobre la tierra
así como Madre Miga Moribundo Melquisedec Milagro
y todas las terminadas en un rabo inocente

Vallejo tú vives rodeado de pájaros a gatas
en un mundo que está muerto requetemuerto y podrido
Y gracias a que tú vives nosotros desahuciados acertamos a
[levantar los párpados
para ver el mundo tu mundo con la mula
el hombre guillermosecundario y la tiernísima niña y
los cuchillos que duelen en el paladar
Porque el mundo existe y tú existes y nosotros probablemente
terminaremos por existir
si tú te empeñas y cantas y voceas
en tu valiente valle Vallejo

20

## ESPERANZA

QUIEN dijo que se agotan la curva el oro el deseo
el legítimo sonido de la luna sobre el mármol
y el perfecto plisado de los élitros
del cine cuando ejerce su tierno protectorado?

Registrad mi bolsillo
Encontraréis en él plumas en virtud de pájaro
migas en busca de pan dioses apolillados
palabras de amor eterno sin
carta de aterrizaje
y la escondida senda de las olas

21

## CONTINUIDAD

LAS campanas en flor no se han hecho para los senos de oficina
ni el tallo esbelto de los lápices remata en cáliz de condescendencia
La presencia de la muerte
se hace cristal de roca discreta
para no estorbar el intenso olor a envidia joven
que exhalan los impermeables

Y yo quiero romper a hablar a hablar
en palabras de nobles agujeros dominó del destino
Yo quiero hacer del eterno futuro
un limpio solo de clarinete con opción al aplauso
que salga y entre libremente por mis intersticios de amor y de odio
que se prolongue en el aire y más allá del aire
con intenso reflejo en jaspe de conciencias

Ahora que van a caer oblicuamente
las últimas escamas de los llantos errantes
ahora que puedo descorrer la lluvia
y sorprender el beso tiernísimo de las hojas y el buen tiempo
ahora que las miradas de hembra y macho
chocan sonoramente y se hacen trizas
mientras aguzan los árboles sus orejas de lobo
dejadme salir en busca de mis guantes
perdidos en un desmayo de cielo acostumbrado a mudar de
[pechera

La vida es favorable al viento
y el viento propicio al claro ascendiente de los frascos de esencia
y a la iluminación transversal de mis dedos

Un álbum de palomas rumoroso a efemérides
me persuade al empleo selecto de las uñas bruñidas

Transparencia o reflejo
el amor diafaniza y viaja sin billete
de alma a alma o de cuerpo a cuerpo
según todas las reglas que la mecánica canta

Ciertamente las campanas maduras no saben que se cierran
como los senos de oficina

cuando cae el relente
ni el tallo erguido de los lápices comprende que ha llegado el
momento de coronarse de gloria

Pero yo sí lo sé y porque lo sé lo canto ardicntemente
Los dioses los dioses miradlos han vuelto sin una sola cicatriz
en la frente

# FEDERICO GARCIA LORCA

## V I D A

*Nació en Fuente Vaqueros (Granada) a fines del siglo XIX. En la Universidad de Granada y en la de Madrid estudió Derecho y Filosofía y Letras. Es licenciado en Derecho (Granada). Entre sus maestros de la Universidad granadina recuerda con especial gratitud a D. Martín Domínguez Berrueta y a D. Fernando de los Ríos.*

*Ha viajado por casi todos los rincones de España. Por Francia, Inglaterra, y en 1929-1930, por los Estados Unidos, Canadá y Cuba. En 1931-1934 ha hecho un viaje a Buenos Aires y Montevideo, ha dirigido representaciones dramáticas de obras suyas y de clásicos españoles. En estas ciudades, así como en Nueva York, Cuba y España, ha explicado conferencias musicales, folklóricas y poéticas. Fundo y dirigió la revista "Gallo" (dos números, Granada, año 1928).*

*Como dibujante y pintor se presentó en Barcelona en una exposición de sus obras (1927). Pianista y folklorista, ha transcrito y armonizado romances y canciones populares, y ha impresionado discos de sus versiones, en colaboración con la "Argentinita". Otras de sus actividades es "La Barraca", Teatro Universitario, que dirige en colaboración con Eduardo Ugarte, para representar por estudiantes obras del teatro clásico y moderno. Estado, célibe.*

## POETICA

*(De viva voz a G. D.)*

*"Pero ¿qué voy a decir yo de la Poesía? ¿Qué voy a decir de esas nubes, de ese cielo? Mirar, mirar, mirarlas, mirarle, y nada más. Comprenderás que un poeta no puede decir* nada *de la Poesía. Eso déjaselo a los críticos y profesores. Pero ni tú ni yo ni ningún poeta sabemos lo que es la Poesía.*

*Aquí está: mira. Yo tengo el fuego en mis manos. Yo lo entiendo y trabajo con él perfectamente, pero no puedo hablar de él sin literatura. Yo comprendo todas las poéticas; podría hablar de ellas si no cambiara de opinión cada cinco minutos. No sé. Puede que algún día me guste la poesía mala muchísimo, como me gusta (nos gusta) hoy la música mala con locura. Quemaré el Partenón por la noche, para empezar a levantarlo por la mañana, y no terminarlo nunca.*

*En mis conferencias he hablado a veces de la Poesía, pero de lo único que no puedo hablar es de mi poesía. Y no porque sea un inconsciente de lo que hago. Al contrario, si es verdad que soy poeta por la gracia de Dios—o del demonio—, también lo es que lo soy por la gracia de la técnica y del esfuerzo, y de darme cuenta en absoluto de lo que es un poema."*

F. G. L.

Las poesías elegidas pertenecen a los siguientes libros: números 1 y 2, a *Libro de poemas;* 3, a *Antología 1915-1931;* 4 a 8, a *Canciones;* 9, a *Poema del cante jondo* 10 a 12, a *Romancero gitano;* 13 a 14, a *Antología 1915-1931;* 15, a *Oda a Walt Whitman;* 16 a 17, inédito.

## 1
## VELETA

VIENTO del Sur.
Moreno, ardiente,
llegas sobre mi carne,
trayéndome semilla
de brillantes
miradas, empapado
de azahares.

Pones roja la luna
y sollozantes
los álamos cautivos, pero vienes
¡demasiado tarde!
¡Ya he enrollado la noche de mi cuento
en el estante!

Sin ningún viento,
¡hazme caso!
Gira, corazón;
gira, corazón.

Aire del Norte,
¡oso blanco del viento!,
llegas sobre mi carne
tembloroso de auroras
boreales,
con tu capa de espectros
capitanes,

y riyéndote a gritos
del Dante.
¡Oh, pulidor de estrellas!
Pero vienes
demasiado tarde.
Mi almario está musgoso
y he perdido la llave.

Sin ningún viento.
¡hazme caso!
Gira, corazón;
gira, corazón.

Brisas, gnomos y vientos
de ninguna parte.
Mosquitos de la rosa
de pétalos pirámides.
Alisios destetados
entre los rudos árboles,
flautas en la tormenta,
¡dejadme!
Tiene recias cadenas
mi recuerdo,
y está cautiva el ave
que dibuja con trinos
la tarde.

Las cosas que se van no vuelven nunca,
todo el mundo lo sabe,
y entre el claro gentío de los vientos
es inútil quejarse.
¿Verdad, chopo, maestro de la brisa?
¡Es inútil quejarse!

Sin ningún viento,
¡hazme caso!
Gira, corazón;
gira, corazón.

2

## LA BALADA DEL AGUA DEL MAR

EL mar
sonríe a lo lejos.
Dientes de espuma,
labios de cielo.

¿Qué vendes, ¡oh joven turbia!,
con los senos al aire?

—Vendo, señor, el agua
de los mares—.

¿Qué llevas, ¡oh negro joven!,
mezclado con tu sangre?

—Llevo, señor, el agua
de los mares—.

Esas lágrimas salobres,
¿de dónde vienen, madre?

—Lloro, señor, el agua
de los mares—.

Corazón, y esta amargura
seria, ¿de dónde nace?

—¡Amarga mucho el agua
de los mares!—

El mar
sonríe a lo lejos.
Dientes de espuma,
labios de cielo.

3

## EN LA MUERTE DE JOSE DE CIRIA Y ESCALANTE

¿QUIEN dirá que te vio, y en qué momento?
¡Qué dolor de penumbra iluminada!
Dos voces suenan: el reloj y el viento,
mientras flota sin ti la madrugada.

Un delirio de nardo ceniciento
invade tu cabeza delicada.
¡Hombre! ¡Pasión! ¡Dolor de luz! Memento.
Vuelve hecho luna y corazón de nada.

Vuelve hecho luna: con mi propia mano
lanzaré tu manzana sobre el río
turbio de rojos peces de verano.

Y tú arriba, en lo alto, verde y frío,
¡olvídate! Y olvida el mundo vano,
delicado Giocondo, amigo mío.

4

## CAZADOR

¡ALTO pinar!
Cuatro palomas por el aire van.

Cuatro palomas
vuelan y tornan.
Llevan heridas
sus cuatro sombras.

¡Bajo pinar!
Cuatro palomas en la tierra están.

5

## CANCION DE JINETE

CORDOBA.
Lejana y sola.

Jaca negra, luna grande,
y aceitunas en mi alforja.
Aunque sepa los caminos
yo nunca llegaré a Córdoba.

Por el llano, por el viento,
jaca negra, luna roja.
La muerte me está mirando
desde las torres de Córdoba.

¡Ay, qué camino tan largo!
¡Ay, mi jaca valerosa!
¡Ay, que la muerte me espera
antes de llegar a Córdoba!

Córdoba.
Lejana y sola.

6

## ES VERDAD

¡AY, qué trabajo me cuesta
quererte como te quiero!
Por tu amor me duele el aire,
el corazón
y el sombrero.

¿Quién me compraría a mí
este cintillo que tengo

y esta tristeza de hilo
blanco, para hacer pañuelos?

¡Ay, qué trabajo me cuesta
quererte como te quiero!

7

## DESPOSORIO

TIRAD ese anillo
al agua.

(La sombra apoya sus dedos
sobre mi espalda.)

Tirad ese anillo. Tengo
más de cien años. ¡Silencio!

¡No preguntadme nada!

Tirad ese anillo
al agua.

8

## DE OTRO MODO

LA hoguera pone al campo de la tarde
unas astas de ciervo enfurecido.
Todo el valle se tiende. Por sus lomos
caracolea el vientecillo.

El aire cristaliza bajo el humo.
—Ojo de gato triste y amarillo—.
Yo, en mis ojos, paseo por las ramas.
Las ramas se pasean por el río.

Llegan mis cosas esenciales.
Son estribillos de estribillos.
Entre los juncos y la baja tarde,
¡qué raro que me llame Federico!

9

## BALADILLA DE LOS TRES RIOS

EL río Guadalquivir
va entre naranjos y olivos.
Los dos ríos de Granada
bajan de la nieve al trigo.

*¡Ay, amor*
*que se fue y no vino!*

El río Guadalquivir
tiene las barbas granates.
Los dos ríos de Granada,
uno llanto y otro sangre.

*¡Ay, amor que se fue*
*por el aire!*

Para los barcos de vela
Sevilla tiene un camino.
Por el agua de Granada
sólo reman los suspiros.

*¡Ay, amor*
*que se fue y no vino!*

Guadalquivir, alta torre
y viento en los naranjales.
Darro y Genil, torrecillas
muertas sobre los estanques.

*¡Ay, amor que se fue*
*por el aire!*

Quién dirá que el agua lleva
un fuego fatuo de gritos!

*¡Ay, amor*
*que se fue y no vino!*

Lleva azahar, lleva olivas
¡Andalucía! a los mares.

*¡Ay, amor que se fue*
*por el aire!*

## 10

## MUERTO DE AMOR

—¿QUE es aquello que reluce
por los altos corredores?
—Cierra la puerta, hijo mío,
acaban de dar las once.
—En mis ojos, sin querer,
relumbran cuatro faroles.
—Será que la gente aquella
estará fregando el cobre.

Ajo de agónica plata
la luna menguante, pone
cabelleras amarillas
a las amarillas torres.
La noche llama temblando
al cristal de los balcones,
perseguida por los mil
perros que no la conocen,
y un olor de vino y ámbar
viene de los corredores.

Brisas de caña mojada
y rumor de viejas voces
resonaban por el arco
roto de la medianoche.
Bueyes y rosas dormían.
Sólo por los corredores
las cuatro luces clamaban
con el furor de San Jorge.
Tristes mujeres del valle
bajaban su sangre de hombre,
tranquila de flor cortada
y amarga de muslo joven.
Viejas mujeres del río
lloraban al pie del monte
un minuto intransitable
de cabelleras y nombres.
Fachadas de cal ponían
cuadrada y blanca la noche.
Serafines y gitanos
tocaban acordeones.
—Madre, cuando yo me muera
que se enteren los señores.
Pon telegramas azules
que vayan del Sur al Norte.

Siete gritos, siete sangres,
siete adormideras dobles
quebraron opacas lunas
en los oscuros salones.
Lleno de manos cortadas
y coronitas de flores,
el mar de los juramentos
resonaba, no sé dónde.
Y el cielo daba portazos
al brusco rumor del bosque,
mientras clamaban las luces
en los altos corredores.

11

## ROMANCE SONAMBULO

VERDE, que te quiero verde.
Verde viento. Verdes ramas.
El barco sobre la mar
y el caballo en la montaña.
Con la sombra en la cintura,
ella sueña en su baranda
verde carne, pelo verde,
con ojos de fría plata.
Verde, que te quiero verde.
Bajo la luna gitana,
las cosas la están mirando
y ella no puede mirarlas.
Verde, que te quiero verde.
Grandes estrellas de escarcha
vienen con el pez de sombra
que abre el camino del alba.
La higuera frota su viento
con la lija de sus ramas,
y el monte, gato garduño,
eriza sus pitas agrias.
Pero ¿quién vendrá? Y ¿por dónde?...
Ella sigue en su baranda
verde carne, pelo verde,
soñando en la mar amarga.

Compadre, quiero cambiar
mi caballo por su casa,
mi montura por su espejo,
mi cuchillo por su manta.
Compadre, vengo sangrando
desde los puertos de Cabra.
Si yo pudiera, mocito,
este trato se cerraba.

Pero yo ya no soy yo,
ni mi casa es ya mi casa.
Compadre, quiero morir
decentemente en mi cama,
de acero, si puede ser,
con las sábanas de holanda.
¿No ves la herida que tengo
desde el pecho a la garganta?
Trescientas rosas morenas
lleva tu pechera blanca.
Tu sangre rezuma y huele
alrededor de tu faja.
Pero yo ya no soy yo.
Ni mi casa es ya mi casa.
Dejadme subir, al menos,
hasta las altas barandas;
¡dejadme subir!, dejadme,
hasta las verdes barandas.
Barandales de la luna
por donde retumba el agua.

Ya suben los dos compadres
hacia las altas barandas.
Dejando un rastro de sangre.
Dejando un rastro de lágrimas.
Temblaban en los tejados
farolillos de hojalata.
Mil panderos de cristal
herían la madrugada.

Verde, que te quiero verde,
verde viento, verdes ramas.
Los dos compadres subieron.
El largo viento dejaba
en la boca un raro gusto
de hiel, de menta y albahaca.
¡Compadre! ¿Dónde está, dime?
¿Dónde está tu niña amarga?

¡Cuántas veces te esperó!
¡Cuántas veces te esperara,
cara fresca, negro pelo,
en esta verde baranda!

Sobre el rostro del aljibe
se mecía la gitana.
Verde carne, pelo verde,
con ojos de fría plata.
Un carámbano de luna
la sostiene sobre el agua.
La noche se puso íntima
como una pequeña plaza.
Guardias civiles borrachos
en la puerta golpeaban.
Verde, que te quiero verde.
Verde viento. Verdes ramas.
El barco sobre la mar.
Y el caballo en la montaña.

12

## MARTIRIO DE SANTA OLALLA

### I

*Panorama de Mérida*

POR la calle brinca y corre
caballo de larga cola,
mientras juegan o dormitan
viejos soldados de Roma.
Medio monte de Minervas
abre sus brazos sin hojas.
Agua en vilo redoraba
las aristas de las rocas.
Noche de torsos yacentes
y estrellas de nariz rota,

aguarda grietas del alba
para derrumbarse toda.
De cuando en cuando sonaban
blasfemias de cresta roja.
Al gemir la santa niña,
quiebra el cristal de las copas.
La rueda afila cuchillos
y garfios de aguda comba.
Brama el toro de los yunques
y Mérida se corona
de nardos casi despiertos
y tallos de zarzamora.

II

*El Martirio*

Flora desnuda se sube
por escalerillas de agua.
El Cónsul pide bandeja
para los senos de Olalla.
Un chorro de venas verdes
le brota de la garganta.
Su sexo tiembla enredado
como un pájaro en las zarzas.
Por el suelo, ya sin norma,
brincan sus manos cortadas,
que aún pueden cruzarse en tenue
oración decapitada.
Por los rojos agujeros
donde sus pechos estaban
se ven cielos diminutos
y arroyos de leche blanca.
Mil arbolillos de sangre
le cubren toda la espalda
y oponen húmedos troncos
al bisturí de las llamas.

Centuriones amarillos
de carne gris, desvelada,
llegan al cielo sonando
sus armaduras de plata.
Y mientras vibra confusa
pasión de crines y espadas,
el Cónsul porta en bandeja,
senos ahumados de Olalla.

III

*Infierno y Gloria*

Nieve ondulada reposa.
Olalla pende del árbol.
Su desnudo de carbón
tizna los aires helados.
Noche tirante reluce.
Olalla muerta en el árbol.
Tinteros de las ciudades
vuelcan la tinta despacio.
Negros maniquíes de sangre
cubren la nieve del campo
en las largas filas que gimen
su silencio mutilado.
Nieve partida comienza.
Olalla blanca en el árbol.
Escuadras de níquel juntan
los picos en su costado.

Una Custodia reluce
sobre los cielos quemados,
entre gargantas de arroyo
y ruiseñores en ramos.
¡Saltan vidrios de colores!
Olalla blanca en lo blanco.
Angeles y serafines
dicen: Santo, Santo, Santo.

13

## RUINA

SIN encontrarse.
Viajero por su propio torso blanco.
Así iba el aire.

Pronto se vio que la luna
era una calavera de caballo
y el aire una manzana oscura.

Detrás de la ventana,
con látigos y luces, se sentía
la lucha de la arena con el agua.

Yo vi llegar las hierbas
y les eché un corderillo que balaba
bajo sus dientecillos y lancetas.

Volaba dentro de una gota
la cáscara de pluma y celuloide
de la primer paloma.

Las nubes, en manada,
se quedaron dormidas contemplando
el duelo de las rocas con el alba.

Vienen las hierbas, hijo;
ya suenan sus espadas de saliva
por el suelo vacío.

Mi mano, amor. ¡Las hierbas!
Por los cristales rotos de la casa
la sangre desató sus cabelleras.

Tú sólo y yo quedamos;
prepara tu esqueleto para el aire.
Yo sólo y tú quedamos.

Prepara tu esqueleto;
hay que buscar de prisa, amor, de prisa
nuestro perfil sin sueño.

14

## NIÑA AHOGADA EN EL POZO

### (GRANADA Y NEWBURG)

LAS estatuas sufren con los ojos
por la oscuridad de los ataúdes,
pero sufren mucho más
por el agua que no desemboca.
... que no desemboca.

El pueblo corría por las almenas,
rompiendo las cañas de los pescadores.
Pronto. Los bordes, de prisa.
Y croaban las estrellas tiernas.
... que no desemboca.

Tranquila en mi recuerdo. Astro. Círculo. Meta.
Lloras por las orillas de un ojo de caballo.
... que no desemboca.

Pero nadie en lo oscuro podrá darte distancia,
sino afilado límite, porvenir de diamante.
... que no desemboca.

Mientras la gente busca silencios de tu almohada,
tú lates para siempre definida en tu anillo.
... que no desemboca.

Eterna en los finales de unas ondas que aceptan
combate de raíces y soledad prevista.
... que no desemboca.

Ya vienen por las rampas, ¡levántate del agua!
Cada punto de luz te dará una cadena.
... que no desemboca.

Pero el pozo te alarga manecitas de musgo,
insospechada ondina de su casta ignorancia.
... que no desemboca.

No, que no desemboca. Agua fija en un punto
respirando con todos los violines sin cuerdas
en la escala de las heridas y los edificios deshabitados.

Agua que no desemboca.

15

## ODA A WALT WHITMAN

*(Fragmento)*

NI un solo momento, viejo hermoso Wat Whitman,
he dejado de ver tu barba llena de mariposas,
ni tus hombros de pana gastados por la luna,
ni tus muslos de Apolo virginal,
ni tu voz como una columna de ceniza;
anciano hermoso como la niebla,
que gemías igual que un pájaro
con el sexo atravesado por una aguja.
Enemigo del sátiro.
Enemigo de la vid,
y amante de los cuerpos bajo la burda tela.

Ni un solo momento, hermosura viril,
que en montes de carbón, anuncios y ferrocarriles,
soñabas ser un río y dormir como un río
con aquel camarada que pondría en tu pecho
un pequeño dolor de ignorante leopardo.

Ni un solo momento, Adán de sangre, Macho,
hombre solo en el mar, viejo hermoso Walt Whitman,
porque las azoteas.
agrupados en los bares,
saliendo en racimos de las alcantarillas,
temblando entre las piernas de los chauffeurs
o girando en las plataformas del ajenjo,
los maricas, Walt Whitman, te señalan.

¡También ése! ¡También!, y se despeñan
sobre tu barba luminosa y casta
rubios del Norte, negros de la arena,
muchedumbre de gritos y ademanes
como los gatos y como las serpientes,
los maricas, Walt Whitman, los maricas,
turbios de lágrimas, carne para fusta,
bota o mordisco de los domadores.

¡También ése! ¡También!: Dedos teñidos
apuntan a la orilla de tu sueño
cuando el amigo come tu manzana
con un leve sabor de gasolina,
y el sol canta por los ombligos
de los muchachos que juegan bajo los puentes.

Pero tú no buscabas los ojos arañados
ni el pantano oscurísimo donde sumergen a los niños,
ni la saliva helada,
ni las curvas heridas como panzas de sapo
que llevan los maricas en coches y en terrazas
mientras la luna azota por las esquinas del terror.

Tú buscabas un desnudo que fuera como un río.
Toro y sueño que junte la rueda con el alga,
padre de tu agonía, camelia de tu muerte,
y gimiera en las llamas de tu Ecuador oculto.

Porque es justo que el hombre no busque su deleite
en la selva de sangre de la mañana próxima.
El cielo tiene playas donde evitar la vida
y hay cuerpos que no deben repetirse en la Aurora.

## 16

## CANCION DE LA MUERTE PEQUEÑA

PRADO mortal de lunas
y sangre bajo tierra.
Prado de sangre vieja.

Luz de ayer y mañana.
Cielo mortal de hierba.
Luz y noche de arena.

Me encontré con la muerte.
Prado mortal de tierra.
Una muerte pequeña.

El perro en el tejado.
Sola mi mano izquierda
atravesaba montes sin fin
de flores secas.

Catedral de ceniza.
Luz y noche de arena.
Una muerte pequeña.

Una muerte y yo un hombre.
Un hombre solo, y ella
una muerte pequeña.

Prado mortal de lunas.
La nieve gime y tiembla
por detrás de la puerta.

Un hombre, ¿y qué? Lo dicho.
Un hombre solo y ella.
Prado, amor, luz y arena.

## 17

## EL LLANTO

HE cerrado mi balcón
porque no quiero oír el llanto,
pero por detrás de los grises muros
no se oye otra cosa que el llanto.
Hay muy pocos ángeles que canten,
hay muy pocos perros que ladren,
mil violines caben en la palma de la mano;
pero el llanto es un ángel inmenso,
el llanto es un perro inmenso,
el llanto es un violín inmenso,
las lágrimas amordazan al viento,
y no se oye otra cosa que el llanto.

# RAFAEL ALBERTI

## VIDA

*"Nací el 16 de diciembre de 1902 en el Puerto de Santa María (Cádiz), de familia burguesa y católica. Cursé hasta el tercer año de bachillerato en el Colegio de los Jesuítas del mismo Puerto, como en su tiempo Fernando Villalón y Juan Ramón Jiménez. El paisaje de la bahía gaditana y aquellos primeros años influyen poderosamente toda mi obra.*

("Yo pienso en mí. Colegio sobre el mar.
Infancia ya en balandro o bicicleta.

Globo libre, el primer balón flotaba
sobre el grito espiral de los vapores.
Roma y Cartago frente a frente iban,
marineras fugaces sus sandalias.

Nadie bebe latín a los diez años.
El Algebra, ¡quién sabe lo que era!
La Física y la Química, ¡Dios mío,
si ya el sol se cazaba en hidroplano!")

*Trasladada mi familia a Madrid en el 1917, abandoné el bachillerato por la pintura. En 1922 hice una exposición en el Ateneo. Causas de salud me obligan, poco después, a vivir en las sierras de Guadarrama y Rute, donde empecé a escribir mis primeras poesías. Por ellas, recogidas bajo el título de* Marinero en tierra, *me conceden el Premio Nacional de Literatura (1924-1925). No tengo ninguna profesión. Es decir: sólo soy poeta. Conozco casi todas las regiones de España. En 1931 salí, pensionado por la Junta de Ampliación de Estudios, para Francia y Alemania. Acompañado siempre de mi mujer, he recorrido gran parte de Europa, pasando tres meses en la Unión Soviética. Habitualmente vivo en Madrid."*

## POETICA

*"He intentado muchos caminos, aprovechándome, a veces, de aquellas tendencias estéticas con las que simpatizaba. Los poetas que me han ayudado, a los que sigo guardando una profunda admiración, han sido Gil Vicente, los anónimos del* Cancionero *y* Romancero *españoles, Garcilaso, Góngora, Lope, Bécquer, Baudelaire, Juan Ramón Jiménez y Antonio Machado.*

R. A.

Las poesías elegidas pertenecen a los siguientes libros: números 1 a 4, a *Marinero en tierra;* 5 y 6, a *La amante;* 7 a 11, a *El alba del alhelí;* 12 a 14, a *Cal y canto;* 15 *(Antología 1915-1931),* al libro inédito *Tontos;* 16 a 22, a *Sobre los ángeles;* 23 y 24, a *Antología 1915-1931;* 25, inédito.

## 1

## A UN CAPITAN DE NAVIO

*Homme libre, toujours tu chériras la mer.*

*C. B.*

SOBRE tu nave—un plinto verde de algas marinas,
de moluscos, de conchas, de esmeralda estelar—,
capitán de los vientos y de las golondrinas,
fuiste condecorado por un golpe de mar.

Por ti los litorales de frentes serpentinas
desenrollan, al paso de tu arado, un cantar:
—Marinero, hombre libre que los mares declinas,
dinos los radiogramas de tu estrella Polar.

Buen marinero, hijo de los llantos del norte,
limón del mediodía, bandera de la corte
espumosa del agua, cazador de sirenas:

todos los litorales amarrados del mundo
pedimos que nos lleves en el surco profundo
de tu nave, a la mar, rotas nuestras cadenas.

## 2

## A ROSA DE ALBERTI, QUE TOCABA, PENSATIVA, EL ARPA

(SIGLO XIX)

ROSA de Alberti allá en el rodapié
del mirador del cielo se entreabría,
pulsadora del aire y prima mía,
al cuello un lazo blanco de moaré.

El barandal del arpa, desde el pie
hasta el bucle en la nieve, la cubría.
Enredando sus cuerdas, verdecía,
alga en hilos, la mano que se fue.

Llena de suavidades y carmines,
fanal de ensueño, vaga y voladora,
voló hacia los más altos miradores.

¡Miradla querubín de querubines,
del vergel de los aires pulsadora.
Pensativa de Alberti entre las flores!

## 3

## CON EL

SI Garcilaso volviera,
yo sería su escudero;
que buen caballero era.

Mi traje de marinero
se trocaría en guerrera,
ante el brillar de su acero;
que buen caballero era.

¡Qué dulce oírle, guerrero,
al borde de su estribera!
En la mano, mi sombrero;
que buen caballero era.

4

## PIRATA

PIRATA de mar y cielo,
si no fui ya, lo seré.

Si no robé la aurora de los mares,
si no la robé,
ya la robaré.

Pirata de cielo y mar,
sobre un cazatorpederos,
con seis fuertes marineros,
alternos, de tres en tres.

Si no robé la aurora de los cielos,
si no la robé,
ya la robaré

5

## PEÑARANDA DE DUERO

¿POR qué me miras tan serio,
carretero?

Tienes cuatro mulas tordas,
un caballo delantero,
un carro de ruedas verdes,
y la carretera toda
para ti,
carretero.

¿Qué más quieres?

6

## PREGON DEL AMANECER

*Salas de los Infantes.*

¡ARRIBA, trabajadores
madrugadores!

¡En una mulita parda
baja la aurora a la plaza
el aura de los clamores,
trabajadores!

¡Toquen el cuerno los cazadores;
hinquen el hacha los leñadores;
a los pinares el ganadico,
pastores!

7

## NANA

*A Teresita Guillén.*

I

YO no sé de la niña,
no sé.
Que yo no sé cómo es.

Que no,
que sí,
que yo no sé si la vi.

¡Que sí la vi yo!
¡¡Que sí la recuerdo yo!!
¡¡¡Viva!!!

II

¡Al rosal, al rosal
la rosa!

¡Luna,
al rosal!

¡A dormir la rosa-niña!

¡Aire,
al rosal!

¿Quién ronda la puerta? ¿El cuervo?

¡Pronto,
al rosal!

¡Al rosal la niña-rosa,
que el aire y la luna vienen,
mi sueño, a mecer tus hojas!

8

—BIEN puedes amarme aquí,
que la luna yo encendí,
tú, por ti, sí, tú, por ti.

—Sí, por mí.

—Bien puedes besarme aquí,
faro, farol farolera,
la más álgida que vi.

—Bueno, sí.

—Bien puedes matarme aquí,
gélida novia lunera
del faro farolerí.

—Ten. ¿Te di?

9

## ALGUIEN

ALGUIEN barre
y canta
y barre
(zuecos en la madrugada).
Alguien
dispara las puertas.
¡Qué miedo,
madre!

(¡Ay, los que en andas del viento,
en un velero a estas horas
vayan arando los mares!)
Alguien barre
y canta
y barre.

Algún caballo, alejándose,
imprime su pie en el eco
de la calle.
¡Qué miedo,
madre!

¡Si alguien llamara a la puerta!
¡Si se apareciera padre
con su túnica talar
chorreando!...
¡Qué horror!...
madre!

Alguien barre
y canta
y barre.

10

## EL NIÑO DE LA PALMA

(CHUFLILLAS)

¡QUE revuelo!

¡Aire, que al toro torillo
le pica el pájaro pillo
que no pone el pie en el suelo!

¡Qué revuelo!

Angeles con cascabeles
arman la marimorena,
plumas nevando en la arena
rubí de los redondeles.
La Virgen de los caireles
baja una palma del cielo.

¡Qué revuelo!

—Vengas o no en busca mía,
torillo mala persona,
dos cirios y una corona
tendrás en la enfermería.

¡Qué alegría!
¡Cógeme, torillo fiero!
¡Qué salero!

De la gloria a tus pitones,
bajé, gorrión de oro,
a jugar contigo al toro,
no a pedirte explicaciones.
¡A ver si te las compones
y vuelves vivo al chiquero!

¡Qué salero!
¡Cógeme, torillo fiero!

Alas en las zapatillas,
céfiros en las hombreras,
canario de las barreras,
vuelas con las banderillas.
Campanillas
te nacen en las chorreras.

¡Qué salero!
¡Cógeme, torillo fiero!

Te digo y te lo repito,
para no comprometerte,
que tenga cuernos la muerte
a mí se me importa un pito.
Da, toro torillo, un grito
y ¡a la gloria en angarillas!

¡Qué salero!
¡Que te arrastran las mulillas!
¡Cógeme, torillo fiero!

## 11

## GRUMETE

¡NO pruebes tú los licores!
¡Tú no bebas!

¡Marineros, bebedores,
los de las obras del puerto,
que él no beba!

¡Qué él no beba, pescadores!

¡Siempre sus ojos despiertos,
siempre sus labios abiertos
a la mar, no a los licores!

¡Que él no beba!

12

## MADRIGAL AL BILLETE DE TRANVIA

ADONDE el viento, impávido, subleva
torres de luz contra la sangre mía,
tú, billete, flor nueva,
cortada en los balcones del tranvía.

Huyes, directa, rectamente liso,
en tu pétalo un nombre y un encuentro
latentes, a ese centro
cerrado y por cortar del compromiso.

Y no arde en ti la rosa, ni en ti priva
el finado clavel, sí la violeta
contemporánea, viva,
del libro que viaja en la chaqueta.

13

## CORRIDA DE TOROS

DE sombra, sol y muerte, volandera
grana zumbando, el ruedo gira herido
por un clarín de sangre azul torera.

Abanicos de aplausos, en bandadas,
descienden, giradores, del tendido,
la ronda a coronar de los espadas.

Se hace añicos el aire, y violento,
un mar por media luna gris mandado
prende fuego a un farol que apaga el viento.

¡Buen caballito de los toros, vuela,
sin más jinete de oro y plata, al prado
de tu gloria de azúcar y canela!

Cinco picas al monte, y cinco olas
sus lomos empinados convirtiendo
en verbena de sangre y banderolas.

Carrusel de claveles y mantillas
de luna macarena y sol, bebiendo,
de naranja y limón, las banderillas.

Blonda negra, partida por dos bandas,
de amor injerto en oro la cintura,
presidenta del cielo y las barandas,

rosa en el palco de la muerte aún viva,
libre y por fuera sanguinaria y dura,
pero de corza el corazón, cautiva.

Brindis, cristiana mora, a ti, volando,
cuervo mudo y sin ojos, la montera
del áureo espada que en el sol lidiando

y en la sombra, vendido, de puntillas,
da su junco a la media luna fiera,
y a la muerte su gracia, de rodillas.

Veloz, rayo de plata en campo de oro
nacido de la arena y suspendido,
por un estambre, de la gloria, al toro,

mar sangriento de picas coronado,
en Dolorosa grana convertido,
centrar el ruedo manda, traspasado.

Feria de cascabel y percalina,
muerta la media luna gladiadora,
de limón y naranja, reolina

de la muerte, girando, y los toreros,
bajo una alegoría voladora
de palmas, abanicos y sombreros.

14

## A MISS X, ENTERRADA EN EL VIENTO DEL OESTE

¡AH, Miss X, Miss X: veinte años!

Blusas en las ventanas,
los peluqueros
lloran sin tu melena
—fuego rubio cortado—.

¡Ah, Miss X, Miss X sin sombrero,
alba sin colorete,
sola,
tan libre,
tú,
en el viento!

No llevabas pendientes.

Las modistas, de blanco, en los balcones,
perdidas por el cielo.

—¡A ver!
¡Al fin!
¿Qué?
¡No!

Sólo era un pájaro,
no tú,
Miss X niña.

El barman, ¡oh, qué triste!
(Cerveza.
Limonada.
Whisky.
Cocktail de ginebra.)

Ha pintado de negro las botellas.
Y las banderas,
alegrías del bar,
de negro, a media asta.

¡Y el cielo sin girar tu radiograma!

Treinta barcos,
cuarenta hidroaviones
y un velero cargado de naranjas,
gritando por el mar y por las nubes.

Nada.

¡Ah, Miss X! ¿Adónde?

Su Majestad el Rey de tu país no come.
No duerme el Rey.
Fuma.
Se muere por la costa en automóvil.

Ministerios,
Bancos del oro,
Consulados,
Casinos,
Tiendas,
Parques,
cerrados.

Y, mientras, tú, en el viento
—¿te aprietan los zapatos?—,
Miss X, de los mares
—di, ¿te lastima el aire?—.

¡Ah, Miss X, Miss X, qué fastidio!
Bostezo.
Adiós...
—Good bye...

*(Ya nadie piensa en ti. Las mariposas*
*de acero,*
*con las alas tronchadas,*
*incendiando los aires,*
*fijas sobre las dalias*
*movibles de los vientos.*

*Sol electrocutado.*
*Luna carbonizada.*
*Temor al oso blanco del invierno.*

*Veda.*
*Prohibida la caza*
*marítima, celeste,*
*por orden del Gobierno.*

*Ya nadie piensa en ti, Miss X niña.)*

## 15

## EN EL DIA DE SU MUERTE A MANO ARMADA

DECIDME de una vez si no fue alegre todo aquello
5 × 5 entonces no eran todavía 25
ni el alba había pensado en la negra existencia de los malos [cuchillos.

Yo te juro a la luna no ser cocinero,
tú me juras a la luna no ser cocinera,
él nos jura a la luna no ser siquiera humo de tan tristísima [cocina.

¿Quién ha muerto?

La oca está arrepentida de ser pato,
el gorrión de ser profesor de lengua china,
el gallo de ser hombre,
yo de tener talento y admirar lo desgraciada
que suele ser en el invierno la suela de un zapato.

A una reina se le ha perdido su corona,
a un presidente de república su sombrero,
a mí...

Creo que a mí no se me ha perdido nada,
que a mí nunca se me ha perdido nada,
que a mí...
¿Qué quiere decir buenos días?

16

## EL ANGEL DE LOS NUMEROS

VIRGENES con escuadras
y compases, velando
las celestes pizarras.

Y el ángel de los números,
pensativo, volando,
del 1 al 2, del 2
al 3, del 3 al 4.

Tizas frías y esponjas
rayaban y borraban
la luz de los espacios.

Ni sol, luna, ni estrellas,
ni el repentino verde
del rayo y el relámpago,
ni el aire. Sólo nieblas.

Vírgenes sin escuadras,
sin compases, llorando.

Y en las muertas pizarras,
el ángel de los números,
sin vida, amortajado
sobre el 1 y el 2,
sobre el 3, sobre el 4...

17

## INVITACION AL AIRE

TE invito, sombra, al aire.
Sombra de veinte siglos,
a la verdad del aire,
del aire, aire, aire.

Sombra que nunca sales
de tu cueva, y al mundo
no devolviste el silbo
que al nacer te dio el aire,
del aire, aire, aire.

Sombra sin luz, minera
por las profundidades
de veinte tumbas, veinte
siglos huecos sin aire,
del aire, aire, aire.

¡Sombra, a los picos, sombra,
de la verdad del aire,
del aire, aire, aire!

18

## EL ANGEL BUENO

VINO el que yo quería
el que yo llamaba.

No aquel que barre cielos sin defensas,
luceros sin cabañas,
lunas sin patria,
nieves.
Nieves de esas caídas de una mano,
un nombre,
un sueño,
una frente.

No aquel que a sus cabellos
ató la muerte.

El que yo quería.

Sin arañar los aires,
sin herir hojas ni mover cristales.

Aquel que a sus cabellos
ató el silencio.

Para sin lastimarme,
cavar una ribera de luz dulce en mi pecho
y hacerme el alma navegable.

## 19
## EL ANGEL AVARO

GENTES de las esquinas
de pueblos y naciones que no están en el mapa
comentaban.

—Ese hombre está muerto
y no lo sabe.
Quiere asaltar la banca,
robar nubes, estrellas, cometas de oro,
comprar lo más difícil:
el cielo.

Y ese hombre está muerto.
Temblores subterráneos le sacuden la frente.
Tumbos de tierra desprendida,
ecos desvariados,
sones confusos de piquetas y azadas,
los oídos.
Los ojos,
luces de acetileno,
húmedas, áureas galerías.
El corazón,
explosiones de piedras, júbilos, dinamita.

Sueña con las minas.

20

## TRES RECUERDOS DEL CIELO

*Homenaje a Bécquer.*

### PRÓLOGO

NO habían cumplido años ni la rosa ni el arcángel.
Todo, anterior al balido y al llanto.
Cuando la luz ignoraba todavía
si el mar nacería niño o niña.

Cuando el viento soñaba melenas que peinar
y claveles el fuego que encender y mejillas
y el agua unos labios parados donde beber.
Todo, anterior al cuerpo, al nombre y al tiempo.

Paseaba con un dejo de azucena que piensa.

### PRIMER RECUERDO

*...una azucena tronchada...*

G. A. BÉCQUER.

Paseaba con un dejo de azucena que piensa,
casi de pájaro que sabe ha de nacer.
Mirándose sin verse a una luna que le hacía espejo el sueño
y a un silencio de nieve que le elevaba los pies.

A un silencio asomada.
Era anterior al arpa, a la lluvia y a las palabras.

No sabía.
Blanca alumna del aire,
temblaba con las estrellas, con la flor y los árboles.
Su tallo, su verde talle.

Con las estrellas mías
que, ignorantes de todo,
por cavar dos lagunas en sus ojos
la ahogaron en dos mares.

Y recuerdo...

Nada más: muerta, alejarse.

### SEGUNDO RECUERDO

*...rumor de besos y batir de alas...*

G. A. BÉCQUER.

También antes,
mucho antes de la rebelión de las sombras,
de que al mundo cayeran plumas incendiadas
y un pájaro pudiera ser muerto por un lirio.

Antes, antes que tú me preguntaras
el número y el sitio de mi cuerpo.
Mucho antes del cuerpo.
En la época del alma.
Cuando tú abriste en la frente sin corona del cielo
la primera dinastía del sueño.
Cuando tú, al mirarme en la nada,
inventaste la primera palabra.

Entonces, nuestro encuentro.

### TERCER RECUERDO

*...detrás del abanico de plumas y de oro...*

G. A. BÉCQUER.

Aún los valses del cielo no habían desposado al jazmín y la nieve,
ni los aires pensado en la posible música de tus cabellos,
ni decretado el rey que la violeta se enterrara en un libro.
No.

Era la era en que la golondrina viajaba
sin nuestras iniciales en el pico.
En que las campanillas y las enredaderas
morían sin balcones que escalar y estrellas.
La era
en que al hombro de un ave no había flor que apoyara la cabeza.

Entonces, detrás de tu abanico, nuestra luna primera.

## 21

## EL ALBA DENOMINADORA

A embestidas suaves y rosas, la madrugada te iba poniendo [nombres:
Sueño equivocado, Angel sin salida, Mentira de lluvia en bosque.

Al lindero de mi alma, que recuerda los ríos,
indecisa, dudó, inmóvil:
¿Vertida estrella, Confusa luz en llanto, Cristal sin voces?
No.
Error de nieve en agua, tu nombre.

22

## MUERTE Y JUICIO

### I. MUERTE

A un niño, a un solo niño que iba para piedra nocturna,
para ángel indiferente de una escala sin celo...
Mirad. Conteneos la sangre, los ojos.
A sus pies, él mismo, sin vida.

No aliento de farol moribundo,
ni jadeada amarillez de noche agonizante,
sino dos fósforos fijos de pesadilla eléctrica,
clavados sobre su tierra en polvo, juzgándola.
El, resplandor sin salida, lividez sin escape, yacente juzgándose.

### II. JUICIO

TIZO electrocutado, infancia mía de ceniza, a mis pies, tizo
[yacente.
Carbunclo hueco, negro, desprendido de un ángel que iba para
[piedra nocturna,
para límite entre la muerte y la nada.
Tú: yo: niño.

Bambolea el viento un vientre de gritos anteriores al mundo
a la sorpresa de la luz en los ojos de los reciennacidos,
al descenso de la vía láctea a las gargantas terrestres.
Niño.

Una cuna de llamas de norte a sur,
de frialdad de tiza amortajada en los yelos,
a fiebre de paloma agonizando en el área de una bujía;
una cuna de llamas meciéndote las sonrisas, los llantos.
Niño.

Las primeras palabras abiertas en las penumbras de los sueños
[sin nadie,
en el silencio rizado de las albercas o en el eco de los jardines,
devoradas por el mar y ocultas hoy en un hoyo sin viento.
Muertas, como el estreno de tus pies en el cansancio frío de
[una escalera.
Niño.

Las flores, sin piernas para huir de los aires crueles,
de su espoleo continuo al corazón volante de las nieves y los
[pájaros,
desangradas en un aburrimiento de cartillas y pizarrines.
4 y 4 son 18. Y la X, una K, una H, una J.
Niño.

En un trastorno de ciudades marítimas sin escrúpulos,
de mapas confundidos y desiertos barajados,
atended a unos ojos que preguntan por los afluentes del cielo,
a una memoria extraviada entre nombres y fechas.
Niño.

Perdido entre ecuaciones, triángulos, fórmulas y precipitados
[azules,
entre el suceso de la sangre, los escombros y las coronas caídas,
cuando los cazadores de oro y el asalto a la banca,
en el rubor tardío de las azoteas
voces de ángeles te anunciaron la botadura y pérdida de tu alma.
Niño.

Y como descendiste al fondo de las mareas,
a las urnas donde el azogue, el plomo y el hierro pretenden ser
[humanos,
tener honores de vida,
a la deriva de la noche tu traje fue dejándote solo.
Niño.

Desnudo, sin los billetes de inocencia fugados en sus bolsillos,
derribada en tu corazón y sola su primera silla,
no creíste ni en Venus, que nacía en el compás abierto de tus [brazos,
ni en la escala de plumas que tiende el sueño de Jacob al de [Julio Verne.
Niño.
Para ir al infierno no hace falta cambiar de sitio ni postura.

23

## LOS ANGELES MUERTOS

BUSCAD, buscadlos:
en el insomnio de las cañerías olvidadas,
en los cauces interrumpidos por el silencio de las basuras.
No lejos de los charcos incapaces de guardar una nube,
unos ojos perdidos,
una sortija rota
o una estrella pisoteada.

Porque yo los he visto:
en esos escombros momentáneos que aparecen en las neblinas.

Porque yo los he tocado:
en el destierro de un ladrillo difunto,
venido a la nada desde una torre o un carro.
Nunca más allá de las chimeneas que se derrumban,
ni de esas hojas tenaces que se estampan en los zapatos.
En todo esto.
Más en esas astillas vagabundas que se consumen sin fuego,
en esas ausencias hundidas que sufren los muebles desvencijados,
no a mucha distancia de los nombres y signos que se enfrían en [las paredes.

Buscad, buscadlos:
debajo de la gota de cera que sepulta la palabra de un libro
o la firma de uno de esos rincones de cartas
que trae rodando el polvo.

Cerca del casco perdido de una botella,
de una suela extraviada en la nieve,
de una navaja de afeitar abandonada al borde de un precipicio.

## 24

## ELEGIA A GARCILASO

## (LUNA, 1501-1536)

*...antes de tiempo y casi en flor cortada*

G. DE LA V.

HUBIERAIS visto llorar a las yedras
cuando el agua más triste se pasó toda una noche
velando a un yelmo ya sin alma,
a un yelmo moribundo sobre una rosa nacida en el vaho
que duerme los espejos de los castillos
a esa hora en que los nardos más secos se acuerdan de su vida
al ver que las violetas difuntas abandonan sus cajas
y los laúdes se ahogan por arrullarse a sí mismos.
Es verdad que los fosos inventaron el sueño y los fantasmas.
Yo no sé lo que mira en las almenas esa inmóvil armadura vacía.

¿Cómo hay luces que decretan tan pronto la agonía
de las espadas
si piensan en que un lirio es vigilado por hojas
que duran mucho más tiempo?
Vivir poco y llorando es el sino de la nieve que equivoca su ruta

En el sur siempre es cortada casi en flor el ave fría.

## 25

## DE UN MOMENTO A OTRO

### I

ES más,
estáis de acuerdo con los asesinos,
con los jueces,

con los legajos turbios de los ministerios,
con esa bala que de pronto puede hacernos morder el sabor
de las piedras
o esas celdas oscuras de humedad y de oprobio
donde los cuerpos más útiles se refuerzan o mueren.
Estáis,
estáis de acuerdo,
aunque a veces algunos de vosotros pretendáis ignorarlo.

¿Qué son esos silencios,
esas caras de tempestad oculta,
reprimida,
cuando el mantel se abre ante nosotros lo mismo que un insulto,
igual que una limosna que nos ata a vuestro pobre pensamiento,
a vuestra bolsa despreciable siempre pendiente en vuestros ojos?
Estáis,
estáis de acuerdo.
No pretendáis negarlo.
Es inútil.

Hay que huir,
que desprenderse de ese tronco podrido,
de esa raíz comida de gusanos
y rodar a distancia de vosotros para poder haceros frente
y exterminaros confundiéndonos con los que hicieron vuestras [fábricas,
labraron vuestras tierras,
agonizaron en vuestros dominios.
Porque es cierto que estáis,
que estáis todos de acuerdo con la muerte.

II

Siervos,
viejos criados de mi infancia vinícola y pesquera,
con grandes portalones de bodegas abiertos a la playa,
amigos,
perros fieles,
jardineros,

cocheros,
pobres arrumbadores,
desde este hoy en marcha hacia la hora de estrenar vuestros pies
la nueva era del mundo,
yo os envío un saludo
y os llamo camaradas.
Venid conmigo,
alzaos,
antiguos y primeros guardianes ya desaparecidos.
No es la voz de mi abuelo,
ni ninguna otra voz de dominio o de mando.
¿La recordáis?
Decídmelo.
Mayor de edad,
crecida,
testigo treinta años de vuestra inalterada servidumbre,
es mi voz,
sí,
la mía
la que os llama.
Venid.
Y no para pediros que deis alpiste o agua al canario,
al jilguero
o al periquito rey,
no para reprocharos que la jaca anda mal de una herradura
o que no acudís pronto a recogerme por la tarde al colegio.
Ya no.
Venid conmigo.
Abramos,
abrid todas las puertas que dan a los jardines,
a las habitaciones que vosotros barristeis mansamente,
a los toneles de los vinos que pisasteis un día en los lagares,
las puertas de los huertos,
a las cuadras donde os esperan los caballos.
Abrid,
abrid,
sentaos,

descansad.
Buenos días.
Vuestros hijos,
su sangre,
han hecho al fin que suene esa hora en que el mundo va
a cambiar de dueño.

# FERNANDO VILLALON

## V I D A

*Nació Villalón en Sevilla, en la casa solariega de sus abuelos, donde vivió Baltasar de Alcázar, el 30 de mayo de 1881. Vivió siempre en su Andalucía Baja, simultaneando sus labores de agricultor y ganadero con sus lecturas varias y pintorescas de cosmogonía, poesía vieja y nueva, tauromaquia, espiritismo, etcétera. Fernando Villalón Daoiz y Halcón, conde de Miraflores de los Angeles, fue, para todos los que le conocimos, un ser extraordinario, de una vitalidad generosa y ubérrima. Su poesía es, en rigor, legítima poesía superrealista, poesía de origen subconsciente y de fuerza y rudeza elementales; y esto, a pesar de su cultura retórica y de su afición a la convivencia con los poetas nuevos y los nuevos modos. Villalón decía cosas como ésta: "Mi ideal, como ganadero de reses bravas, se cifra en obtener un tipo de toro de lidia que tenga los ojos verdes." Una colección de anécdotas de Villalón, una floresta de sus dichos valdría por la mejor biografía.*

*Murió en Madrid, el 8 de marzo de 1930, en un Sanatorio y después de una desesperada intervención quirúrgica.*

*¿Cuándo empezó a escribir Fernando Villalón? Su primer libro data de 1926, y salió al público el año siguiente; pero en él se incluye alguna poesía fechada en 1918. Sin embargo, no hay duda de que su formación poética es posterior a la de los que le preceden en este libro.*

POETICA

*Ya que no pueda consultarle a él, repaso sus cartas en busca de confidencias que puedan revelarnos sus sucesivos propósitos poéticos. A propósito de un comentario mío sobre su* Andalucía la Baja, *me escribía generosamente (yo le había catalogado como poeta no profesional, y le invitaba a vestir definitivamente el traje de luces): "Mi entusiasta felicitación por su puntería certera —que ya conocía y admiraba—. Eso soy yo, un aficionado del grado cuarto: el arrepentido tardío. ¡Qué bien ha visto la preocupación del que tantea borracho de miedo a un ridículo que sus años y su bagaje de cosas pudiera sufrir más bien que sus versos! ¡Qué pronto ha conocido los deseos que alguna que otra vez siento de* no torear más vestido de paisano! *Todo, todo es muy verdad. Me ha hecho usted la autopsia literaria y la pudo hacer sin dolor para mí, porque yo me considero muerto intelectualmente, amigo Gerardo. Ahora que sólo un crítico que sea también un poeta sabe ver que yo morí por abandono por poco y alterno tiempo, dedicado a mí mismo, y que hoy, en la rebeldía de un otoño sin lucro, me quiero dar masaje en las tres patitas de gallo con un libro de juventud."*

*En otras cartas posteriores me habla de sus* Romances del ochocientos. *Apunta ya su liberación de la poesía local y pintoresca. "Son cosas de Andalucía todas y como despedida de mi* andalucismo local. *No porque yo vaya a dejar de escribir sobre mi tierra (confesión magnífica y casi involuntaria), pero sí de la manera que hasta ahora lo he hecho. Quiero huir del amaneramiento en lo que pueda. Un Gabriel y Galán andaluz me pone nervioso y sólo pensar en eso me inutiliza para escribir en dos o tres días."*

Las poesías elegidas pertenecen a los siguientes libros: 1 a 6, a *Romances del ochocientos;* 7 a 9, a *Antología 1915-1931.*

1

894

I

GIRALDA, madre de artistas,
molde de fundir toreros,
dile al giraldillo tuyo
que se vista un traje negro.

Malhaya sea *Perdigón,*
el torillo traicionero.

Negras gualdrapas llevaban
los ocho caballos negros;
negros son sus atalajes
y negros son sus plumeros.

De negro los mayorales
y en la fusta un lazo negro.

II

Mocitas las de la Altalfa;
mocitos los pintureros;
negros pañuelos de talle
y una cinta en el sombrero.

Dos viudas con claveles
negros en el negro pelo.

Negra faja y corbatín
negro, con un lazo negro,
sobre el oro de la manga,
la chupa de los toreros.

Ocho caballos llevaba
el coche del Espartero.

2

CUANDO te vas y me dejas,
me quedo como el cangrejo,
que deja el mar en las piedras.

Adiós, gatito Miguel,
mascota de los marinos
del laúd *San Rafael.*

3

¡HOJAS que se lleva el viento!...
Tú me has tomado por hoja.
¡No tienes conocimiento!

Viento marero,
no seas así,
no te lleves
los jazmines blancos
del verde jardín.

4

LA corrida del domingo
no se cierra sin mi jaca.

Mi jaca la marismeña,
que por piernas tiene alas.

Venta vieja de Eritaña,
la cola de mi caballo
dos toros negros peinaban...

5

EN las salinas del puerto
se encarga a los salineros
las garrochas de majagua
que gastan los mozos buenos.

Si no se me parte el palo,
aquel torillo berrendo
no me hiere a mí el caballo.

6

QUE me entierren con espuelas
y el barbuquejo en la barba,
que siempre fue un mal nacido
quien renegó de su casta...

7

## AUDACES FORTUNA JUVAT, TIMIDOSQUE REPELLIT

I

INCENDIA tu cuerpo en el mío, y simula una evasión
del presidio de la normalidad;
y con una aurora en cada mano, paladearemos juntos el placer
de la alegría sin trabas.
Haremos poemas como nos dé la gana.
Con la pluma o con el cuerpo.

Sin ropa de nadie.
Sin levitas de academia, sin chaquets de sabios, sin trincheras
de señorito.
Sin la blusa del obrero tampoco;
y libres y sin ropa,
y los pulmones plenos de respirar atrocidades bellas.
Cielo y sol. Hotelera la tierra solamente.
Con el pensamiento en las manos borraremos la huella de lo
comiéndonos nuestras vidas azogueñamente: [pasado,
Siempre...

II

Nunca más mi brújula bailadora buscará la virtud
con la punta de su zapato de acero.
Y mientras el sol lleve de la mano al día para engañarlo,
yo dormiré con la noche solo.
No creo en el uno ni en el dos.
El misterio del cero se apernacó en mis espaldas.
Y corro con él—centauro de pena—por las calles concurridas,
abriéndome paso entre las llagas que separan los pechos
de las espaldas.
Las llamas no son rojas, ni el fuego consume lo suficiente
para que tengan que extinguirlo
los bomberos con su ansia.
Yo me basto para apagar con las manos una vida que arda
por los cuatro costados
y doblando sólo un dedo apagaré mi día (jaca jerezana
que doblará sus nalgas calada por el toro negro).

Soy piloto de la tierra.
Haré hacer guardia a las hormigas encarnadas ante el palacio
del duc,
los pingüinos llegarán hasta el ecuador haciendo reverencias;
todos los lagartos de la tierra asistirán a mis desposorios,
y jineteando el caimán de los siete colores—con mi amada
a las ancas—,
asaltaremos decididamente la residencia del obispo.

III

Cautivas las manos por las esposas, y los pasos contados
por los eslabones de la cadena,
son arrastrados sus pensamientos por los caminos,
vestidos de máscara;
mientras a la santa pistola le tiemblan los gatillos
entre las matas desgajadas.
Una paloma le lleva en el pico todos los días una gota de sangre
para que fabrique el nido de la venganza;
y ni el huracán se compromete a cerrar la herida que en el aire
deja la estela de su vuelo.
Los días amanecen como antorchas moribundas
y en el espejo de sus ojos multiplico el rayo de luz
quemando sus ligaduras...
Todos los puñales de los oprimidos temblaron dentro de sus [vainas.
La indignación torció los ojos del justo,
y contrajo las bocas de los santos—muertos de pie
sobre sus altares—.
Nacen los niños con cuernos y con los sexos cambiados;
las doncellas se van con los monstruos;
mientras los poderosos, con sus servilletas pendientes del cuello
digieren sudor bajo sus corazas de oro...

8

BLANCAS alas, las sábanas infladas
al cielo me llevaban voladoras
sólo ellas, no yo.—Y me veía
transportado a regiones que conozco
de haber ido otra vez, y no sé cómo.—
Cisnes blancos y azules a mi paso
se inclinaban, haciendo reverencias,
y hablaban del porqué de las estrellas.
Y por la cuesta blanca de una nube
caminaba encorvado San Abundio,
coronado de estrellas pequeñitas,
con su cayado y con su calabaza.

9

DOS rectas nuestras vidas
matemáticamente.

Tú y yo en el cenit
de lo bello y lo justo,
con blancura de nieve,
azul puro de aire.

Dos rectas nuestras vidas:
azul puro de aire,
blanco puro de nieve,
matemáticamente.

Y el amor, ¿en la nieve?
Y el amor, ¿en el aire?

Curva tu recta exacta
y hacia el amor decae.
¡Amor! ¡Curva parábola!
en la nieve y el aire.

# ERNESTINA DE CHAMPOURCIN

## VIDA

*"Nací en Vitoria el 10 de julio de 1905; éste es el único dato real y esencial de mi biografía. El resto es... literatura, y no de la más amena. Mi infancia y mi adolescencia constituyen el cielo verdaderamente intelectual de mi vida. Durante esos años he escrito y leído en serio, cómicamente en serio. Mis muñecas y mis allegados tuvieron que sufrir las exuberantes y acaparadoras primicias de mi vocación literaria. Pero esto es historia antigua, mejor dicho, historieta. En la actualidad no puedo oír mi nombre, acompañado por el horrible calificativo de poetisa, sin sentir vivos deseos de desaparecer, cuando no de agredir al autor de la desdichada frase."*

## POETICA

*"¿Mi concepto de la poesía? Carezco en absoluto de conceptos. La vida borró los pocos de que disponía, y hasta ahora no tuve tiempo ni ganas de fabricarme otros nuevos. Por otra parte, cuando todo el mundo define y se define, causa un secreto placer mantenerse desdibujado entre los equívocos linderos de la vaguedad y la vagancia.*

*Sin embargo, no quiero finalizar estas líneas sin expresar un sentimiento concreto: el que me produce la voluntaria ausencia en esta* ANTOLOGÍA *de Juan Ramón Jiménez, nuestro gran poeta y maestro.*"

E. de CH.

Las poesías elegidas pertenecen a los siguientes libros: números 1 y 2, a *Ahora;* 3 a 8, a *La voz en el viento;* 9 a 11, inédito.

1

LA lluvia, desnudando, apasionada y lenta,
las enjoyadas sienes del árbol pensativo,
cala el suelo alfombrado y sus agujas leves
ahondan en la tierra los cristales del frío.

El alma es una sombra: la soledad de un velo
que esboza la irisada faceta de mis dudas.
¿El horizonte gris es acaso la escena
donde surge a diario la belleza desnuda?

Aguaje de luceros, diamantes de rocío.
Brilla el arco sin forma de una vaga esperanza.
El pastor de la espuma conduce su rebaño
hacia el perfil de concha que dibuja la playa.

2

HOJA blanca de hoy, de siempre, de mañana.
Frutal de cada día, semilla fecundada
por un rayo de luz o una gota de agua.
La vida fluye abajo, arrastrándose vana.
Encima de mi frente, los divinos fantasmas
del sueño verdadero, los éxtasis del alma...
cicatrices de oro, que mi pluma va abriendo
sobre la hoja blanca.

3

## CREACION

DIBUJE una rosa nueva
en el papel de tu alma.
¡Cómo temblaste al sentir
el roce de mis papeles
sobre la hoja arrugada!

Muy despacio, fríamente,
incrustando en carne viva
el punzón dc una mirada,
abocеté la estructura
de mis sueños en la página
que intentabas arrancar.

¡Rosa pura, forma anclada,
en la ribera flexible,
sin contornos, de tu alma!

4

TU presencia me ciñe duramente
el grito de mi vida encarcelada
sucumbe ya, tendido a la celada
que tus labios abrieron en mi frente.

Detén mi paso incierto. Mansamente
callará en ti mi voz desorientada.
Para ser tuya volveré a la nada.
¡Mi pulso en carne viva te presiente!

Que el silencio me anude a tu sendero.
Más que el llano sin límites, prefiero
el cauce luminoso de tu huella.

Cerraré con tu sombra la salida;
pero en mi mano, por tu boca ungida,
podrás beber aún la última estrella.

5

## INSOMNIO

SURGE mi mano de la trama oscura
que afelpa, silenciosa, los desvelos.
Fuga hacia ti. Navegan nuestros cielos
con rumbo a su recíproca ternura.

Caminos de tu acento. Senda pura
que aquieta suavemente mis anhelos.
Despojando la sombra de sus velos
llego al refugio que en tu voz perdura.

¡Cómo se adhieren a mi palma abierta
los ecos de ti mismo! Ya despierta,
ingrávida y ferviente, la caricia

de mi mano, que roza tu palabra,
mientras la noche con ausencias labra
el prodigio de un sueño que se inicia.

6

BUSCAME en ti. La flecha de mi vida
ha clavado sus rumbos en tu pecho
y esquivo entre tus brazos el acecho
de las cien rutas que mi paso olvida.

Despójame del ansia desmedida
que abrasaba mi espíritu en barbecho.
El roce de tus manos ha deshecho
la audacia de mi frente envanecida.

Navegaré en tus pulsos. Dicha inerte
del silencio total. Avida muerte
donde renacen, tuyos, mis sentidos.

Ahoga entre tus labios mi tristeza,
y esta inquietud punzante que ya empieza
a taladrar mi sien con sus latidos.

7

SERE tuya sin ti el día que los sueños
alejen de mi senda tu frente creadora,
el día que tu sed
no pueda limitarse al hueco de mis manos.

¡Seré tuya aun sin ti! Dejaré de mecerte
en la cuna encendida que tejieron mis besos.
Se borrará en tus labios la forma de los míos
y el cielo de tu vida
tendrá un color distinto al de mi corazón.

Pero sabré ser tuya sin nublar tu camino
con la huella indecisa de mi andar solitario.
Me ceñiré a tu sombra, y anulada por ella,
te iré dando en silencio lo más puro de mí.

¡Con qué amarga dulzura repetiré, ya sola,
esos gestos antiguos que pulió tu mirada!
Me seguirás teniendo igual que me quisiste
y acunaré en secreto tu amor eternizado.

8

VOY a arraigar en ti. Mis fuerzas más oscuras
remueven lentamente la tierra de tu alma.
Quisiera penetrarte y enraizar mi esencia
sobre la carne viva que nutre tu fervor.

Ahondaré en ti mismo y abrasará tu sangre
el fuego de la mía rebelde y soñadora.
Invadido por mí, derribarás la cumbre
que te aleja del cielo.

¿No sientes mis raíces? Tu tallo florecido,
ebrio de sí, eterniza mi cálida fragancia.
¡Irguiéndolo alzarás la copa de mi frente,
hasta volcar su zumo en los labios del sol!

## 9
## VIDA-AMOR

CUANDO todas las piedras del mundo se hagan polvo,
cuando todos los gritos naveguen al silencio
y en las rutas dormidas camine, sólo, Dios;

cuando las manos sean nostalgias de la rosa,
cuando el cielo ya huérfano de sienes en delirio
desangre en cada estrella su noche torturada,
yo acercaré a tus labios mis labios inmortales
y beberás en mí tu propia eternidad.

¡Soy la raíz primera de todos los amores!
Mi vida es el aliento supremo de la Vida.
Nada logra su ser, sin el zumo que fluye
por mis venas exhaustas.

Cuando crispe tus pasos la angustia del vacío
y lloren en tus ojos los ojos que nublaste,
cuando selle tu boca un grumo de ceniza,
recuerda que, teniéndome, tú nunca morirás.

No tiembles ya, si sientes que surge de lo oscuro
esa Voz que dispersa el eco de las voces.
¡Soy tu cáliz de vida! Apúralo hasta el fondo
y anúlame en la gloria de haberte rescatado.

## 10

## SOLEDAD

TODOS van, todos saben...
Sólo yo no sé nada.

Sólo yo me he quedado
abstraída y lejana,

soñando realidades,
recogiendo distancias.

Cada pájaro sabe
qué sombra da su rama,

cada huella conoce
el pie que la señala.

No hay senderos sin pasos
ni jazmines sin tapia...

¡Sólo yo me he quedado
en la brisa enredada!

Sólo yo me he perdido
en un vuelo sin alas

por poblar soledades
que en el cielo lloraban.

Sólo yo no alcancé
lo que todos alcanzan

por mecer un lucero
a quien nadie besaba.

## 11

## POEMA

¡TODA la primavera dormía entre tus manos!
Iniciaste en un gesto la fiesta de las rosas
y erguiste, enajenada,
esa flecha de luz que impregna los caminos.

¡Toda la primavera!
Fervores del instante transido de capullos,
gracia tímida y leve del perfume sin rastro,
caricias que despiertan el sexo de las horas...

Brotaron de tus palmas en éxtasis gozoso
los trinos y las brisas. Y tu ademán secreto
desperezó en rubores la pubertad del mundo.

¡Todo vino por ti!, porque tus manos lentas
ciñeron brevemente mi carne estremecida,
porque al rozar mi cuerpo
despertaste una flor que trae la primavera.

# VICENTE ALEIXANDRE

## VIDA

*Vicente Aleixandre nació en Sevilla el 26 de abril de 1898. Su infancia transcurre casi toda en Málaga y vive desde casi su término en Madrid. Cursa simultáneamente en esta ciudad la carrera de Derecho y la mercantil. A los dieciocho años comienza a escribir, tanteos para siempre inéditos, en medio de lecturas profusas y estudios desiguales. Cuando acaba sus cursos oficiales empieza a trabajar en una compañía industrial. Destierro.*

*Dos años después cae gravemente enfermo. Crisis profunda. Apartamiento de sus actividades profesionales. Soledad y campo. Comienza a escribir con fe y necesidad. Cambio radical en el curso de su vida. Vuelta a Madrid y ahora ya en un nuevo camino. En agosto de 1926 aparece por primera vez su firma, en la* Revista de Occidente, *con una serie de poemas. En 1928 sale su primer libro* ("Ambito"). *Colabora en* Litoral, *en* Carmen, *en* Verso y Prosa, *en* Mediodía..., *revistas de juventud contemporáneas.*

*En 1932 publica su libro* Espadas como labios. *En diciembre de 1933 le ha sido otorgado el Primer Premio Nacional de Literatura por su obra, ahora en prensa,* La destrucción o el amor.

*Estado, soltero. Ha viajado por casi toda España, y brevemente, en ocasiones diversas, por Francia, Inglaterra y Suiza.*

## POETICA

*"No sé lo que es la poesía. Y desconfío profundamente de todo juicio de poeta sobre lo siempre inexplicable.*

* * *

*Y sin embargo no puedo menos de acordarme en ocasiones de*

*un consejo de Meredith a los poetas de su tiempo: "Jóvenes, no sintáis; observad." Sano consejo contra una autofagia que al cabo encuentra su detestable límite en lo exhausto. Peligrosa excitación, por el contrario, a una objetivación que a fuerza de ignorarse se acuerda más del espejo que del temperamento. Pacto final el de la poesía que no olvida ciertamente que el hombre es naturaleza y que el viento unas veces se llama labios, otras arena, mientras el mundo lleva en su seno a todo lo existente.*

*Si desde algún sitio, entonces, poesía es clarividente fusión del hombre con lo creado, con lo que acaso no tiene nombre; si es identificación súbita de la realidad externa con las fieles sensaciones vinculadas, resuelto todo de algún modo en una última pregunta totalizadora, aspiración a la unidad, síntesis, comunicación o trance, ¿será el poeta el ajeno polo magnético, soporte vivo de unas descargas inspiradoras que ciegamente arriban de unas nubes fugaces o de la propia tierra unitaria en que el poeta se yergue y de la que acaso no se siente distinto? ¡Ah!, profundo misterio.*

*Frente a la divinización de la palabra, frente a esa obscena delectación de la* maestría *o dominio verbal del artífice que trabaja la talla, confundiendo el destello del vidrio que tiene entre sus manos con la profunda luz creadora, hay que afirmar, hay que exclamar con verdad: No, la poesía no es* cuestión de palabras.

*El genio poético escapa a unos estrechos moldes previos que el hombre ha creado como signos insuficientes de una fuerza incalificable. Esa fuga, o mejor ese choque del que brota la apasionante luz del poema, es su patética actividad cotidiana: fuga o destino hacia un generoso reino, plenitud o realidad soberana, realidad suprasensible, mundo incierto donde el enigma de la poesía está atravesado por las supremas categorías, últimas potencias que iluminan y signan la oscura revelación, para la que las palabras trastornan su consuetudinario sentido."*

V. A.

Las poesías elegidas pertenecen a los siguientes libros: 1 a 3, a *Ambito; 4*, a *Antología 1915-1931; 5* a 8, *Espadas como labios;* 9 a 16, inédito.

## 1
## ADOLESCENCIA

VINIERAS y te fueras dulcemente,
de otro camino
a otro camino. Verte,
y ya otra vez no verte.
Pasar por un puente a otro puente.
—El pie breve,
la luz vencida alegre—.

Muchacho que sería yo mirando
aguas abajo la corriente,
y en el espejo tu pasaje
fluir, desvanecerse.

## 2
## JUVENTUD

ESTANCIA soleada:
¿Adónde vas, mirada?
A estas paredes blancas,
clausura de esperanza.

Paredes, techo, suelo:
gajo prieto de tiempo.

Cerrado en él, mi cuerpo.
Mi cuerpo, vida, esbelto.

Se le caerán un día
límites. ¡Qué divina
desnudez! Peregrina
luz. ¡Alegría, alegría!

Pero estarán cerrados
los ojos. Derribados
paredones. Al raso,
luceros clausurados.

3

## POSESION

NEGROS de sombra. Caudales
de lentitud. Impaciente
se esfuerza en armar la luna
sobre la sombra sus puentes.

(¿De plata? Son levadizos
cuando, bizarro, de frente,
de sus puertos despegado
cruzar el día se siente.)

Ahora los rayos desgarran
la sombra espesa. Reciente,
todo el paisaje se muestra
abierto y mudo, evidente.

Húmedos pinceles tocan
las superficies, se mueven
ágiles, brillantes; tensos
brotan a flor los relieves.

Extendido ya el paisaje
está. Su mantel, no breve,
flores y frutos de noche,
en dulce peso, sostiene.

La noche, madura toda,
gravita sobre la nieve
hilada. ¿Qué zumos densos
dará en mi mano caliente?

Su pompa rompe la cárcel
exacta, y la pulpa ardiente,
constelada de pepitas
iluminadas, se vierte.

Mis rojos labios la sorben.
Hundo en su yema mis dientes.
Toda mi boca se llena
de amor, de fuegos presentes.

Ebrio de luces, de noche,
de brillos, mi cuerpo extiende
sus miembros, ¿pisando estrellas?,
temblor pisando celeste.

La noche en mí. Yo la noche.
Mis ojos ardiendo. Tenue,
sobre mi lengua naciendo
un sabor a alba creciente.

4

## A FRAY LUIS DE LEON

¿QUE linfa esbelta, de los altos hielos
hija y sepulcro, sobre el haz silente
rompe sus fríos, vierte su corriente,
luces llevando, derramando cielos?

¿Qué agua orquestal bajo los mansos celos
del aire, muda funde su crujiente
espuma en anchas copias y consiente,
terso el diálogo, signo y luz gemelos?

La alta noche su copa sustantiva
—árbol ilustre—yergue a la bonanza,
total su crecimiento y ramas bellas.

Brisa joven de cielo, persuasiva,
su pompa abierta, desplegada, alcanza
largamente, y resuenan las estrellas.

5

## VERDAD SIEMPRE

SI sí es verdad es la única verdad
ojos entreabiertos luz nacida
pensamiento o sollozo clave o alma
este velar este aprender la dicha
este saber que el día no es espina
sino verdad oh suavidad Te quiero
Escúchame Cuando el silencio no existía
Cuando tú eras ya cuerpo y yo la muerte
entonces cuando el día

Noche bondad oh lucha noche noche
Bajo clamor o senos Bajo azúcar
entre dolor o sólo la saliva
allí entre la mentira sí esperaba
noche noche lo ardiente o el desierto

## 6

## ACABA

EN volandas
como si no existiera el avispero
aquí me tienes con los ojos desnudos
ignorando las piedras que lastiman
ignorando la misma suavidad de la muerte

¿Te acuerdas? He vivido dos siglos dos minutos
sobre un pecho latiente
he visto golondrinas de plomo triste anidadas en ojos
y una mejilla rota por una letra
La soledad de lo inmenso mientras media la capacidad de una
[gota

Hecho pura memoria
hecho aliento de pájaro
he volado sobre los amaneceres espinosos
sobre lo que no puede tocarse con las manos

Un gris un polvo gris parado impediría siempre el beso sobre
sobre la única desnudez que yo amo [tierra
y de mi tos caída como una pieza
no se esperaría un latido sino un adiós yacente

Lo yacente no sabe
Se pueden tener brazos abandonados
Se pueden tener unos oídos pálidos
que no se apliquen a la corteza ya muda
Se puede aplicar la boca a lo irremediable
Se puede sollozar sobre el mundo ignorante

Como una nube silenciosa yo me elevaré de mí mismo
Escúchame Soy la avispa imprevista
soy esa elevación a lo alto
que como un ojo herido

se va a clavar en el azul indefenso
Soy esa previsión triste de no ignorar todas las venas
de saber cuándo cuándo la sangre pasa por el corazón
y cuándo la sonrisa se entreabre estriada.

Todos los aires azules
No
Todos los aguijones dulces que salen de las manos
todo ese afán de cerrar párpados de echar oscuridad o sueño
de soplar un olvido sobre las frentes cargadas
de convertirlo todo en un lienzo sin sonido

me transforma en la pura brisa de la hora
en ese rostro azul que no piensa
en la sonrisa de la piedra
en el agua que junta los brazos mudamente
En ese instante último en que todo lo uniforme pronuncia la
[palabra

ACABA

7

## POEMA DE AMOR

TE amo sueño del viento
confluye con mis dedos olvidado del norte
en las dulces mañanas del mundo cabeza abajo
cuando es fácil sonreír porque la lluvia es blanda

En el seno de un río viajar es delicia
oh peces amigos decidme el secreto de los ojos abiertos
de las miradas mías que van a dar en la mar
sosteniendo la quilla de los barcos lejanos
Yo os amo—viajadores del mundo—los que dormís sobre el
hombres que van a América en busca de sus vestidos [agua
los que dejan en la playa su desnudez dolida
y sobre las cubiertas del barco atraen el rayo de la luna

Caminar esperando es risueño es hermoso
la plata y el oro no han cambiado de fondo
botan sobre las ondas sobre el lomo escamado
y hacen música o sueño para los pelos más rubios

Por el fondo de un río mi deseo se marcha
de los pueblos innúmeros que he tenido en las yemas
esas oscuridades que vestido de negro
he dejado ya lejos dibujadas en espalda

La esperanza es la tierra es la mejilla
es un inmenso párpado donde yo sé que existo
¿Te acuerdas? Para el mundo he nacido una noche
en que era suma y resta la clave de los sueños

Peces árboles piedras corazones medallas
sobre vuestras concéntricas ondas—sí—detenidas
yo me muevo y si giro me busco oh centro oh centro
camino—viajadores del mundo—del futuro existente
más allá de los mares en mis pulsos que laten

8

## EL VALS

ERES hermosa como la piedra
oh difunta
Oh viva oh viva eres dichosa como la nave

Esta orquesta que agita
mis cuidados como una negligencia
como un elegante biendecir de buen tono
ignora el vello de los pubis
ignora la risa que sale del esternón como una gran batuta

Unas olas de afrecho
un poco de serrín en los ojos
o si acaso en las sienes
o acaso adornando las cabelleras

Unas faldas largas hechas de colas de cocodrilos
Unas lenguas o unas sonrisas hechas con caparazones de
Todo lo que está suficientemente visto [cangrejos
no puede sorprender a nadie

Las damas aguardan su momento sentadas sobre una lágrima
disimulando la humedad a fuerza de abanico insistente
Y los caballeros abandonados de sus traseros
quieren atraer todas las miradas a la fuerza hacia sus bigotes

Pero el vals ha llegado
Es una playa sin ondas
es un entrechocar de conchas de tacones de espumas o de
Es todo lo revuelto que arriba [dentaduras postizas

Pechos exuberantes en bandeja en los brazos
dulces tartas caídas sobre los hombros llorosos
una languidez que revierte
un beso sorprendido en el instante que se hacía "cabello de
un dulce "sí" de cristal pintado de verde [ángel"

Un polvillo de azúcar sobre las frentes
da una blancura cándida a las palabras limadas
y las manos se acortan más redondeadas que nunca
mientras fruncen los vestidos hechos de esparto querido

Las cabezas son nubes la música es una larga goma
las colas de plomo casi vuelan y el estrépito
se ha convertido en los corazones en oleadas de sangre
en un licor si blanco que sabe a memoria o a cita

Adiós adiós esmeralda amatista o misterio
adiós como una bola enorme ha llegado el instante
el preciso momento de la desnudez cabeza abajo
cuando los vellos van a pinchar los labios obscenos que saben

Es el instante el momento de decir la palabra que estalla
el momento en que los vestidos se convertirán en aves

las ventanas en gritos
las luces en socorro
y ese beso que estaba (en el rincón) entre dos bocas
se convertirá en una espina
que dispensará la muerte diciendo
Yo os amo.

## 9

## LA DICHA

NO. ¡Basta!
Basta siempre.
Escapad, escapad; sólo quiero,
sólo quiero tu muerte cotidiana.
El busto erguido, la terrible columna,
el cuello febricente, la convocación de los robles;
las manos que son piedra, la luna de piedra sorda
y el vientre que es sol, el único extinto sol.

¡Hierba seas! Hierba reseca, apretadas raíces,
follaje entre los muslos donde ni gusanos ya viven,
porque la tierra no puede ni ser grata a los labios,
a esos que fueron—sí—caracoles de lo húmedo.

Matarte a ti, pie inmenso, yeso escupido,
pie masticado días y días cuando los ojos sueñan,
cuando hacen un paisaje azul cándido y nuevo
donde una niña entera se baña sin espuma.

Matarte a ti, cuajarón redondo, forma o montículo,
materia vil, vomitadura o escarnio,
palabra que pendiente de unos labios morados
ha colgado en la muerte putrefacta o el beso.

No. ¡No!
Tenerte aquí, corazón que latiste entre mis dientes larguísimos,
en mis dientes o clavos amorosos o dardos,
o temblor de tu carne cuando yacía inerte
como el vivaz lagarto que se besa y se besa.

Tu mentira catarata de números,
catarata de manos de mujer con sortijas,
catarata de dijes donde pelos se guardan,
donde ópalos u ojos están en terciopelos,
donde las mismas uñas se guardan con encajes.

Muere, muere como el clamor de la tierra estéril,
como la tortuga machacada por un pie desnudo,
pie herido cuya sangre, sangre fresca y novísima
quiere correr y ser como un río naciente.

Canto el cielo feliz, el azul que despunta,
canto la dicha de amar dulces criaturas,
de amar a lo que nace bajo las piedras limpias,
agua, flor, hoja, sed, lámina, río o viento,
amorosa presencia de un día que sé existe.

10

## CANCION

DIME, dime el secreto de tu corazón virgen;
dime el secreto de tu cuerpo bajo tierra;
quiero saber por qué ahora eres un agua,
esas orillas frescas donde unos pies desnudos se bañan con
[espuma.

Dime por qué sobre tu pelo suelto,
sobre tu dulce hierba acariciada,
cae, resbala, acaricia, se va
un sol ardiente o reposado que te toca
como un viento que lleva sólo un pájaro o mano.

Dime por qué tu corazón como una selva diminuta
espera bajo tierra los imposibles pájaros,
esa canción total que por encima de los ojos
hacen los sueños cuando pasan sin ruido.

Oh tú, canción que a un cuerpo muerto o vivo,
que a un ser hermoso que bajo el suelo duerme
cantas color de piedra, color de beso o labio,
cantas como si el nácar durmiera o respirara.

Esa cintura, ese débil volumen de un pecho triste,
ese rizo voluble que ignora el viento,
esos ojos por donde sólo boga el silencio,
esos dientes que son de marfil resguardado,
ese aire que no mueve unas hojas no verdes...

¡Oh tú, cielo riente, que pasas como nube;
oh pájaro feliz, que sobre un hombro ríes;
fuente que, chorro fresco, te enredas con la luna;
césped blando que pisan unos pies adorados!

11

## LA SELVA Y EL MAR

Allá por las remotas
luces o aceros aun no usados,
tigres del tamaño del odio,
leones como un corazón hirsuto,
sangre como la tristeza aplacada
se baten con la hiena amarilla que toma la forma del poniente
[insaciable.
Largas cadenas que surten de los lutos,
de lo que nunca existe,
atan el aire como una vena, como un grito, como un reloj
[que se para
cuando se estrangula algún cuello descuidado.

Oh la blancura súbita,
las ojeras violáceas de unos ojos marchitos,
cuando las fieras muestran sus espadas o dientes
como latidos de un corazón que casi todo lo ignora,
menos el amor.

al descubierto en los cuellos allá donde la arteria golpea,
donde no se sabe si es el amor o el odio
lo que reluce en los blancos colmillos.

Acariciar la fosca melena
mientras se siente la poderosa garra en la tierra,
mientras las raíces de los árboles, temblorosas,
sienten las uñas profundas
como un amor que así invade.

Mirar esos ojos que sólo de noche fulgen,
donde todavía un cervatillo ya devorado
luce su diminuta imagen de oro nocturno,
un adiós que centellea de póstuma ternura.

El tigre, el león cazador, el elefante que en sus colmillos
lleva algún suave collar,
la cobra que se parece al amor más ardiente,
el águila que acaricia a la roca como los sesos duros,
el pequeño escorpión que con sus pinzas sólo aspira a oprimir
un instante la vida,
la menguada presencia de un cuerpo de hombre
que jamás podrá ser confundido con una selva,
ese piso feliz por el que viborillas perspicaces hacen su nido
en la axila del musgo,
mientras la pulcra coccinella
se evade de una hoja de magnolia sedosa...
Todo suena cuando el rumor del bosque siempre virgen
se levanta como dos alas de oro,
élitros, bronce o caracol rotundo,
frente a un mar que jamás confundirá sus espumas
con las ramillas tiernas.

La espera sosegada,
esa esperanza siempre verde,
pájaro, paraíso, fasto de plumas no tocadas,
inventa los ramajes más altos,
donde los colmillos de música,
donde las garras poderosas, el amor que se clava,

la sangre ardiente que brota de la herida
no alcanzará, por más que el surtidor se prolongue,
por más que los pechos entreabiertos en tierra
proyecten su dolor o su avidez a los cielos azules.

Pájaro de la dicha,
azul pájaro o pluma,
sobre un sordo rumor de fieras solitarias,
del amor o castigo contra los troncos estériles,
frente al mar remotísimo que como la luz se retira.

## 12

## LA VENTANA

Cuánta tristeza en una hoja del otoño,
dudosa siempre en último extremo si presentarse como cu-
Cuánta vacilación en el color de los ojos [chillo.
antes de quedar frío como una gota amarilla.

Tu tristeza, minutos antes de morirte,
sólo comparable con la lentitud de una rosa cuando acaba,
esa sed con espinas que suplica a lo que no puede,
gesto de un cuello, dulce carne que tiembla.

Eras hermosa como la dificultad de respirar en un cuarto
[cerrado.
Transparente como la repugnancia a un sol libérrimo,
tibia como ese suelo donde nadie ha pisado,
lenta como el cansancio que rinde al aire quieto.

Tu mano, bajo la cual se veían las cosas,
cristal finísimo que no acarició nunca otra mano,
flor o vidrio que, nunca deshojado,
era verde al reflejo de una luna de hierro.

Tu carne, en que la sangre detenida apenas consentía
una triste burbuja rompiendo entre los dientes,
como la débil palabra que casi ya es redonda
detenida en la lengua dulcemente de noche.

Tu sangre, en que ese limo donde no entra la luz
es como el beso falso de unos polvos o un talco,
un rostro en que destella tenuemente la muerte,
beso dulce que da una cera enfriada.

Oh tú, amoroso poniente que te despides como dos brazos
cuando por una ventana ahora abierta a ese frío [largos
una fresca mariposa penetra,
alas, nombre o dolor, pena contra la vida
que se marcha volando con el último rayo.

Oh tú, calor, rubí o ardiente pluma,
pájaros encendidos que son nuncio de la noche,
plumaje con forma de corazón colorado
que en lo negro se extiende como dos alas grandes.

Barcos lejanos, silbo amoroso, velas que no suenan,
silencio como mano que acaricia lo quieto,
beso inmenso del mundo como una boca sola,
como dos bocas fijas que nunca se separan.

¡Oh verdad, oh morir una noche de otoño,
cuerpo largo que viaja hacia la luz del fondo,
agua dulce que sostienes un cuerpo concedido,
verde o frío polar que vistes un desnudo!

## 13
## CORAZON NEGRO

CORAZON negro.
Enigma o sangre de otras vidas pasadas,
suprema interrogación que ante los ojos me habla,
signo que no comprendo a la luz de la luna.

Sangre negra, corazón dolorido que desde lejos la envías
a latidos inciertos, bocanadas calientes,
vaho pesado de estío, río en que no me hundo,
que sin luz pasa como silencio, sin perfume ni amor.

Triste historia de un cuerpo que existe como existe un [planeta,
como existe la luna, la abandonada luna,
hueso que todavía tiene un claror de carne.

Aquí, aquí en la tierra echado entre unos juncos,
entre lo verde presente, entre lo siempre fresco,
veo esa pena o sombra, esa linfa o espectro,
esa sola sospecha de sangre que no pasa.

¡Corazón negro, origen del dolor o la luna,
corazón que algún día latiste entre unas manos.
beso que navegaste por unas venas rojas,
cuerpo que te ceñiste a una tapia vibrante!

## 14

## VEN, SIEMPRE VEN

No te acerques. Tu frente, tu ardiente frente, tu encendida frente,
las huellas de unos besos,
ese resplandor que aun de día se siente si te acercas,
ese resplandor contagioso que me queda en las manos,
ese río luminoso en que hundo mis brazos,
en el que casi no me atrevo a beber por temor después a ya una dura vida de lucero.

No quiero que vivas en mí como vive la luz,
con ese ya aislamiento de estrella que se une con su luz,
a quien el amor se niega a través del espacio
duro y azul que separa y no une,
donde cada lucero inaccesible
es una soledad que, gemebunda, envía su tristeza.

La soledad destella en el mundo sin amor.
La vida es una vívida corteza,
una rugosa piel inmóvil,
donde el hombre no puede encontrar su descanso
por más que aplique su sueño contra un astro apagado.

Pero tú no te acerques. Tu frente, destellante carbón encendido que me arrebata a la propia conciencia,
duelo fulgúreo en que de pronto siento la tentación de morir,
de quemarme los labios con tu roce indeleble,
de sentir mi carne deshacerse contra tu diamante abrasador.

No te acerques, porque tu beso se prolonga como el choque imposible de las estrellas,
como el espacio que súbitamente se incendia,
éter propagador donde la destrucción de los mundos
es un único corazón que totalmente se abrasa.

Ven, ven, ven como el carbón extinto oscuro que encierra una muerte;
ven como la noche ciega que me acerca su rostro;
ven como los dos labios marcados por el rojo,
por esa línea larga que funde los metales.

Ven, ven, amor mío; ven, hermética frente, redondez casi rodante
que luces como una órbita que va a morir en mis brazos;
ven como dos ojos o dos profundas soledades,
dos imperiosas llamadas de una hondura que no conozco.

¡Ven, ven, muerte, amor; ven pronto, te destruyo;
ven, que quiero matar o amar o morir o darte todo;
ven, que ruedas como liviana piedra
confundida como una luna que me pide mis rayos!

## 15

## SE QUERIAN

SE querían.
Sufrían por la luz, labios azules en la madrugada,
labios saliendo de la noche dura,
labios partidos, sangre, ¿sangre dónde?
Se querían en un lecho navío, mitad noche, mitad luz.

Se querían como las flores a las espinas hondas,
a esa amorosa gema del amarillo nuevo,
cuando los rostros giran melancólicamente,
giralunas quc brillan recibiendo aquel beso.

Se querían dc noche, cuando los perros hondos
laten bajo la tierra y los valles se estiran
como lomos arcaicos que se sienten repasados:
caricia, seda, mano, luna que llega y toca.

Se querían de amor entre la madrugada,
entre las duras piedras cerradas de la noche,
duras como los cuerpos helados por las horas,
duras como los besos de diente a diente sólo.

Se querían de día, playa que va creciendo,
ondas que por los pies acarician los muslos,
cuerpos que se levantan de la tierra y flotando...
Se querían de día, sobre el mar, bajo el cielo.

Mediodía perfecto, se querían tan íntimos,
mar altísimo y joven, intimidad extensa,
soledad de lo vivo, horizontes remotos
ligados como cuerpos en soledad cantando.

Amando. Se querían como la luna lúcida,
como ese mar redondo que se aplica a ese rostro,
dulce eclipse de agua, mejilla oscurecida
donde los peces rojos van y vienen sin música.

Día, noche, ponientes, madrugadas, espacios,
ondas nuevas, antiguas, fugitivas, perpetuas,
mar o tierra, navío, lecho, pluma, cristal,
metal, música, labio, silencio, vegetal,
mundo, quietud, su forma. Se querían, sabedlo.

## 16

## LA MUERTE

AH, eres tú, eterno nombre sin fecha,
bravía lucha del mar con la sed,
cantil todo de agua que amenazas hundirte
sobre mi forma lisa, lámina sin recuerdo.

Eres tú, sombra del mar poderoso,
genial rencor verde donde todos los peces son como piedras
por el aire,
abatimiento o pesadumbre que amenazas mi vida
como un amor que con la muerte acaba.

Mátame si tú quieres, mar de plomo impiadoso,
gota inmensa que contiene la tierra,
fuego destructor de mi vida sin numen
aquí en la playa donde la luz se arrastra.

Mátame como si un puñal, un sol dorado o lúcido,
una mirada buida de un inviolable ojo,
un brazo prepotente en que la desnudez fuese el frío,
un relámpago que buscase mi pecho o su destino...

Ah, pronto, pronto; quiero morir frente a ti, mar,
frente a ti, mar vertical cuyas espumas tocan los cielos;
a ti cuyos celestes peces entre nubes
son como pájaros olvidados del hondo.

Vengan a mí tus espumas rompientes, cristalinas;
vengan los brazos verdes desplomándose,
venga la asfixia cuando el cuerpo se crispa
sumido bajo los labios negros que se derrumban.

Luzca el morado sol sobre la muerte uniforme.
Venga la muerte total en la playa que sostengo,
en esta terrena playa que en mi pecho gravita,
por la que unos pies ligeros parece que se escapan.

Quiero el color rosa o la vida, quiero el rojo o su amarillo frenético,
quiero ese túnel donde el color se disuelve
en el negro falaz con que la muerte ríe en la boca.

Quiero besar el marfil de la mudez penúltima,
cuando el mar se retira apresurándose,
cuando sobre la arena quedan sólo unas conchas,
unas frías escamas de unos peces amándose.

Muerte como el puñado de arena,
como el agua que en el hoyo queda solitaria,
como la gaviota que en medio de la noche
tiene un color de sangre sobre el mar que no existe.

# LUIS CERNUDA

## VIDA

*Nació Luis Cernuda en Sevilla el 21 de septiembre de 1904. En su familia hay falta de ascendientes castellanos y mezcla de sangre galaica y francesa. En la Universidad de Sevilla conoció, como alumno, a Pedro Salinas. Se licenció en Derecho, pero no ha ejercido la carrera de abogado. Ha sido Lector de Español en la Universidad de Toulouse durante 1928-1929. Actualmente vive en Madrid.*

## POETICA

*"En 1932, solicitado, obligado casi, por el colector de esta* ANTOLOGÍA, *escribí las siguientes líneas:*

*"No valía la pena de ir poco a poco olvidando la realidad para que ahora fuese a recordarla, y ante qué gentes. La detesto como detesto todo lo que a ella pertenece: mis amigos, mi familia, mi país.*

*No sé nada, no quiero nada, no espero nada. Y si aún pudiera esperar algo, sólo sería morir allí donde no hubiese penetrado aún esta grotesca civilización que envanece a los hombres."*

*Ahora, en 1934, el muchacho que yo fui, ¿qué relación tiene con el hombre que yo soy? No sé por qué intento justificar esta diversidad de un espíritu que sigue, a lo largo de los días, su destino vital. ¿Afán de exactitud sentimental? Tal vez piense al escribir esto en alguien que no conozco. Y entonces el origen de estas nuevas líneas sería una tentativa para acercar el deseo, mi deseo, a la realidad. Pero, puedo decirlo, en nadie creo.*

*Recuerdo ahora, es verdad, la vida de Byron, la de Shelley, la de Keats. Y más lejos aún, en el mundo de lo que nunca fue, los pastores de Teócrito, la vida del Mefistófeles de Goethe, la de Hyperión de Hölderlin. Pero creer es otra cosa.*

*¿Soy yo el mismo que escribió aquellas antiguas líneas que antes trasladé? Tal vez no; mas siento dentro de mí, imperioso y misterioso, el mismo impulso que me llevó a trazarlas. Pienso hoy que si entonces creía odiar a mis amigos, a mis nulos amigos, es porque les amaba demasiado. Y en cuanto a mi país, no me aqueja tristeza o laxitud que no se aclare al pensar que allá en el Sur las olas palpitan al sol sobre las arenas mías, sobre las arenas que sustentan desnudos cuerpos juveniles. Pero el sol, el mar, la juventud, ¿no son los mismos en todo el universo?:*

*Entonces yo soy aquél, aquel mismo."*

L. C.

Mayo, 1934.

Las poesías elegidas pertenecen a los siguientes libros: números 1 y 2, a *Perfil del aire;* 3 a 8, a *Un río, un amor* (1929); 9 a 15, a *Los placeres prohibidos* (1931); 15 a 20, a *Donde habite el olvido* (1933).

1

LOS muros, nada más.
Yace la vida inerte,
sin vida, sin ruido,
sin palabras crueles.

La luz, lívida, escapa,
y el cristal ya se afirma
contra la noche incierta
de arrebatadas lluvias.

Alzada, resucita
tal otra vez la casa:
los tiempos son idénticos,
distintas las miradas.

¿He cerrado la puerta?
El olvido me abre
sus desnudas estancias
grises, blancas, sin aire.

Pero nadie suspira.
Un llanto entre las manos,
sólo. Silencio, nada:
la oscuridad temblando.

## 2

ESCONDIDO en los muros
este jardín me brinda
sus ramas y sus aguas
de secreta delicia.

¡Qué silencio! ¿Es así
el mundo?... Cruza el cielo
desfilando paisajes,
risueño, hacia lo lejos.

¡Tierra indolente! En vano
resplandecc el destino.
Junto a las aguas quietas,
sueño y pienso que vivo.

Mas el tiempo ya tasa
el poder de esta hora:
madura su medida,
escapa con sus rosas.

Y el aire fresco vuelve
con la noche cercana,
su tersura olvidando
las ramas y las aguas.

## 3

## QUISIERA ESTAR SOLO EN EL SUR

QUIZA mis lentos ojos no verán más el sur
de ligeros paisajes dormidos en el aire
con cuerpos a la sombra de ramas como flores
o huyendo en un galope de caballos furiosos.

El sur es un desierto que llora mientras canta
y esa voz no se extingue como pájaro muerto
hacia el mar encamina sus deseos amargos
abriendo un eco débil que vive lentamente.

En el sur tan distante quiero estar confundido
la lluvia allí no es más que una rosa entreabierta
su niebla misma ríe risa blanca en el viento
su oscuridad su luz son bellezas iguales.

4

## NEVADA

EN el estado de Nevada
los caminos de hierro tienen nombres de pájaro
son de nieve los campos
y de nieve las horas.

Las noches transparentes
abren luces soñadas
sobre las aguas o tejados puros
constelados de fiesta.

Las lágrimas sonríen
la tristeza es de alas
y las alas sabemos
dan amor inconstante.

Los árboles abrazan árboles
una canción besa otra canción
por los caminos de hierro
pasa el dolor y la alegría.

Siempre hay nieve dormida
sobre la nieve allá en Nevada.

## 5

## COMO EL VIENTO

COMO el viento a lo largo de la noche
amor en pena o cuerpo solitario
toca en vano a los vidrios
sollozando abandona las esquinas

o como a veces marcha en la tormenta
gritando locamente
con angustia de insomnio
mientras gira la lluvia delicada.

Sí, como el viento a que un alba le revela
su tristeza errabunda por la tierra
su tristeza sin llanto
su fuga sin objeto.

Como él mismo extranjero
como el viento huyo lejos
y sin embargo vine como luz.

## 6

## ESTOY CANSADO

ESTAR cansado tiene plumas
tiene plumas graciosas como un loro
plumas que desde luego nunca vuelan
mas balbucean igual que loro.

Estoy cansado de las casas
prontamente en ruinas sin un gesto
estoy cansado de las cosas
con un latir de seda vueltas luego de espaldas.

Estoy cansado de estar vivo
aunque más cansado sería el estar muerto
estoy cansado del estar cansado
entre plumas ligeras sagazmente
plumas del loro aquel tan familiar o triste
el loro aquel del siempre estar cansado.

7

## NO INTENTEMOS EL AMOR NUNCA

AQUELLA noche el mar no tuvo sueño
cansado de contar siempre contar a tantas olas
quiso vivir hacia lo lejos
donde supiera alguien de su dolor amargo.

Con una voz insomne decía cosas vagas
barcos entrelazados dulcemente
en un fondo de noche
o cuerpos siempre pálidos con su traje de olvido
viajando hacia nada.

Cantaba tempestades estruendos desbocados
bajo cielos con sombra
como la sombra misma
como la sombra siempre
rencorosa de pájaros estrellas.

Su voz atravesando luces lluvia frío
alcanzaba ciudades elevadas a nubes
Cielo Sereno Colorado Glaciar del Infierno
todas puras de anuncios o de astros caídos.

Mas el mar se cansaba de esperar las ciudades
allí su amor tan sólo era un pretexto vago
con sonrisa de antaño
ignorado de todos.

Y con sueño de nuevo se volvió lentamente
adonde nadie
sabe nada de nadie
adonde acaba el mundo.

8

## CARNE DE MAR

DENTRO de breves días será otoño en Virginia
cuando los cazadores la mirada de lluvia
vuelven a su tierra nativa el árbol que no olvida
corderos de apariencia terrible
dentro de breves días será otoño en Virginia.

Sí, los cuerpos estrechamente enlazados
los labios en la llave más íntima
qué dirá hecho él piel de naufragio
o dolor con la puerta cerrada
dolor frente a dolor
sin esperar la muerte tampoco.

El amor viene y va mira
el amor viene y va
sin dar limosna a nubes mutiladas
por vestido harapos de tierra
y él no sabe nunca sabrá más nada.

Ahora inútil pasar la mano sobre otoño.

9

## DIRE COMO NACISTEIS

DIRE cómo nacisteis placeres prohibidos
como nace un deseo sobre torres de espanto
amenazadores barrotes hiel descolorida
noche petrificada a fuerza de puños

ante todos incluso el más rebelde
apto solamente en la vida sin muros.

Corazas infranqueables lanzas o puñales
todo es bueno si deforma un cuerpo
tu deseo es beber esas hojas lascivas
o dormir en esa agua acariciadora
no importa
ya declaran tu espíritu impuro.

No importa la pureza los dones que un destino
levantó hacia las aves con manos imperecederas
la sonrisa tan noble playa de seda bajo la tempestad
de un régimen caído.

Placeres prohibidos planetas terrenales
no importa la juventud sueño más que hombre
miembros de mármol con sabor de estío
jugo de esponjas abandonadas por el mar
flores de hierro resonantes como el pecho de un hombre.

Soledades altivas coronas derribadas
libertades memorables manto de juventudes
quien insulta esos frutos tinieblas en la lengua
es vil como un rey como sombra de rey
arrastrándose a los pies de la tierra
para conseguir un trozo de vida.

No sabía los límites impuestos
límites de metal o papel
ya que el azar le hizo abrir los ojos bajo una luz tan alta
adonde no llegan realidades vacías
leyes hediondas códigos ratas de paisajes derruídos.

Extender entonces una mano
es hallar una montaña que prohibe
un bosque impenetrable que niega
un mar que traga adolescentes rebeldes.

Pero si la ira el ultraje el oprobio y la muerte
ávidos dientes sin carne todavía
amenazan abriendo sus torrentes
de otro lado vosotros placeres prohibidos
bronce de orgullo que nada precipita
tendéis en una mano el misterio
sabor que ninguna amargura corrompe
cielos relampagueantes que aniquilan.

Abajo estatuas anónimas
sombras de sombras miseria preceptos de niebla
una chispa de aquellos placeres
brilla en la hora vengativa
su fulgor puede destruir vuestro mundo.

10

## QUE RUIDO TAN TRISTE

QUE ruido tan triste el que hacen dos cuerpos cuando se [aman
parece como el viento que se mece en otoño
sobre adolescentes mutilados
mientras las manos llueven
manos ligeras manos egoístas manos obscenas
cataratas de manos que fueron un día
flores en el jardín de un diminuto bolsillo.

Las flores son arena y los niños son hojas
y su leve ruido es amable al oído
cuando ríen cuando aman cuando besan
cuando besan el fondo
de un hombre joven y cansado
porque antaño soñó mucho día y noche.

Mas los niños no saben
ni tampoco las manos llueven como dicen
así el hombre cansado de estar solo con sus sueños
invoca los bolsillos que abandonan arena
arena de las flores
para que un día decoren su semblante de muerto.

11

## NO DECIA PALABRAS

NO decía palabras
acercaba tan sólo un cuerpo interrogante
porque ignoraba que el deseo es una pregunta
cuya respuesta no existe
una hoja cuya rama no existe
un mundo cuyo cielo no existe.

La angustia se abre paso entre los huesos
remonta por las venas
hasta abrirse en la piel
surtidores de sueño
hechos carne en interrogación vuelta a las nubes.

Un roce al paso
una mirada fugaz entre las sombras
bastan para que el cuerpo se abra en dos
ávido de recibir en sí mismo
otro cuerpo que sueñe
mitad y mitad sueño y sueño carne y carne
iguales en figura iguales en amor iguales en deseo
auque sólo sea una esperanza
porque el deseo es pregunta cuya respuesta nadie sabe.

12

## LOS MARINEROS SON LAS ALAS DEL AMOR

LOS marineros son las alas del amor
son los espejos del amor
el mar les acompaña
y sus ojos son rubios lo mismo que el amor
rubio es también igual que son sus ojos.

La alegría vivaz que vierten en las venas
rubia es también
idéntica a la piel que asoman
no les dejéis marchar porque sonríen
como la libertad sonríe
luz cegadora erguida sobre el mar.

Si un marinero es mar
rubio mar amoroso cuya presencia es cántico
no quiero solo ir al mar donde me anegue
barca sin norte
cuerpo sin norte hundirme en su luz rubia.

13

## DEJAME ESTA VOZ

DEJAME esta voz que tengo
lo mismo que a la pampa le dejan
sus matorrales de deseo
sus ríos secos colgando de las piedras.

Déjame vivir como acero mohoso
sin puño tirado en las nubes
no quiero saber de la gloria envidiosa
con rabo y cuernos de ceniza.

Un anillo tuve de luna
tendida en la noche a comienzos de otoño
lo di a un mendigo tan joven
que sus ojos parecían dos lagos.

Me ahogué en fin amigos
ahora duermo donde nunca despierte
no saber más de mí mismo es algo triste
dame la guitarra para guardar las lágrimas.

14

## COMO LEVE SONIDO

COMO leve sonido
hoja que roza un vidrio
agua que acaricia unas guijas
lluvia que besa una frente juvenil.

Como rápida caricia
pie desnudo sobre el camino
dedos que ensayan el primer amor
sábanas tibias sobre el cuerpo solitario.

Como fugaz deseo
seda brillante en la luz
esbelto adolescente entrevisto
lágrimas por ser más que un hombre.

Como esta vida que no es mía
y sin embargo es la mía.

Como todo aquello que de cerca o de lejos
me roza me besa me hiere
tu presencia está conmigo fuera y dentro
es mi vida misma y no es mi vida
así como una hoja y otra hoja
son la apariencia del viento que las lleva.

15

## HE VENIDO PARA VER

HE venido para ver semblantes
amables como viejas escobas
he venido para ver las sombras
que desde lejos me sonríen.

He venido para ver los muros
en el suelo o en pie indistintamente
he venido para ver las cosas
las cosas soñolientas por aquí.

He venido para ver los mares
dormidos en cestillo italiano
he venido para ver las puertas
el trabajo los tejados las virtudes
de color amarillo ya caduco.

He venido para ver la muerte
y su graciosa red de cazar mariposas
he venido para esperarte
con los brazos un tanto en el aire
he venido no sé por qué
un día abrí los ojos he venido.

Por ello quiero saludar sin insistencia
a tantas cosas más que amables
los amigos de color celeste
los días de color variable
la libertad del color de mis ojos.

Los niñitos de seda tan clara
los entierros aburridos como piedras
la seguridad ese insecto
que anida en los volantes de la luz.

Adiós dulces amantes invisibles
siento no haber dormido en vuestros brazos
vine por esos besos solamente
guardad los labios por si vuelvo.

16

DONDE habite el olvido
en los vastos jardines sin aurora
donde yo sólo sea
memoria de una piedra sepultada entre ortigas
sobre la cual el viento escapa a sus insomnios.

Donde mi nombre deje
al cuerpo que designa en brazos de los siglos
donde el deseo no exista.

En esa gran región donde el amor ángel terrible
se esconda como acero
en mi pecho su ala
sonriendo lleno de gracia aérea mientras crece el tormento.

Allí donde termine este afán que exige un dueño a imagen
sometiendo a otra vida su vida [suya
sin más horizonte que otros ojos frente a frente.

Donde penas y dichas no sean más que nombres
cielo y tierra nativos en torno de un recuerdo.

Donde al fin quede libre sin saberlo yo mismo
disuelto en niebla ausencia
ausencia leve como carne de niño.

Allá allá lejos
donde habite el olvido.

17

COMO una vela sobre el mar
resume ese azulado afán que se levanta
hasta las estrellas futuras
vida de náufragos insaciables
hecha escala de olas
por donde pies divinos descienden al abismo
esperado a lo largo de las noches.

También tu forma férrea
ángel demonio sueño de un amor soñado
resume en mí un afán que en otro tiempo levantaba
hasta las nubes sus olas melancólicas
cadenas de tristeza aprisionando
un ímpetu celeste.

Sintiendo todavía los pulsos de ese afán
yo el más enamorado
sin que una luz me vea
definitivamente muerto o vivo
contemplo sus olas y quisiera anegarme
en las orillas del amor
deseando perdidamente
descender como los ángeles aquellos por la escala de espuma
hasta el fondo del mismo amor que ningún hombre ha visto.

18

ADOLESCENTE fui en días idénticos a nubes
cosa grácil visible por penumbra y reflejo
y extraño es si ese recuerdo brusco
que tanto tanto duela sobre el cuerpo de hoy.

Perder placer es triste
como la dulce lámpara sobre el lento nocturno
aquel fui aquel fui aquel he sido
era la ignorancia mi sombra.

Ni gozo ni pena fui niño
prisionero entre muros cambiantes
historias como cuerpos cristales como cielos
sueño luego un sueño más alto que la vida.

Cuando la muerte quiera
una verdad quitar de entre mis manos
las hallará vacías como en la adolescencia
ardientes de deseo tendidas hacia el aire.

19

NO es el amor quien muere
somos nosotros mismos.

Inocencia pristina
abolida en deseo
olvido de sí mismo en otro olvido
ramas entrelazadas
¿por qué vivir si desaparecéis un día?

Fantasmas de la pena
a lo lejos los otros
los que ese amor perdieron
recorriendo las tumbas
como un recuerdo en sueños
otro vacío estrechan.

Por allá van y gimen
muertos en pie vidas tras de la piedra
golpeando impotencia
arañando la sombra
con inútil ternura.

No no es el amor quien muere.

20

## LOS FANTASMAS DEL DESEO

YO no te conocía tierra
con los ojos inertes la mano aleteante
lloré todo ciego bajo tu verde sonrisa
aunque alentar juvenil sintiera a veces
un tumulto sediento de postrarse
como huracán henchido aquí en el pecho
ignorándote tierra mía
ignorando tu alentar huracán o tumulto
idénticos en esta melancólica burbuja que soy yo
a quien tu voz de acero inspiraba un menudo vivir.

Bien sé ahora que tú eres
quien me dicta esta forma y este ansia

sé al fin que el mar esbelto
la enamorada luz los niños sonrientes
no son sino tú misma
que los vivos los muertos
el placer y la pena
la soledad y la amistad
la miseria el poderoso estúpido
el hombre enamorado el canalla
son tan dignos de mí como de ellos lo soy yo
mis brazos tierra son ya más anchos ágiles
para llevar tu afán que nada satisface.

El amor no tiene esta o aquella forma
no puede detenerse en criatura alguna
todas son por igual viles y soñadoras
placer que nunca muere
beso que nunca muere
sólo en ti misma encuentro tierra mía.

Nimbos de juventud cabellos rubios o sombríos
rizosos o lánguidos como una primavera
sobre cuerpos cobrizos sobre radiantes cuerpos
que tanto he amado inútilmente
no es en vosotros donde la vida está sino en la tierra
en la tierra que aguarda aguarda siempre
con sus labios tendidos con sus brazos abiertos.

Dejadme dejadme abarcar ver unos instantes
este mundo divino que ahora es mío
mío como lo soy yo mismo
como lo fueron otros cuerpos que estrecharon mis brazos
como la arena que al besarla los labios
finge otros labios dúctiles al deseo
hasta que el viento lleva sus mentirosos átomos.

Como la arena tierra
como la arena misma
la caricia es mentira el amor es mentira la amistad es mentira
tú sola quedas con el deseo

con este deseo que aparenta ser mío y ni siquiera es mío
sino el deseo de todos
malvados inocentes
enamorados o canallas.

Tierra tierra y deseo
una forma perdida.

# MANUEL ALTOLAGUIRRE

## VIDA

"*¿Qué hice durante los veintiocho años que ahora tengo de vida? Quisiera tenerlos, acordándome de todo, hasta de mis desgracias, porque fueron mías. Siempre estuve encerrado... Si en lugar de vivir entre paredes, como los hombres, vivo en el aire, como los ángeles, como otros pájaros, que tienen vida completa y sin tiempo, lo recordaría todo. Perdí a mi madre y a un hijo. Tengo mujer. He viajado por Europa y residido principalmente en Málaga (en donde nací), en Madrid (donde me casé), en París y en Londres. He tenido que trabajar en lo que no me agrada: mecanografía, Derecho, periodismo, idiomas..., y en lo que me gusta, siendo artesano de mi pequeña imprenta. Creí en Dios, luego existe. (Fui educado en los jesuítas.)*"

## POETICA

"*La poesía puede ser, como toda manifestación amorosa, un deseo y una creación, y el poeta, como todo enamorado, tiene que mirar con buenos ojos a la vida, que es la mejor musa, y con la que, al fin y al cabo, realizará su obra.*

*Mi poesía ostenta como principal influencia la de Juan Ramón Jiménez, soporta la de D. Luis de Góngora y se siente hermana menor de la de Pedro Salinas. Además, Emilio Prados, Vicente Aleixandre y Luis Cernuda influyeron personalmente en mi formación literaria y humana... y como la mejor prueba de la unión que existe entre la poesía y la vida, tengo a mi mujer, Concha Méndez, poetisa que me inspira una admiración sin límites, consejera y estímulo de todas mis actividades."*

M. A.

Las poesías elegidas pertenecen a los siguientes libros: 1 y 2, a *Las islas invitadas;* 3 a 5, a *Ejemplo;* 6 a 12, a *Escarmiento;* 13 a 16, y 21, a *Vida poética;* 17 a 18, a *Lo invisible;* 19 y 20, a *Un día;* 22 y 23, a *Soledades juntas;* 24, inédito.

1

LAS barcas de dos en dos,
como sandalias del viento
puestas a secar al sol.

Yo y mi sombra, ángulo recto.
Yo y mi sombra, libro abierto.

Sobre la arena tendido,
como despojo del mar,
se encuentra un niño dormido.

Yo y mi sombra, ángulo recto.
Yo y mi sombra, libro abierto.

Y más allá, pescadores
tirando de las maromas
amarillas y salobres.

Yo y mi sombra, ángulo recto.
Yo y mi sombra, libro abierto.

2

ROMANCE

ARRASTRANDO por la arena,
como cola de mi luto,
a mi sombra prisionera,

triste y solitario voy
y vengo por las riberas,
recordando y olvidando
las causas de mi tristeza.

¡La ciudad que más quería
la he perdido en una guerra!

Ya no veré nunca más
las dos torres de su iglesia,
ni los caminos sin sombra
de sus ríos y veredas.

¡La ciudad que más quería
la he perdido en una guerra!

3

TODO el jardín como un cuerpo
con fiebre. ¡Qué ajustados
miembros verdes vegetales!
El agua hundida formando
enferma de confusiones,
de sí misma aislado fango.

Jardín de abejas y olores,
sin caminos para el pasto.
Entrar es quedar en él,
como cuando nos quedamos
dentro de un libro, entre dos
o más plantas, apretados.

4

SE levantó sin despertarme.
Andaba lenta, aplastándose tanto
hasta pasar bajo imposibles
sitios huecos,

o estirándose fina como un ala
atravesando puertas entreabiertas.
No tenía vista,
pero salvaba los obstáculos
con previsora maestría.
Ni tacto,
pero evitaba las esquinas
sin recibir un golpe.
Ni oído,
pero cuando el portazo aquél,
sobresaltada,
corriendo vino a mí,
en mí escondiéndose
y despertando en mí,
su cuerpo.

5

MI soledad llevo dentro,
torre de ciegas ventanas.
Cuando mis brazos extiendo,
abro tus puertas de entrada
y doy camino alfombrado
al que quiera visitarla.

Pintó el recuerdo los cuadros
que decoran sus estancias.
Allí mis pasadas dichas
con mi pena de hoy contrastan.

¡Qué juntos los dos estábamos!
¿Quién el cuerpo? ¿Quién el alma?
Nuestra separación última,
¡qué muerte fue tan amarga!

Ahora dentro de mí llevo
mi alta soledad delgada.

## 6
## FABULA

ECO, perseguidora de Narciso,
ahora quieta, apretada,
sin voz ni sangre, mineral, se opone
a la dilatación de los sonidos.

Alta roca vestida con espejos
detrás de los cristales de su brillo,
negras paredes niegan a su alma
sendas conducidoras de lo externo.

Aislada, meditando, sin oídos,
en el silencio de su piel los vértices
de las luces y voces rechazadas.
Su pena tiene por lengua un río.

¿Qué no dirán sus aguas transparentes
hablando del amor que la devora?

¿Qué pintura no harán de la belleza
de aquel que al contemplarse en tal murmullo
inmóvil desnudó su pensamiento?

¡Oh blanca flor sin carne en la ribera!
¿Cómo olvidar tu forma conseguiste?

¿Cómo pudiste derribar los muros
que guardaban tu alma inaccesible?

Ahora ya flor o puro pensamiento,
tu perfume, alma externa, se dilata
amorosa, engolfándose en el aire.

Esto quedó de ti, de tu hermosura.

Al verla reflejada en la corriente
supiste transformarla en poesía.

Esto quedó de ti. Y tu recuerdo,
dibujado en la entraña de una roca,
continua madre, manantial de un río.

## 7

## CALLE

LA muerte y las ausencias despoblaron
corazones y estancias. ¡Cuánto olvido
miserable y contento tras las puertas!
Si yo pudiera ser el que volviese,
el que ya nunca es esperado.
Quisiera entrar y darme con figura
diferente y amada en cada sitio.
Me asomo a las ventanas. ¿Me conocen?
En la luz amarilla me sonríen.
Se dan contra mi cara piel adentro
el padre que se fué, el hermano o el hijo.

¡Me asomo a las ventanas!

## 8

MIS ojos grandes, pegados
al aire, son los del cielo.
Miran profundos, me miran,
me están mirando por dentro.

Yo, pensativo, sin ojos,
con los párpados abiertos,
tanto dolor disimulo
como desgracias enseño.

El aire me está mirando
y llora en mi oscuro cuerpo;
su llanto se entierra en carne,
va por mi sangre y mis huesos,
se hace barro y raíces busca
en las que brotar del suelo.

Mis ojos grandes, pegados
al aire, son los del cielo.
En la memoria del aire
estarán mis sufrimientos.

9

APOYADA en mi hombro
eres mi ala derecha.
Como si desplegases
tus suaves plumas negras,
tus palabras a un cielo
blanquísimo me elevan.

... ... ... ... ... ... ... ... ... ...

Exaltación. Silencio.
Sentado estoy a mi mesa,
sangrándome la espalda,
doliéndome tu ausencia.

10

ERA dueño de sí, dueño de nada.
Como no era de Dios ni de los hombres,
nunca jinete fue de la blancura
ni nadador, ni águila.
Su tierra estéril nunca los frondosos
verdores consintió de una alegría,
ni los negros plumajes angustiosos.
Era dueño de sí, dueño de nada.

11

MI sueño no tiene sitio
para que vivas. No hay sitio.
Todo es sueño. Te hundirías.

Vete a vivir a otra parte,
tú que estás viva. Si fueran
como hierro o como piedra
mis pensamientos, te quedarías.
Pero son fuego y son nubes,
lo que era el mundo al principio,
cuando nadie en él vivía.
No puedes vivir. No hay sitio.
Mis sueños te quemarían.

12

## B R I S A

PARECE que se persiguen
las altas hojas del trigo.
Apretada prisa verde
de limitado dominio
nunca podrá como el agua
desencadenarse en río,
siempre entre cuatro paredes
apretarán su bullicio.
Van y vienen preguntando
sin encontrar lo perdido.
Se dan de codos, se pisan,
van y vienen sin sentido,
contra la pared del aire
sus verdes cuerpos heridos.

13

## D E S N U D O

EL cielo de tu tacto
amarillo cubría
el oculto jardín
de pasión y de música.

Altas yedras de sangre
abrazaban tus huesos.
La caricia del alma
—brisa en temblor—movía
todo lo que tú eras.
¡Qué crepúsculo bello
de rubor y cansancio
era tu piel! Estabas
como un astro sin brillo
recibiendo del sol
la luz de tu contorno.
Sólo bajo tus pies era de noche.
Eras cárcel de música,
de la música presa
que intentaba escapar
en cada gesto tuyo,
pero que no podía salir
y se asomaba como un niño
a los cristales de tus ojos claros.

## 14

SENTIDOS ignorados del universo:
¿Adónde lleváis las sensaciones
que adquirís de la Nada?
¿En qué víscera yo, Dios mío, estoy?
¿La Tierra un corazón?
Esta entraña secreta donde estamos
bajo los aires músculos:
¿qué oficio tiene?
La luna, el sol, los astros,
los pulmones oscuros de la noche:
¿bajo qué piel, qué tacto viven?
¿Es tu cuerpo, Dios mío, el Universo?
¿Estás en lo creado
como el alma en la carne,
o tienes la arboleda de tu sueño

alborotada, fuera de tu frente,
en la Nada infinita,
igual que yo en tu mundo?

15

ERA mi dolor tan alto,
que la puerta de la casa,
de donde salí llorando,
me llegaba a la cintura.

¡Qué pequeños resultaban
los hombres que iban conmigo!
Crecí como una alta llama
de tela blanca y cabellos.

Si derribaran mi frente
los toros bravos saldrían,
luto en desorden, dementes,
contra los cuerpos humanos.

Era mi dolor tan alto,
que miraba al otro mundo
por encima del ocaso.

16

MIRATE en el espejo y luego mira
estos retratos tuyos olvidados,
pétalos son de tu belleza antigua,
y deja que de nuevo te retrate
deshojándote así de tu presente;
que cuando, ya invisible, sólo seas
alto perfume: alma y recuerdo,
junto al tallo sin flor, pondré caídos
estos retratos tuyos, para verte
como aroma subir y como forma
quedar abandonada en este suelo.

## 17

TU soledad te defiende,
te limitan tus miradas,
que yo sé que tu alma llega
adonde tu vista alcanza,
adonde llegan tus sueños,
adonde tu amor acaba.
Este viento no es el viento,
es tu soledad alada,
es tu aire que revuela,
es que alborotas tu gracia.
Son tus ojos que acarician
transparencias y esperanzas,
agua de lagos y ríos,
verdores de esbeltas ramas.
Es tu soledad valiente,
defensora de tu alma.

## 18

OJOS de puente los míos
por donde pasan las aguas
que van a dar al olvido.
Sobre mi frente de acero,
mirando por las barandas,
caminan mis pensamientos.

Mi nuca negra es el mar
donde se pierden los ríos
y mis sueños son las nubes
por y para las que vivo.

Ojos de puente los míos
por donde pasan las aguas
que van a dar al olvido.

19

## LA NOCHE

DESFILARON las sombras
de los que me quisieron.
Era una mala sombra
repetida mil veces.
Un ángel sombrío, solo,
como un Amor sin flechas,
anclas, ni fuego.
Había vivido en todos
los cuerpos ya en ruinas
que me quisieron antes,
los que se desconcharon
y en lugar de esqueletos
dejaron en la tierra
una sombra, las sombras
que enturbian mis recuerdos,
un luto permanente;
muchedumbre de sombras
que hacen negra la noche,
mi tristeza, mi vida.
Esta oscuridad es sólo
una turba de ángeles negros,
de custodios vacantes,
de soledades juntas,
de silencios unidos.
Es el pavor caliente.
Son las almas viudas
de sus cuerpos adúlteros.
Despeinados los fuegos
opacos del infierno,
sus greñas carbonizan
y ocultan cuanto tocan.
No hay alba que mitigue
este castigo denso,
esta espesa tiniebla,
esta muerte profunda.

20

## CREPUSCULO

### (CANCIÓN DE ALMA)

¡VEN, que quiero desnudarme!
Ya se fué la luz, y tengo
cansancio de estos vestidos.
¡Quítame el traje! Que crean
que he muerto, porque, desnuda
mientras me velan el sueño,
descanso toda la noche;
porque mañana temprano,
desnuda de mi desnudo,
iré a bañarme en un río,
mientras mi traje con traje
lo guardarán para siempre.
Ven, muerte, que soy un niño,
y quiero que me desnuden,
que se fué la luz y tengo
cansancio de estos vestidos.

21

¡QUE jardín de visiones intangibles mi cuarto!
¡Qué delicada y fácil la imagen de tu alma!
¡Qué parado mi cuerpo por no enturbiar el aire!
Porque mucho te quise ahora te tengo clara
entre tantos confusos sueños que te navegan.
Igual que a mi conciencia la traspasan mis actos,
te surcan los recuerdos gloriosos de tu vida.
Contigo a veces antes—¿te acuerdas?—admiraba
en la vida tus bellos límites exteriores.
Ahora dentro de ti como en un cielo estoy,
en un cielo infinito, con los que te quisieron.

## 22

## NOCHE, A LAS ONCE

ESTAS son las rodillas de la noche.
Aún no sabemos de sus ojos.
La frente, el alba, el pelo rubio
vendrán más tarde.
Su cuerpo recorrido lentamente
por las vidas sin sueño,
en las naranjas de la tarde
hunde los vagos pies, mientras las manos
amanecen tempranas en el aire.
En el pecho, la luna.
Con el sol en la mente.
Altiva. Negra. Sola.
Mujer o noche. Alta.

## 23

## I D E A

EL alma es igual que el aire.
Con la luz se hace invisible,
perdiendo su honda negrura.
Sólo en las profundas noches
son visibles alma y aire.
¡Sólo en las noches profundas!
¡Que se ennegrezca tu alma,
pues quieren verla mis ojos!
Oscurece tu alma pura.
Déjame que sea tu noche,
que enturbie tu trasparencia.
¡Déjame ver tu hermosura!

24

## NO SON RECUERDOS

EL tiempo es una llanura
y mi memoria un caballo.
Jinete suyo, yo voy
a oscuras por ese campo
sin detenerme en recuerdos
fugaces como relámpagos.
Mi caminar por el tiempo
tan sólo tiene un descanso
en el año de tu muerte
—isla de luto y de llanto—.
Plaza de mármoles fríos
y luna yerta. Me paro
deteniendo mi memoria
desbocada con espanto.
Junto al ciprés de tu sueño
para verte descabalgo.
No son recuerdos, que es vida
y verdadero el diálogo
que contigo tengo, madre,
cuando aquí nos encontramos.

# JOSEFINA DE LA TORRE

## VIDA

"*Nací en la isla de Gran Canaria. Escribí mi primer poema a los siete años y desde entonces he seguido escribiendo. He sido siempre muy aficionada a la música y desde muy pequeña he cantado. Mis estudios de música fueron: violín, piano y guitarra. Con el primero toqué en la orquesta de un concierto a Saint-Saëns en Las Palmas, y en el mismo, también el piano. He cantado en muchos conciertos y veladas benéficas de mi tierra. Recuerdo la celebrada en memoria de Pérez-Galdós. Se puso en escena* La de San Quintín; *representé el papel de "Rosario". En 1932, en Madrid, he dado dos recitales, en el Lyceum Club Femenino y en la Residencia de Estudiantes. He tenido en mi casa durante tres años un escenario de cámara: mi* Teatro Mínimo, *del que fue director mi hermano Claudio. Se inaguró con su obra* El Viajero, *a la que siguieron* Hacia las estrellas, *de Andreiev, y una farsa de Claudio titulada* Ha llegado el barranco, La gran Catalina, *de Bernard Shaw, y* Jinetes hacia el mar, *de Singe. En este teatrito* debuté *como recitadora. Mi primera visita a Madrid fue, siendo aún niña, en el año 1924, y aunque en los años siguientes hice otros viajes, no volví a Madrid hasta 1927, haciendo entonces mi primera visita a París. A fines de este año se publicó mi primer libro* Versos y Estampas. *Así como dirigió Claudio aquel pequeño teatro, me guió en mis trabajos literarios siempre. Mi segundo libro,* Poemas de la Isla, *se publicó en 1930. Actualmente tengo terminado otro, inédito. He publicado en* Alfar, Verso y Prosa. Azor *y* Gaceta Literaria.

*Me gusta dibujar. Juego al* tennis. *Me encanta conducir mi auto, pero mi deporte predilecto es la natación. He sido durante dos años Presidenta del primer Club de Natación de mi tierra. Otras aficiones: el cine y bailar.*"

## POETICA

"*Está tan unida a tanto misterio, que, por desconocida, nunca me había parado a pensar lo que era. Sólo a sentir que es.*"

J. de la T.

Las poesías elegidas pertenecen a los siguientes libros: 1 y 2, a *Versos y Estampas;* 3 a 7, a *Poemas de la Isla;* 8 a 13, inéditos.

1

AGUA clara del estanque
Era un espejo del chopo
y alfombra verde del cielo
con reflejos de los árboles.
¡Oh si yo hubiera podido
entrar con los pies descalzos
y ser el viento en el agua
y hacer agitar el chopo!

2

TODA mi ilusión la he puesto
en la espera de un mañana.
¿Cómo vendrás? ¿Adornado
de blanca flor de retama
o de flor de pensamiento
que de luto se engalana?
¿Vendrás con rojas miradas
o con pálidas miradas?
¿Tendrás voz, tendrás sonrisa,
o no me guardarás nada?
¡Mañana, horizonte en niebla,
fiel timón de mi fragata:
hace tiempo que me llegas
con las velas desplegadas!

3

TE dije aquella palabra
porque la sentí de pronto
inesperada,
y la cogí en los labios
intacta.
Tuve un momento de duda
de tu mirada.
Pero aquella palabra,
¡qué caprichoso juego
de tenaces instantes
me dejaba!
Estaba aquí segura
entre los dientes,
clara,
libre de la garganta.
Tú te quedaste absorto,
contemplándola.

4

¡ROMPETE por el aire,
rueda de cristal!
Que me lluevan en los ojos
luces y luces,
arco iris
de sal.
Hielo del sol,
azúcar de la mar,
hilito de la tarde
para bordar.
Bórdame corazoncitos azules
para regalar,
que hoy es mi fiesta,
la tuya,
la de más allá.

!Ay, cómo bailaría
con los brazos en alto,
sin descansar!
Castañuela de los zapatos,
cascabeles del delantal.
Déjame que baile
y cante
y grite
mi cantar.
Por la orilla,
onda de la orilla,
de la cintura,
del andar.
¡Haz pedazos el aire
sobre mis ojos,
para mis ojos,
más!
Que hoy es mi fiesta,
la mía,
la tuya,
la de más allá.

5

LA tarde tiene sueño
y se acuesta en las copas de los árboles.
Se le apagan los ojos
de mirar a la calle
donde el día ha colgado sus horas
incansable.
La tarde tiene sueño
y se duerme mecida por los árboles.
El viento se la lleva
oscilando su sueño en el aire.

6

QUISIERA tener sujeta
la naranja de la tarde
así entre las manos, fresca,
sin la piel rubia y brillante,
tirabuzón de la luna
peinado por mi cuchillo.
Qué sabor a fruta nueva
ha de tener en los bordes
el mar, la arena y el aire.
¡Qué deseo de partir
en dos mitades la tarde!
Cuando la noche se asome
a su ventanal de cobre
se tragará la naranja.
¡Ay, niña desconsolada!

7

MI falda de tres volantes
y mi blusa desprendida,
que bien me adornan andares
y brazos del aire libre.
¡Cómo se ondea mi falda
desde el volante primero,
perseguida curva eléctrica,
hasta la orilla firme!
Y mi blusa desprendida,
viento y calma, sol y sombra,
como juega y se persigue
desde el hombro a la cintura.
¡Ay que me gusta mirarte,
espejito biselado,
cristales de las esquinas,
gafas de los estudiantes!

¡Qué bien me veo pasar,
remolino de las brisas,
pequeña y grande, confusa
huella blanca en el asfalto!

8

MIS años compañeros,
años míos, inciertos,
niños a la salida de un colegio,
así, desordenados,
incompletos...
¡Años aventureros!
Ya son dos y son tres
al mismo tiempo.
Maravilla segura
de inagotable anhelo.
Mi corazón latió veintitrés veces
su claro balanceo.
Mi corazón, amigo de mis años,
buen profesor pequeño.
Y hoy no sé qué me pasa
ni qué tengo.
¿Es uno más, amigo,
o uno menos?

9

CIRCULO de esta luz,
así sin voz como la noche.
Agua turbia del viento,
verde como el solo espacio.
Búscame por la orilla.
Estoy perdida en el ancho fuego.
No me encontrarás, no.
No me encontrarán tus voces
ni tus subordinados propósitos.

Círculos del viento amargo,
agrias sombras de lo seguro,
porque estoy sola en el vértice mismo.
Inútil luz del círculo,
clarín de la madrugada.
Inicia con los cristales
luminosas señales del mar.
Búscame por el espacio quebrado,
entre las grietas de la luna.
No me encontrará tu voz
ni tu violenta terquedad sin rumbo,
que estoy perdida por la orilla amarga.

10

YO no sé qué tengo.
Si son vuelos locos de tormenta oscura
o es reposo lento de inmóviles aguas.
Pero todo gira cerca de mi sombra
y conmueve el filo de mi pensamiento.
Es el mar y el sol y la arena misma
y es la vela blanca por la orilla abierta
y es todo que vibra dentro de mi sangre
y cubre mis brazos de áspero reflejo...
No sé qué me pasa.
Siento que me espera una hora de luces,
un inesperado vaivén del misterio.
Y en mis sienes locas, sabias compañeras,
ya siento la huella del primer latido.
¡Ah, sonrisas libres de todos los niños,
voces olvidadas de todos los viejos,
rodeadme ahora,
pedidme consejos!

11

YA lejos estaré.
Pronto las tardes
sobre las tardes doblarán las horas,
y las noches sin luces
sobre las noches dormirán su sueño.
Lejos, pronto, estaré.
Para mis ojos
no habrá de las sorpresas el encuentro,
ni hallaré en mis oídos
el molde de tu voz tan esperada.
Y lejos estaré.
Por tu recuerdo
no encontrará mi imagen el camino.
Toda la tuya, en cambio,
por mi recuerdo ha de tener senderos.
¡Qué lejos estaré!
Y será entonces
cuando toda la vida me sorprenda.
Y yo ciega, perdida,
con esta vida inútil en tu busca.

12

LLEVABAS en los pies arena blanca
de una playa desconocida.
Por eso cuando a mí llegaste
no sentí tus pisadas.
Llevabas en la voz desnuda
un compás de espera.
Por eso cuando me hablaste
no pude medir tu voz.
Llevabas en las manos abiertas
espuma blanca de aquel mar.
Por eso de tu bienvenida
no pude conservar la huella.

Todo tú venías en mi busca
y no pude reconocerte.
¡Arena blanca,
compás de espera,
espuma blanca!...
Inquieto sueño de la verde orilla
rizado de preguntas...

13

¡GRITAR, gritar, defenderme
sola, sin brazos, sin luz!
Voz de abierta noche amarga,
dominadas rebeldías.
Gritar. ¡Mi garganta única!
¡Cuerda de luna y de sol!
¡Vibrante nota del aire!
¡Claro mar del horizonte!
¡Oh, sí! Gritar al encuentro,
brazos desnudos de arenas,
conquista de lo imposible.
No quiero cadenas muertas,
inmovilidad culpable.
¡Libre, libre, libertada!
¡Mía, solamente mía!

# BIBLIOGRAFIA

## RUBEN DARIO

### PRIMERAS EDICIONES

*Primeras notas* (Epístolas y poemas); Tipografía Nacional, Managua, 1885.—*Abrojos;* Rafael Jover; Santiago (Chile), 1887. *Emelina* (en colaboración con Eduardo Poirier); Imprenta y Litografía Universal; Valparaíso, 1887.—*Las rosas andinas;* rimas y contra-rima, por Rubén Darío y Rubén Rubí; Imprenta y Litografía Americana; Valparaíso, 1888.—*Azul...;* Imprenta y Litografía Excelsior; Valparaíso, 1888.—*A. de Gilbert,* Imprenta Nacional; San Salvador, 1889.—*Prosas profanas y otros poemas;* imprenta de Pablo E. Coni e Hijos; Buenos Aires, 1896. *Los raros;* tipografía "La Vasconia"; Buenos Aires, 1896.—*Castelar;* Rodríguez Serra; Madrid, 1899.—*España contemporánea;* Garnier Hermanos; París, 1901.—*Peregrinaciones;* Viuda de Ch. Bouret; París, 1901.—*La caravana pasa;* Garnier Hermanos; París, 1903.—*Tierras solares;* Leonardo Williams; Madrid, 1904.—*Cantos de vida y esperanza, los cisnes y otros poemas;* tipografía de la "Revista de Archivos, Bibliotecas y Museos"; Madrid, 1905.—*Oda a Mitre;* imprenta de A. Eymeaud; París, 1906.—*Opiniones;* Fernando Fe; Madrid, 1909.—*El canto errante;* M. Pérez Villavicencio; Madrid, 1907.—*Parisiana;* Fernando Fe; Madrid, 1908.—*El viaje a Nicaragua;* Biblioteca "Ateneo"; Madrid, 1909.—*Poema del otoño y otros poemas;* "Ateneo"; Madrid, 1910.—*Letras;* Garnier Hermanos; París, 1911.—*Todo al vuelo;* Renacimiento; Madrid, 1912.—*Canto a la Argentina y otros poemas;* Biblioteca Corona; Madrid, 1914. *La vida de Rubén Darío escrita por él mismo;* Maucci; Barcelona, 1915.—*Cabezas;* Ediciones Mínimas; Buenos Aires, 1916. *Canto épico a las glorias de Chile;* imprenta "El Globo"; Santiago (Chile), 1918.

EDICIONES AUMENTADAS O MODIFICADAS

*Azul...;* imprenta de "La Unión"; Guatemala, 1890.—*Azul...;* Biblioteca de "La Nación"; Buenos Aires, 1905.—*Prosas profanas y otros poemas;* Viuda de Ch. Bouret; París, 1901.—*Los raros;* Maucci; Barcelona, 1905.

OTRAS EDICIONES

*Azul...;* F. Granada; Barcelona, 1907.—*Cantos de vida y esperanza, los cisnes y otros poemas;* F. Granda; Barcelona, 1907; Maucci, 1916.—*Emelina;* Agencia Mundial de Librería; París, 1928.—*Canto a la Argentina y otros poemas;* Biblioteca Corona; Madrid, 1914.

SELECCIONES Y COMPILACIONES

*Obras escogidas:*

Vol. I, *Estudio preliminar,* por Andrés González Blanco; volumen II, *Poesías;* vol. III, *Prosa;* Hernando; Madrid, 1910. Obra poética: Vol. I, *Muy siglo XVIII;* vol. II, *Muy antiguo y muy moderno;* vol. III, *Audaz, cosmopolita;* vol. IV, *Y una sed de ilusiones infinita;* Biblioteca Corona; Madrid, 1914 a 1916 (el vol. III no se llegó a publicar).

*Antología:*

Vol. I, *Poesías;* vol. II, *Prosas;* Viuda de Pueyo; Madrid, 1916.—*La casa de las Ideas;* "Colección Ariel"; San José de Costa Rica, 1916.—*El mundo de los sueños,* prosas póstumas; Hernando; Madrid, 1917.—*El oro de Mallorca,* prosa; 1917. *Los primeros versos de Rubén Darío,* por Ventura García Calderón; París, 1917.—*Ramillete de reflexiones;* Hernando; Madrid, 1917.—*Rubén Darío en Costa Rica;* cuentos y versos, artículos y crónicas recogidos por Teodoro Picado; Ediciones

Sarmiento, cuadernos 17 y 18; San José de Costa Rica, 1919 y 1920.—*Hipsipilas;* poesías raras recogidas por el Dr. Regino E. Boti; Habana, 1920.—*El árbol del rey David;* prosas raras recogidas y ordenadas por el Dr. Regino E. Boti; Habana, 1921. *Para hipsipilas;* poemas raros recogidos y ordenados por el Dr. Regino E. Boti; Habana, 1923.—*Páginas olvidadas,* publicadas por Samuel Clusberg; Ediciones Selectas "América"; Buenos Aires, 1920.—*Hermas viales;* nuevos versos raros recogidos por el Dr. E. Boti; Guantánamo (Cuba), 1924.—*Obras de juventud de Rubén Darío,* ordenadas por Armando Donoso; Nascimiento; Santiago (Chile), 1927.—*Certamen Varela* (contiene *Rimas* y *Canto a las glorias de Chile);* imprenta Cervantes; Santiago, 1887.

Hay todavía otras antologías y selecciones, generalmente muy descuidadas. Además hay varias ediciones de "Obras completas de Rubén Darío". Desgraciadamente, falta una buena edición crítica, y estas colecciones de "Obras completas" no ofrecen en las atribuciones y versiones la garantía deseable.

OBRAS COMPLETAS

Colección de "Mundo Latino": I, *La caravana pasa;* II, *Prosas profanas;* III, *Tierras solares;* IV, *Azul...;* V, *Parisina;* VI, *Los raros;* VII, *Cantos de vida y esperanza;* VIII, *Letras;* IX, *Canto a la Argentina;* X, *Opiniones;* XI, *Poema del otoño y otros poemas;* XII, *Peregrinaciones;* XIII, *Prosa política;* XIV, *Cuentos y crónicas;* XV, *Autobiografía;* XVI, *El canto errante;* XVII, *Viaje a Nicaragua* e *Historia de mis libros;* XVIII, *Todo el vuelo;* XIX, *Cabezas;* XX, *Sol del domingo;* XXI, *Lira póstuma.*

Colección de "Renacimiento", publicada por su hijo Rubén Darío Sánchez: I, *Alfonso XIII;* II, *Azul...;* III, *La caravana pasa;* IV, *El mundo de los sueños;* V, *El canto errante;* VI, *Peregrinaciones;* VII, *Cuentos y crónicas.*

Obras completas ordenadas y prologadas por Alberto Ghiraldo y Andrés González Blanco: I, *Poemas de adolescencia;* II, *Poemas de juventud;* III, *Primeros cuentos;* IV, *Páginas de arte;* V, *El salmo de la pluma;* VI, *A. de Gilbert;* VII, *Epístolas y poemas;* VIII, *Poesías en prosa;* IX, *Crónica literaria;* X, *Rimas y abrojos;* XI, *Crónica política;* XII, *Impresiones y sensaciones;* XIII, *Epistolario I;* XIV, *Canto épico a las glorias de Chile y otros cantos;* XV, *Semblanzas;* XVI, *Azul...;* XVII, *Prosas profanas;* XVIII, *Los raros;* XIX, *Poema del otoño;* XX, *Baladas y canciones;* XXI, *España contemporánea.* (Hasta el vol. XI, "Renacimiento"; el XII, Fernando Fe; después, "Biblioteca Rubén Darío".) Los volúmenes de todas estas colecciones se venden a 4 ó 5 pesetas.

Finalmente, en 1932, el editor Aguilar ha publicado un tomo de *Poesías completas,* prologado por Alberto Ghiraldo, que reproduce los volúmenes de versos de esta última colección en uno solo, encuadernado en piel. Precio, 25 pesetas.

Para mayor claridad, aislaremos ahora los libros de poesía publicados en vida por Rubén Darío; *Primeras notas, Abrojos, Las rosas andinas, Azul...* (verso y prosa), *Prosas profanas y otros poemas, Cantos de vida y esperanza, Los cisnes y otros poemas, Oda a Mitre, El canto errante, Poema del otoño y otros poemas* y *Cantos a la Argentina y otros poemas.*

## MIGUEL DE UNAMUNO

### POESÍA

*Poesías;* Fernando Fe; Madrid, 1907; 3 pesetas.—*Rosario de sonetos líricos;* Imprenta Española; Madrid, 1912; 3 pesetas. *El Cristo de Velázquez;* Calpe; Madrid, 1920; 4 pesetas.—*Rimas de dentro;* libros "para amigos", de José María de Cossío, no destinados a la venta; Valladolid, 1923.—*Teresa;* Renacimiento; Madrid, 1924; 4 pesetas.—*De Fuerteventura a París;* Excelsior; París, 1925; 4 pesetas.—*Romancero del destierro;* Alba; Buenos Aires, 1927; 2 pesos.

Hay también una parte en verso en el libro *Andanzas y visiones españolas;* Renacimiento; Madrid, 1922; 5 pesetas.

### NOVELA

*Paz en la guerra;* Renacimiento (va a salir la tercera edición; la primera, de 1897); 5 pesetas.—*Amor y Pedagogía,* agotada;

Barcelona, 1902. Segunda edición, aumentada con un prólogo-epílogo y un Apéndice a la Cocotología; Espasa-Calpe; Madrid, 1934; 5 pesetas.—*El espejo de la muerte* (novelas cortas), primera edición, Renacimiento, 1914. Segunda, en "El libro para todos", C. I. A. P.; 1,50 pesetas.—*Niebla* (nivola), segunda edición, a 5 pesetas.—*Tres novelas ejemplares y un prólogo;* 1920. Segunda edición en Espasa-Calpe; 5 pesetas.—*La tía Tula;* Renacimiento; Madrid, 1921; 5 pesetas.—*San Manuel Bueno, mártir;* "La Novela de Hoy"; Madrid, 1930; 0,30 pesetas.—*San Manuel Bueno, mártir, y tres historias más;* Espasa-Calpe; Madrid, 1933; 5 pesetas.

ENSAYOS

*Paisajes;* Salamanca, 1902; 0,75 pesetas.—*De mi país* (descripciones, relatos y artículos de costumbres); Fernando Fe; Madrid, 1903; 3 pesetas.—*Vida de Don Quijote y Sancho,* según Miguel de Cervantes, explicada y comentada; Madrid, 1905. Cuarta edición, 1929; 5 pesetas; Renacimiento.—*Recuerdos de niñez y mocedad;* Madrid, 1908. Segunda edición, Renacimiento, 1928.—*Mi religión y otros ensayos;* Madrid, 1910 (agotada). *Por tierras de Portugal y de España;* 1910; Renacimiento. Segunda edición; 5 pesetas.—*Soliloquios y conversaciones;* Renacimiento; Madrid, 1911; 3,50 pesetas.—*Contra esto y aquello;* segunda edición; Renacimiento, 1912; 5 pesetas.—*Del sentimiento trágico de la vida;* Madrid, 1913. Cuarta edición, 1928; Renacimiento; 5 pesetas.—*Ensayos;* Madrid, 1916, 1917 y 1918. Tomos I, II, III, IV y V, a 5 pesetas. Tomos VI y VII, a 3,50 pesetas; "Residencia de Estudiantes".—*Andanzas y visiones españolas;* Renacimiento; Madrid, 1922; 5 pesetas.—*Sensaciones de Bilbao;* Biblioteca de "Hermes"; Bilbao, 1922; 3 pesetas.—*El porvenir de España,* por M. de Unamuno y Angel Ganivet; Renacimiento; Madrid, 1912; 2 pesetas.—*La agonía del Cristianismo;* C. I. A. P.; Madrid, 1931; 5 pesetas. (La primera edición, en francés, trad. de Jean Cassou; París, 1925.) *Cómo se hace una novela;* "Alba"; Buenos Aires, 1927; 2 pesos.

*La venda* (estrenada), editada en "El Cuento Semanal", con la obra siguiente, hacia 1909. Editada también en un libro de lectura para extranjeros, del Centro de Estudios Históricos.—*Doña Lambra;* "El Cuento Semanal".—*La difunta* (estrenada).—*La esfinge* (estrenada).—*Fedra* (estrenada).—*Raquel* (estrenada).—*Todo un hombre;* adaptación por Julio de Hoyos de la novela "Nada menos que todo un hombre" (estrenada en 1925).—*Soledad* (inédita, sin estrenar).—*Sombras de sueño* (estrenada en 1930), drama en cuatro actos; edición de "El teatro moderno"; 0,50 pesetas.—*El otro* (estrenada en alemán en 1929). *El hermano Juan* o *La vida es teatro* (inédita, sin estrenar).—*El otro,* misterio en tres actos y un epílogo (estrenado en Madrid en diciembre de 1932); Espasa-Calpe; Madrid, 1933; 4 pesetas.

Algunos de los trabajos que forman parte de los libros citados en esta bibliografía vieron primero la luz pública en revistas, folletos o como prólogos de otros libros. Se han publicado muchas traducciones de libros de Unamuno al francés, alemán, italiano, inglés, etc.

## RAMON DEL VALLE-INCLAN

*Féminas,* seis historias amorosas; Pontevedra, 1894.—*Epitalamio,* historia de amores; Madrid, 1897.—*Cenizas,* drama; Madrid, 1899.—*Adega,* 1899.—*Sonata de otoño;* Madrid, 1902, 1903, 1918, 1924.—*Corte de amor,* florilegio de honestas y nobles damas; Madrid, 1903, 1908, 1914, 1922.—*Sonata de estío;* Madrid, 1903, 1906, 1913, 1917, 1928.—*Jardín umbrío;* Madrid, 1903, 1914, 1920, 1928.—*Sonata de primavera;* Madrid, 1904, 1907, 1914, 1917, 1928.—*Flor de santidad;* Madrid, 1904, 1913.—*Sonata de invierno;* Madrid, 1905, 1913.—*Jardín novelesco;* Madrid, 1908; Maucci, Barcelona.—*Historias perversas;* prólogo de M. Murguía; Maucci, Barcelona, 1907, 1908.—*El Marqués de Bradomín,* coloquios románticos; Madrid, 1907.—*Aguila de blasón,* comedia bárbara; Barcelona, 1907; Madrid, 1915, 1922. *Aromas de leyenda,* versos en loor de un santo ermitaño; Madrid, 1907, 1913, 1920.—*El yermo de las almas,* episodios de la vida íntima; Madrid, 1908, 1914.—*Romance de lobos,* comedia bárbara; Madrid, 1908, 1914, 1922.—*Una tertulia de antaño;* "El Cuento Semanal"; Madrid, 1909.—*La guerra carlista:* I, *Los cruzados de la causa;* Madrid, 1908, 1909, 1920; II, *El resplandor de la hoguera;* Madrid, 1909; III, *Gerifaltes de antaño;* Madrid, 1909.—*Cofre de sándalo;* Madrid, 1900.—*Las mieles del rosal,* trozos selectos; tomo I; Madrid, 1910.—*Cuento de abril,* escenas rimadas en una manera extravagante; Madrid, 1910, 1913, 1933.—*Voces de gesta,* tragedia pastoral; Madrid, 1912.—*La marquesa Rosalinda,* farsa sentimental y grotesca; Madrid, 1913.—*La cabeza del dragón,* farsa; Madrid, 1914.—*El embrujado,* tragedia de tierras de Salnes; Madrid, 1913.—*La lámpara maravillosa;* Madrid, 1916, 1922.—*La media noche,* versión estelar de un momento de la guerra; Madrid, 1917.—*Eulalia;* 1917.—*Cuentos, estética y poemas;* nota y selección de G. Jiménez; Méjico, 1919.—*La pipa de Kif,* versos; Madrid, 1919.—*El pasajero,* claves líricas; Madrid, 1920.—*Divinas palabras,* teatro; Madrid, 1920.—*Farsa de la enamorada del rey;* Madrid, 1920.—*Farsa y licencia de la reina castiza;* Madrid, 1920; "La Pluma", 1922.—*Los cuernos de don Friolera,* esperpento; "La Pluma", 1921; Madrid, 1925.—*Cara de plata,* comedia bárbara; "La Pluma", 1922; Madrid, 1923.—*Luces de bohemia,* esperpento; Madrid, 1924.—*La rosa de papel, La cabeza del Bautista,* esperpentos; "La Novela Semanal"; Madrid, 1924.—*Tirano Banderas,* novela; Madrid, 1926.—*El ruedo ibérico,* novelas: I, *La corte de los milagros;* Madrid, 1927. II, *Viva mi dueño;* Madrid, 1928.—*Retablo de la Avaricia, la Lujuria y la Muerte* (contiene cinco obras dramáticas: *Ligazón, La rosa de papel, El embrujado, La cabeza del Bautista* y *Sacrilegio);* Madrid, 1927.—*Martes de carnaval,* esperpentos: *Las galas del difunto, Los cuernos de don Friolera, La hija del capitán;* Madrid, 1930.

Además de las citadas ediciones está en curso de publicación la colección "Opera omnia", a la que pertenecen algunas de las primeras ediciones de los últimos libros de la lista que antecede. He aquí el orden de estas obras completas hasta el momento actual:

I, *La lámpara maravillosa;* II, *Flor de santidad;* III, *Tramoya romántica* (sin publicarse); IV, *Retablo de la Avaricia, la Lujuria y la Muerte;* V a VIII, *Memorias del marqués de Bradomín, Sonatas de primavera, estío, otoño e invierno,* respectivamente; IX, *Claves líricas (Aromas de leyenda, El pasajero, La pipa de Kif);* X, *Tablado de marionetas para educación de príncipes (La enamorada del rey, La reina castiza, La cabeza del dragón);* XI, *Jardín umbrío;* XII, *Corte de amor; XIII, Cara de plata;* XIV, *Aguila de blasón;* XV, *Romance de lobos;* XVI, *Tirano Banderas;* XVII, *Martes de carnaval;* XVIII, *Divinas palabras;* XIX, *Luces de bohemia;* XX, *Un día de guerra* (sin publicarse); XXI, *La corte de los milagros;* XXII, *Viva mi dueño.*

Como se ve, en el volumen *Claves líricas* se recogen los tres que completan toda su labor de poeta lírico.

Hay traducciones inglesa y francesa de las cuatro *Sonatas;* inglesa, de *Tirano Banderas* y de *La cabeza del Bautista,* e italiana, de *Romance de lobos.*

Agotadas la mayor parte de las ediciones de obras sueltas, los volúmenes de "Opera omnia" se venden a 5 ó 6 pesetas.

## FRANCISCO VILLAESPESA

Para mayor claridad, ordenamos la complicada bibliografía de Villaespesa en secciones y por orden cronológico, según fueron apareciendo las primeras ediciones. Mientras no se haga constar otra cosa, la edición es de Madrid.

### POESÍA

1898. *Intimidades.—Flores de almendro.*
1899. *Luchas.—Confidencias.*
1900. *La copa del rey de Thule;* prólogo de Juan Ramón Jiménez (1909).
1901. *La musa enferma* (1916).
1902. *El alto de los bohemios.*
1905. *Rapsodias.*
1906. *Las canciones del camino.—"Tristitiae rerum".*
1907. *Carmen,* cantares.

1908. *El patio de los arrayanes.—El mirador de Lindaraxa.—El libro de Job.*

1909. *El jardín de las quimeras,* Barcelona.—*Las horas que pasan,* Barcelona.—*Saudales.*

1910. *"In memoriam", elegías.—Bajo la lluvia.—Retablo medieval.*

1911 *Torre de marfil,* París.—*Andalucía* (1913, 1917).—*Los remansos del crepúsculo.—El espejo encantado.*

1912. *Los panales de oro.—El balcón de Verona.—Palabras antiguas.—Jardines de plata.*

1913. *Collares rotos.—El libro de los sonetos.—El velo de Isis. Lámparas votivas.*

1914. *Ajimeces de ensueño.—Campanas pascuales.—El reloj de arena.*

1915. *Los nocturnos del Generalife.*

1916. *La cisterna.—La fuente de las gacelas.—Baladas de cetrería.—Amor,* Barcelona.—*Paz.*

1917. *Poesías escogidas.—El libro del amor y la muerte,* Barcelona.—*A la sombra de los cipreses.—Mis mejores poesías,* Barcelona.

1919. *La casa del pecado,* Barcelona.—*Tardes de Xochimilco,* México.

1920. *La estrella solitaria,* Caracas.—*El encanto de la Alhambra, Caracas* (reed. Yagües, Madrid).—*Los conquistadores,* Caracas.

1921. *Tierra de encanto y maravilla.*

1924. *Vasos de arcilla* (verso y prosa).—*Poema de Panamá,* Panamá.

1927. *El libro del mal amor.—La gruta azul.—Panderetas sevillanas,* Barcelona.

1928. *Sus mejores versos* (Antología).—*La isla crucificada,* La Habana (reed. Maucci).

No todas las poesías de estos libros son nuevas y distintas; a veces poesías publicadas en uno se reproducen en otro posterior.

TEATRO (EN VERSO)

1911. *El alcázar de las perlas* (varias ediciones; la última de Aguilar, encuadernada); 8 pesetas.
1913. *Doña María de Padilla.—Aben-Humeya.—El rey Galaor.*
1914. *Judith.—Era él.*
1915. *El halconero.—En el desierto.—La leona de Castilla.—La maja de Goya.*
1916. *La cenicienta.*
1917. *Hernán Cortés,* México.
1922. *Bolívar,* Caracas (Reed. en Maucci y "El teatro Moderno").
1924. *El chapín de la duquesa,* Buenos Aires.
1925. *El sol de Ayacucho,* Santiago de Chile.
1927. *La danzarina de Gades,* Santiago de Chile.—*El burlador de Sevilla, Buenos Aires.* (Ed. "La Farsa").

PROSA

1907. *El milagro de las rosas.*
1908. *Zarza florida,* novela.
1909. *El último Abderramán.*
1911. *La venganza de Aischa;* "El Cuento Semanal".
1912. *J. Herrera y Reissig;* estudio.—*Las garras de la pantera,* novela.—*Breviario de amor.—Las joyas de Margarita. Las granadas de rubíes,* novela; París.—*Fiesta de poesía.*
1914. *La tela de Penélope,* novela.—*Las palmeras del oasis,* novela; Barcelona.
1916. *Los malos milagros,* novela.
1917. *Resurrección,* novela.—*Amigas viejas.—Horas de tedio.—Primavera romántica.—Mis mejores cuentos.*

Desde 1916 a 1919 aparecieron los siguientes tomos de "Obras completas": I, *Intimidades, Flores de Almendro;* II, *Luchas, Confidencias;* III, *La copa del rey de Thule, La musa enferma;* IV, *El alto de los bohemios, Rapsodias;* V, *Las horas que pasan, Veladas de amor;* VI, *Las joyas de Margarita, Breviario de amor, La tela de Penélope, El milagro del vaso de agua;* VII, *Doña María de Padilla;* VIII, *El milagro de las rosas, Resu-*

*rrección, Amigas viejas;* IX, *Las granadas de rubíes, Las pupilas de Al-Motadic, Las garras de la pantera, El último Abderramán;* X, *Tristitiae rerum; XI, La leona de Castilla, En el desierto;* XII, *El rey Galaor* ("Mundo Latino").

TRADUCCIONES

Ha traducido Villaespesa múltiples obras de Víctor Hugo, D'Annunzio, Julio Dantas, Pascoli, Minotti, Mezquita, Goldoni, Musset, Del Piccia, Cavanillas, Carvalho, Fauzi Maluf, Eugenio de Castro, Alves, etc. Durante su estancia en el Brasil tradujo obras de poetas brasileños en número crecidísimo. En gran parte, esta labor está inédita.

OBRA INÉDITA

La obra inédita, original de Villaespesa, es asimismo copiosísima. En esta ANTOLOGÍA se reproducen algunas poesías, elegidas de entre sus múltiples libros inéditos, que amablemente me han facilitado. Las obras dramáticas son también numerosas, y algunas, aunque inéditas, se han representado o radiado. Doy sólo algunos títulos: *El castillo de naipes, Justicia del justiciero, El hijo pródigo, La antorcha.*

La mayor parte de los libros de Villaespesa están agotados. En "Mundo Latino" pueden encontrarse ejemplares de las *Obras Completas,* a 5 pesetas. La misma editorial y Maucci, Aguilar o García Rico podrán servir ejemplares de otras obras.

## EDUARDO MARQUINA

POESÍA

*Jesús y el Diablo;* poema en colaboración con Luis de Zulueta; Barcelona, 1899.—*Odas;* Barcelona, 1900.—*Las vendimias;* primer poema geórgico; Barcelona, 1901.—*Eglogas;* Madrid, 1902 (Biblioteca Mignon).—*Elegías;* Barcelona, 1905. Madrid, 1912 (Renacimiento).—*Vendimión;* poema; Hernando; Madrid, 1909. *Canciones del momento;* Beltrán; Madrid, 1910, 1916.—*Tierras de España;* Renacimiento; Madrid, 1914.—*Juglarías;* "Diamante"; Barcelona, 1914.—*Breviario de un año;* "*Estrella*"; Madrid,

1918.—*La poesía de San Francisco de Asís;* conferencia en verso; Edit. Ibero-Africano-Americana; Madrid, 1927.

TEATRO

*El Pastor,* poema dramático; Barcelona, 1902.—*Agua mansa,* zarzuela; 1902.—*La vuelta del rebaño,* zarzuela; 1903.—*Emporium,* drama lírico en catalán; Barcelona, 1906.—*Benvenuto Cellini,* biografía dramática; 1906.—*Mala cabeza,* pequeño drama; 1906.—*El delfín,* zarzuela; 1907.—*Las hijas del Cid,* leyenda trágica; 1908, 1912.—*Doña María la Brava,* romancero dramático; 1909, 1911, 1914.—*En Flandes se ha puesto el sol;* 1910, 1912, 1914, 1924.—*La alcaidesa de Pastrana,* auto teresiano; 1911.—*El rey trovador,* trova dramática; 1912.—*Cuando florecen los rosales,* comedia sentimental; 1913, 1919.—*Por los pecados del rey,* drama; 1913.—*El retablo de Agrellano,* drama fantástico-religioso; 1914.—*La hiedra,* tragedia; 1914.—*Cantiga de serrana,* obras dramáticas; 1914.—*Tapices viejos,* teatro; 1914.—*Las flores de Aragón,* comedia histórica; 1915, 1928.—*Una mujer,* comedia 1915.—*El Gran Capitán,* leyenda dramática; 1916.—*La enemiga,* comedia; traducción de Darío Nicodemi; 1917.—*La morisca,* ópera con Pahissa; 1918, 1927.—*Alondra,* drama; 1918.—*El abanico duende,* comedia musical con Amadeo Vives; 1918.—*Alimaña,* comedia; 1921.—*La princesa juega,* comedia poética; 1921.—*El pavo real,* comedia poética; 1922.—*Una noche en Venecia,* poema dramático; 1923.—*El pobrecito carpintero,* cuento de pueblo; 1924.—*Don Luis Mejías,* comedia de capa y espada, en colaboración con Hernández Catá; 1925.—*Fruto Bendito,* comedia; 1927. *La ermita, la fuente y el río,* comedia; 1927.—*La vida es más,* comedia; 1928.—*Sin horca ni cuchillo,* drama; 1929.—*Salvadora,* drama; 1929.—*El monje blanco,* retablos de leyenda primitiva; 1930.—*Fuente escondida,* comedia; 1931.—*Era una vez en Bagdad...,* cuento; 1932.—*Los Julianes,* drama; 1932.—*Teresa de Jesús,* estampas carmelitas; 1933.

OTRAS OBRAS

*Almas anónimas,* novela; Barcelona, 1909.—*La caravana* (y otros cuentos); Barcelona.—*Beso de oro* (y otros cuentos); Barcelona.—*Las dos vidas,* novela; Barcelona.—*Almas de mujer,* novelas cortas; Madrid, 1921.—*El beso en la herida,* novela; Madrid, 1920.—*El destino cruel,* novela; Madrid, 1921.—*Agua en cisterna;* Madrid, 1921.—*El Cid y Roldán,* ensayo; Madrid, 1929.

De todas las obras de E. Marquina hay existencias en casa de su editor: Editorial Reus; Preciados, 1, Madrid.

## MANUEL MACHADO

*Alma* (poesías); Madrid, imprenta de Marzo; 1900.—*Caprichos* (ídem); Madrid; imprenta de la "Revista de Archivos", 1905.—*Alma, Museo* y *Los Cantares* (ídem); Madrid; Pueyo, 1907.—*El mal poema* (poesías); Madrid; Castro, 1909.—*Apolo* (ídem); Madrid; Renacimiento, 1911.—*Cante hondo* (ídem); Imprenta Helénica, 1912.—*El amor y la muerte* (capítulos de novela); ídem, 1913.—*La guerra literaria* (crítica y ensayos); Madrid; Hispano-Alemana, 1913.—*Canciones y dedicatorias* (poesía); Madrid; Imprenta Hispano-Alemana, 1915.—*Un año de teatro* (críticas dramáticas); Madrid; Biblioteca Nueva, 1918.—*Sevilla y otros poemas* (poesías); Madrid; Editorial América, 1918.—"*Ars moriendi*" (poesías); imprenta de Yagües, 1921.

"Aparte estos tomos sueltos, reeditados varias veces todos ellos, y agotados hoy, se han publicado las siguientes "selectas" de mis poesías:

*Poesías escogidas;* Maucci; Barcelona, 1910.—*Alma* (ópera selecta); Garnier; París, 1911.—*Poesía* (ópera omnia lírica); Editora Internacional; Madrid, 1924.

También estas colecciones están agotadas o son muy raras y ya incompletas, y ahora preparo una nueva, aumentada con bastantes poesías inéditas."

### TEATRO

"Las obras de teatro, todas en colaboración con mi hermano Antonio, son:

#### ORIGINALES

*Desdichas de la Fortuna o Julianillo Valcárcel,* tragicomedia; cuatro actos, verso; estrenada en el teatro de la Princesa en

1926; tres ediciones: 1.ª En la colección "Comedias"; Madrid, 1926, 2.ª Editorial Fernando Fe; Madrid, 1926; 4 pesetas. 3.ª Colección Universal; Espasa-Calpe, 1928; 1 peseta.—*Juan de Mañara,* drama; tres actos, verso. Estrenado en el teatro Reina Victoria en 1927. Dos ediciones: 1.ª Colección "El Teatro"; Madrid, 1927; 2.ª Espasa-Calpe; Madrid, 1927; 3 pesetas.—*Las adelfas,* comedia; tres actos, verso; estrenada en el teatro Calderón en 1928; dos ediciones: 1.ª Colección "La Farsa", Rivadeneyra; Madrid, 1928. 2.ª C. I. A. P., "Teatro completo", vol. II; 5 pesetas.—*La Lola se va a los puertos,* comedia; tres actos, verso; estrenada en el teatro Fontalba en 1930; tres ediciones: 1.ª Colección "La Farsa", ed. corriente; 1930; 0,50 pesetas. 2.ª "La Farsa", ed. especial; 1930; 1 peseta. 3.ª C. I. A. P., vol. II; "Teatro completo"; 1931; 5 pesetas.—*La prima Fernanda,* comedia; tres actos; estrenada en el teatro Victoria en abril de 1931. *La duquesa de Benamejí,* drama en tres actos, en prosa y verso, estrenado en el Español en 1932; Ed. "La Farsa"; 0,50 pesetas.

### TRADUCCIONES PUBLICADAS Y REPRESENTADAS

*El aguilucho,* de Ed. Rostand; seis actos, verso, traducción en colaboración con Luis de Oteyza; representada en Madrid el año 1921; no publicada en tomo.—*Hernani,* de V. Hugo, en colaboración con A. Machado y F. Villaespesa. Publicada en la colección de "La Farsa"; Madrid; Rivadeneyra, 1924.

### REFUNDICIONES

*La niña de plata,* de Lope de Vega, con A. Machado y J. López. Estrenada en Lara en 1926. Colección "*La Farsa*", 1926.—*El condenado por desconfiado,* de Tirso de Molina, en colaboración con A. Machado y J. López. Estrenada en el Español en 1924. Colección "La Farsa"; Madrid, 1924.—*Hay verdades que en Amor...,* de Lope, en colaboración con Antonio Machado y José López. Estrenada en Salamanca en 1925 (inédita).—*El perro del hortelano,* de Lope, en colaboración con A. Machado y J. López. Estrenada en el Español en 1931 (inédita).—*El príncipe constante*, de Calderón, en colaboración con Antonio Machado y J. López (inédita).

## ANTONIO MACHADO

POESÍA

*Soledades;* Madrid, 1903 (agotado).—*Soledades, galerías y otros poemas;* Madrid, 1907 (agotado).—*Campos de Castilla;* Madrid, 1912 (agotado).—*Poesías selectas;* Madrid, 1917 (en rigor, el título de este libro es "Páginas escogidas"). Editorial "Saturnino Calleja". La segunda edición, de Santander, 1925; 3,50 pesetas. *Poesías completas;* Madrid, 1917; "Residencia de Estudiantes"; 4 pesetas.—*Nuevas canciones;* Madrid, 1925; "Mundo Latino" (C. I. A. P.); 5 pesetas.—*Poesías completas;* segunda edición, aumentada; Madrid, 1928; "Calpe" (agotada).—*Poesías completas;* tercera edición, aumentada; Madrid, 1933; "Espasa-Calpe"; 6 pesetas.

(Para la bibliografía de obras de teatro véase la de Manuel Machado, puesto que en todas las obras han colaborado los dos hermanos. Me anuncia en preparación dos nuevas obras: *La nueva Cleopatra* y *El hombre que murió en la guerra.)*

## JUAN RAMON JIMENEZ

(1900-1933)

*Almas de violeta;* Madrid, 1900.—*Ninfeas;* Madrid, 1900.—*Rimas;* Madrid, 1902.—*Arias tristes;* Madrid, 1903.—*Jardines lejanos;* Madrid, 1904.— *Elejías puras;* Madrid, 1908.—*Elejías intermedias;* Madrid, 1908.—*Las hojas verdes;* Madrid, 1909.—*Elegías lamentables;* Madrid, 1910.—*Baladas de primavera;* Madrid, 1910.—*La soledad sonora;* Madrid, 1911.—*Poemas mágicos y dolientes;* Madrid, 1911.—*Pastorales;* Madrid, 1911.—*Melancolía;* Madrid, 1912.—*Laberinto;* Madrid, 1913.—*Platero y yo*; Madrid, 1914 (edición menor).—*Estío;* Madrid, 1915.—*Platero y yo;* Madrid, 1917 (edición completa).—*Sonetos espirituales;* Madrid, 1917.—*Diario de un poeta recién casado;* Madrid, 1917.—*Poesías escojidas;* New York, 1917.—*Eternidades;* Madrid, 1918.

*Piedra y cielo;* Madrid, 1919.—*Segunda antología poética;* Madrid, 1922.—*Poesías escojidas;* México, 1923.—*Poesía* (en verso); Madrid, 1923.—*Belleza* (en verso); Madrid, 1923.—*Unidad;* Madrid, 1925; ocho cuadernos.—*Poesía,* en prosa y verso (1902-1923), escogida para los niños por Z. C. A.; Signo, 1932; segunda edición, 1933.—*Sucesión;* Madrid, 1932.—*Presente;* Madrid, 1933.

(Estos libros son considerados hoy por J. R. J. como borradores silvestres. Acepta sólo enteramente los cuadernos de *Unidad* y lo publicado después de 1923).

TRADUCCIONES

*Vida de Beethoven,* por Romain Rolland; Madrid, 1915.—*Jinetes hacia el mar,* por John M. Sygne; Madrid, 1920 (en colaboración con Z. C. A.).—*El cartero del rey,* por Rabindranaz Tagore; Madrid, 1922 (en colaboración con Z. C. A.).

(Libros y revistas de J. R. J. en León Sánchez Cuesta, librero; Mayor, 4, y en Editorial "Signo", Madrid.)

## ENRIQUE DE MESA

POESÍA

*Tierra y alma;* Madrid, 1906 (agotado).—*Canciones castellanas;* Madrid, 1911 (agotado). Segunda edición, con un ensayo de Ramón Pérez de Ayala, aumentada; Madrid, 1917; "Renacimiento" (agotada).—*El silencio de la Cartuja;* Madrid, 1916; "Renacimiento" (agotado).—*La posada y el camino;* Madrid, 1928; Calpe, 4 pesetas.

PROSA

*Flor pagana;* Madrid, 1905 (agotado).—*Tragicomedia;* Madrid, 1910 (agotado).—*Apostillas a la escena;* Madrid, 1929; C. I. A. P.; 5 pesetas.

Publicó, además, traducciones de *Rojo y negro,* de Stendhal; Manon Lescaut. Deja inédito abundante material para un libro sobre "La corte poética de los Trastamaras".

## TOMAS MORALES

POESÍA

*Poemas de la Gloria, del Amor y del Mar;* Madrid, 1908 (agotado).—*Las rosas de Hércules* (libro II); Madrid, 1919.—*Las rosas de Hércules* (libro I); Madrid, 1922. (En este primer libro de *Las rosas de Hércules* van incluidos *los Poemas de la Gloria, del Amor y del Mar;* prólogo de E. Díez-Canedo. Ambos libros con portada y ornamentación de Néstor.)

TEATRO

*La cena de Bethania,* representada en 1910 en el teatro Pérez Galdós, de Las Palmas. (Esta obra, escenas bíblicas en un acto y en prosa, no ha sido impresa.)

Colaboró en diversos periódicos y revistas, entre los que recordamos *Los Lunes* de *El Imparcial, España, Nuevo Mundo, Por esos mundos* y *Mundial* (publicada en París bajo la dirección de Rubén Darío).

## JOSE DEL RIO SAINZ

POESÍA

*Versos del mar y de los viajes;* Santander, 1912 (agotado).—*La belleza y el dolor de la guerra,* versos de un neutral; Valladolid, 1922. "Libros para amigos, no destinados a la venta", editados por José María de Cossío.—*Hampa;* Santander, 1923; con grabados en madera de Francisco G. Cossío (agotado).—*Versos del mar y otros poemas;* Santander, 1925; premio Fastenrath (agotado). Segunda edición, aumentada con nuevos poemas, costeada por la Diputación Provincial de Santander; Santander, 1925; Librería Moderna, Santander; 6 pesetas.—*La amazona de Estella, Versos de circunstancias;* Santander, 1926.

PROSA

*Aire de la calle,* dos volúmenes de crónicas periodísticas; Santander, 1933; Librería Moderna.

## JOSE MORENO VILLA

POESÍA

*Garba,* poesías; Madrid, 1913; 2,50 pesetas.—*El pasajero,* poemas; Madrid, 1934; 3 pesetas.—*Luchas de pena y de alegría;* Madrid, 1915; 1,50 pesetas.—*Evoluciones,* prosa y verso; Madrid, 1918; Ed. Calleja; 4 pesetas.—*Florilegio,* selección y prólogo de Pedro Henríquez Ureña; edición de "El Convivio"; San José de Costa Rica.—*Colección,* poesías; Madrid, 1924; 3,50 pesetas. *Jacinta la Pelirroja,* poema en poemas; Málaga, 1929; "Litoral"; 4 pesetas.—*Carambas* (primera serie); Madrid, 1931; Ediciones posibles; 1 peseta.—*Carambas* (segunda serie); Madrid, 1931; Ediciones provisionales; 1 peseta.—*Carambas* (tercera serie); Madrid, 1931; Ediciones inaceptadas; 1 peseta. *Puentes que no acaban;* Madrid, 1933; Concha Méndez y M. Altolaguirre, impresores; 1933; 4,50 pesetas.

PROSA

*Evoluciones;* prosa y verso.—*Patrañas,* cuentos; Madrid, 1921; Ed. Caro Raggio; 4 pesetas.—*La comedia de un tímido,* dos actos; Madrid, 1924; "Cuadernos literarios" de "La Lectura"; 1,25 pesetas.—*Pruebas de Nueva York;* Málaga, 1928; Ed. Calpe; 4 pesetas.

OTROS LIBROS

*Velázquez,* colección popular de arte; Madrid, 1920; Calleja; 2,50 pesetas. Traducción de *Los conceptos fundamentales en la Historia del Arte,* de H. Wolflin; Madrid, Calpe.—*Ideas del si-*

*glo XX;* 1926. Traducción de *Lucinda,* novela de Schlegel; Edic. "La Pluma"; Madrid, 1921.—*Dibujos del Instituto de Gijón* (catálogo); Madrid, 1926; 10 pesetas.—Ediciones del *Diálogo de la Lengua,* de Juan de Valdés (Calleja); *Teatro,* de Lope de Rueda, y *Obras,* de Espronceda, en los "Clásicos castellanos" de "La Lectura".

(Los libros de Moreno Villa pídanse a León Sánchez Cuesta, librero; Mayor, 4; Madrid.)

## "ALONSO QUESADA"

*El lino de los sueños,* primer libro de poemas, con un prólogo de don Miguel de Unamuno, una epístola en versos de Tomás Morales y portada y retrato del autor por Néstor; Beltrán; Madrid, 1915. *La umbría,* paisajes dramáticos, en prosa; Atenas; Madrid, 1922.—*Smoking-Room,* cuento de ingleses coloniales (inédito).—*Las inquietudes del Hall,* novela breve (inédita).—*Llanura, teatro inverosímil* (inédita).—*Los caminos dispersos,* versos (inédita).

Según nuestras referencias, estas obras serán publicadas por la Biblioteca Atenea, de Madrid, en tres tomos, con un prólogo de Gabriel Miró, escrito meses antes del fallecimiento del gran artista alicantino.

También dejó escrito "Alonso Quesada" un libro de crónicas provincianas titulado *Crónicas de la ciudad y de la noche,* que fue editado y publicado en Las Palmas el año 1919 y firmado con el seudónimo de "Don Felipe Centeno" o "Don Gil Arribato", que antaño fue el verdadero nombre del cronista (como reza en la portada).

Fue colaborador de casi todos los periódicos de la localidad; de *La Publicidad,* de Barcelona; de la revista *España* y de otros periódicos y revistas.

## MAURICIO BACARISSE

POESÍA

*El esfuerzo;* Madrid, Tip. José Yagües, 1917; 3 pesetas.—*El paraíso desdeñado,* "Cuadernos literarios"; Madrid, 1928; Espasa-Calpe; 1 peseta.—*Mitos;* Madrid, 1930; Mundo Latino; 3,50 pesetas.—*Antología;* Madrid, 1932; prólogo de Ramón Gómez de la Serna; edición numerada, homenaje póstumo de los amigos del autor (agotada).

PROSA

*Las tinieblas floridas,* novela corta; "Novela mundial"; Madrid, 1927.—*Los terribles amores de Agliberto y Celedonia,* novela, premio nacional de Literatura 1930; Espasa-Calpe; Madrid, 1931; 6 pesetas.

TRADUCCIONES

De Villier de l'Isle Adam: *La Eva futura,* novela; Biblioteca Nueva; Madrid, 1919.—De Heine: *Literatura alemana,* estudios; Editorial América; Madrid, 1920.—De Verlaine: *Los poetas malditos,* verso y prosa; Mundo Latino; Madrid, 1921. *Antaño y ayer,* poemas; Mundo Latino; 1924.

## ANTONIO ESPINA

*Umbrales,* versos; Angel Alcoy; Madrid, 1918; 3 pesetas.—*Divagaciones,* prosa; Pueyo; Madrid, 1920; 5 pesetas.—*Signario,* versos; Indice; Madrid, 1923; 4 pesetas.—*Pájaro Pinto,* novela; "Revista de Occidente"; Madrid, 1927; 3 pesetas.—*Lo cómico contemporáneo,* ensayos; "La Lectura"; Madrid, 1927; 1,50 pesetas.—*Luna de Copas,* novela; "Revista de Occidente"; Madrid, 1928; 3,50 pesetas.—*Luis Candelas,* novela biográfica;

Espasa-Calpe; Madrid, 1930; 5 pesetas.—*Las siete virtudes,* cuentos; libro escrito en unión de otros seis escritores; Espasa-Calpe; Madrid, 1931; 5 pesetas.

TRADUCCIONES

*Adolfo,* de Benjamín Constant; Calpe, "Colección Universal"; Madrid, 1924; 2 pesetas.—*El estupendo Cornudo,* de F. Crommelynk; Editorial "Revista de Occidente"; Madrid, 1926; 3 pesetas. Esta farsa dramática fue representada en el teatro Cervantes, de Madrid, en diciembre de 1931 y enero y febrero de 1932.

Ha sido redactor de los siguientes diarios de Madrid: *Vida Nueva, Heraldo de Madrid, El Sol, Crisol* y *Luz;* colaborador de otros muchos de España y extranjero y de varias revistas, entre ellas las siguientes españolas: *La Pluma, España, Revista de Occidente* y *La Gaceta Literaria.*

Algunas de sus obras han sido traducidas, total o fragmentariamente, a diversos idiomas. Ha dirigido, en unión de Joaquín Arderíus y José Díaz Fernández, el semanario republicano de extrema izquierda *Nueva España;* Madrid, 1929-1931.

## JUAN JOSE DOMENCHINA

POESÍA

*Del poema eterno,* poesías; Madrid, 1917. Segunda edición; Madrid, 1922; Ediciones Mateu; 2,50 pesetas.—*Las interrogaciones del silencio,* poema; Madrid, 1918. Tercera edición, 1922; Mateu; 1 peseta.—*Poesías escogidas;* Ed. Mateu; Madrid, 1922; 5 pesetas.—*La corporeidad de lo abstracto,* poesías; Renacimiento; Madrid, 1929; 5 pesetas.—*El tacto fervoroso,* poesías; C. I. A. P.; Madrid, 1930; 5 pesetas.—*Dédalo,* poema; "Biblioteca Nueva"; Madrid, 1932; 5 pesetas.—*Margen,* poesías; "Biblioteca Nueva"; Madrid, 1933; 7 pesetas. (*Del poema eterno* lleva unas "Palabras iniciales" de Ramón Pérez de Ayala, y *Dédalo,* una caricatura lírica del poeta por Juan Ramón Jiménez.)

NOVELA

*El hábito,* novela corta; "La Novela Mundial"; Madrid, 1926. *La túnica de Neso,* novela; "Biblioteca Nueva"; Madrid, 1929; 5 pesetas.

En preparación: *Elegías barrocas* y *El desorientado* (novela).

## LEON FELIPE

POESÍA

*Versos y oraciones de caminante;* Madrid, 1920 (agotado).—*Versos y oraciones de caminante,* libro II; Instituto de las Españas en los Estados Unidos; New York, 1930; Espasa-Calpe.—*Drop a Star,* poema; Méjico, 1933; 200 ejemplares, numerados.

Ha publicado además varios folletos y conferencias y ha traducido dos libros de Waldo Frank: *España virgen* y *América hispana.* Y poemas de T. S. Elliot, Whitman, Blake "y algunos metafísicos ingleses (donde están mis preferencias), con los cuales algún día haré una antología".

## RAMON DE BASTERRA

POESÍA

*Las ubres luminosas,* Echeguren y Zulaica; primer volumen de la "Biblioteca de Escritores Vascos"; editor Miguel de Maeztu; Bilbao, 1923; 4 pesetas.—*La sencillez de los seres;* Renacimiento; Madrid, 1923; 3 pesetas.—*Los labios del monte;* Renacimiento; Madrid, 1924; 3 pesetas.—*Vírulo,* poema. Parte primera: *Las mocedades;* Renacimiento; Madrid, 1924; 3 pesetas.—*Vírulo,* poema. Parte segunda: *Mediodía;* "Gaceta Literaria"; Madrid, 1927; 3 pesetas.

PROSA

*La obra de Trajano;* Calpe; Madrid, 1921; 4 pesetas.—*Los navíos de la ilustración;* Imprenta Bolívar; Caracas, 1925 (Librería Beltrán, Madrid).

Anunciaba además *Dominio universal de España,* edición con prólogo y notas de una obra de Miguel de Basterra (1798-1799), que no se llegó a imprimir, así como una obra de teatro, *Las alas de lino,* en tres actos, en verso.

## PEDRO SALINAS

POESÍA

*Presagios;* Madrid, 1923; Biblioteca de "Indice"; 4 pesetas (León Sánchez Cuesta).—*Seguro azar;* Madrid, 1929; "Revista de Occidente"; 5 pesetas.—*Fábula y signo;* Madrid, 1931; Plutarco; 6 pesetas (papel especial, 14 pesetas).—*Amor en vilo;* Madrid, 1933; Ediciones "La tentativa poética" (Concha Méndez y Manuel Altolaguirre, impresores); 3 pesetas. Este libro es una anticipada selección del siguiente: *La voz a ti debida,* poema; Madrid, 1934; ediciones "Los Cuatro Vientos"; Editorial Signo; 7 pesetas.

PROSA

*Víspera del gozo;* Madrid, 1926 Colección "Nova novorum"; "Revista de Occidente" (agotada).

OTRAS OBRAS

*Poema del Cid* (versión en romance moderno); "Revista de Occidente" (agotada); Madrid, 1925.—*Poesías de Meléndez Valdés;* Madrid, 1925; edición y prólogo de P. S. Clásicos de "La Lectura".

Y varias traducciones de Musset, Merimée, Proust, etc.

## JORGE GUILLEN

*Cántico;* Madrid, 1919-1928; "Revista de Occidente"; 5 pesetas. En preparación, segunda edición del primer volumen de *Cántico* (I, *Al aire de tu vuelo, Pájaro en mano, Pleno ser).*

Manuel Altolaguirre le ha editado en un pliego suelto su poesía *Ardor* (que figura en esta ANTOLOGÍA); París, 1931; 1 peseta.

Paul Valéry: *El cementerio marino,* traducción en verso castellano por J. G., dibujos de Gino Severini, grabados al boj por Pierre Duheuil. Edición de la "Agrupación de Amigos del Libro de Arte"; Madrid, París, Buenos Aires, 1930.

## DAMASO ALONSO

*Poemas puros. Poemillas de la ciudad;* Madrid, 1921; León Sánchez Cuesta; 3 pesetas.—*El viento y el verso,* cuaderno de poesías, en pliego aparte, dentro de la revista "Sí", de Juan Ramón Jiménez; Madrid, 1925. Precio del número, único, de "Sí", 2,50 pesetas.—*Temas gongorinos;* Madrid, 1927. Serie de artículos aparecidos en la "Revista de Filología Española".—*La lengua poética de Góngora* (libro inédito, premio nacional de Literatura de 1927).—*El artista adolescente* (retrato), por James Joice; traducción de *The portrait of the artist a young man,* publicada con el seudónimo de "Alfonso Donado"; Madrid, 1926; "Biblioteca Nueva"; 5 pesetas.—*El Enquiridion o Manual del caballero cristiano;* edición de Dámaso Alonso, prólogo de Marcel Bataillon.—*Paraclesis o exhortación al estudio de las letras divinas;* edic. y prólogo de D. A. (traducciones españolas del siglo XVI). "Revista de Filología Española"; Madrid, 1932; 30 pesetas.

## JUAN LARREA

Hasta la fecha no ha publicado libro. Se halla en prensa *Oscuro dominio,* poemas en prosa y verso; Méjico, ediciones "Alcancía" (edición privada).

## GERARDO DIEGO

POESÍA

*El romancero de la novia* (1918); Madrid, 1920; edición privada.—*Imagen*, poemas (1918-1921); Madrid, 1922; 4 pesetas. León Sánchez Cuesta, calle Mayor, 4, Madrid.—*Soria*, galería de estampas y efusiones (1922); Valladolid, 1923; edición ("para amigos", de José María de Cossío) privada.—*Manual de espumas* (1922); Madrid, 1924; 1,25 pesetas. "Cuadernos literarios" de "La lectura"; Calpe.—*Versos humanos* (1918-1924); Madrid, 1925; 5 pesetas.—*Víacrucis* (1924); Santander, 1931; 3 pesetas; León Sánchez Cuesta.—*Fábula de Equis y Zeda* (1926-1929); Méjico, 1932; "Alcancía", edición privada.—*Poemas adrede* (1926-1931); Méjico, 1932; "Alcancía", edición privada.

ANTOLOGÍA Y PROSA

*Egloga en la muerte de doña Isabel de Urbina;* Pedro de Medina Medinilla; Santander, 1924. Edición privada ("para amigos", de José María de Cossío) y prólogo de G. D.— *Antología poética en honor de Góngora* (desde Lope de Vega a Rubén Darío). "Revista de Occidente"; Madrid, 1927 (agotada).—*Poesía Española. Antología 1915-1931;* Editorial Signo; Madrid, 1932 (agotada).

(Prescindo de mis libros inéditos y posibles.)

Fundé y dirigí *Carmen*, revista chica de poesía española. Aparecieron siete números en 1927-1928. Precio de la colección, 10 pesetas (León Sánchez Cuesta).

## FEDERICO GARCIA LORCA

PROSA

*Impresiones y paisajes;* 1918 (agotado).

POESÍA

*Libro de poemas;* Madrid, 1921; León Sánchez Cuesta; 5 pesetas.—*Canciones* (1921-1924). Málaga, 1927; "Litoral" (agotado). Segunda edición por la "Revista de Occidente"; 5 pesetas.—*Romancero gitano* (1924-1927). Madrid, 1928; "Revista de Occidente" (agotado). Segunda edición, 1929; "Revista de Occidente". Tercera, Buenos Aires, 1934; revista "Sur"; 2 pesos. Edición de lujo, por la misma revista, 10 pesos. *Oda a Walt Whitman;* México; "Alcancía", 1933. Edición privada.

TEATRO REPRESENTADO

*Mariana Pineda,* romance popular en tres estampas, en verso. Estrenado en el teatro Fontalba de Madrid, en octubre de 1927. Edición de "La Farsa"; Madrid, 1928; 0,50 pesetas.—*La zapatera prodigiosa,* farsa en dos actos, en prosa, estrenada por Margarita Xirgu, en el Teatro Español, el 24 de diciembre de 1930.—*Amor de don Perlimplín con Belisa en su jardín;* estrenada por el Club Teatral en el Español en 1933.—*Títeres de Cachiporra;* estrenada en la Sociedad de Cursos y Conferencias de Madrid, 1931.—*Bodas de sangre,* tragedia en tres actos, en prosa y verso, estrenada en el teatro Beatriz por Josefina Díaz de Artigas, en abril de 1933.

Además se han representado las siguientes *versiones antológicas* del teatro clásico:

*Fuenteovejuna,* de Lope de Vega, en colaboración con Eduardo Ugarte, por "La Barraca", Teatro Universitario; 1933.—*La vida es sueño,* auto sacramental de Calderón, en colaboración con E. Ugarte; por "La Barraca"; 1933.—*La dama boba,* de Lope, en Buenos Aires; 1934.—*El burlador de Sevilla,* de Tirso de Molina; en ensayo por "La Barraca".

OBRAS INÉDITAS

*Libro de las diferencias* (verso).—*Odas* (versos).—*Introducción a la muerte* (poemas).—*El público,* tragedia en seis actos, en prosa.—*Así que pasen cinco años,* leyenda del tiempo.—*Yerma,* tragedia en tres actos, prosa y verso.

## RAFAEL ARBERTI

### POESÍA

*Marinero en tierra* (1924). Madrid, 1925; Biblioteca Nueva; 5 pesetas.—*La amante, canciones* (1925). Málaga, 1926; "Litoral" (agotada esta primera edición). Segunda edición en Madrid 1929; Plutarco; 5 pesetas (hay ejemplares en papel especial a 12 pesetas).—*El alba del alhelí* (1925-1926). Santander, 1927. Edición "para amigos", de José María de Cossío, no destinada a la venta. *Cal y canto* (1926-1927). Madrid, 1929; "Revista de Occidente"; 5 pesetas.—*Sobre los ángeles* (1927-1928). Madrid, 1929; C. I. A. P.; 5 pesetas.—*Dos oraciones a la Virgen,* por Carlos Rodríguez Pintos y Rafael Alberti; París, 1931.—*Consignas* (1933). Madrid, 1933. Ediciones "Octubre"; 0,40 pesetas.—*Un fantasma recorre Europa* (1933). Madrid, 1933. Edic. "La tentativa poética"; León Sánchez Cuesta; 3 pesetas.

### TEATRO

*Fermín Galán,* romance de ciego en tres actos, diez episodios y un epílogo (estrenado en el Teatro Español por Margarita Xirgu, el 1 de junio de 1931). Madrid, 1931; Plutarco; 4,50 pesetas.—*El hombre deshabitado,* auto en un prólogo, un acto y un epílogo, estrenado en el teatro de la Zarzuela por María Teresa Montoya en febrero de 1931. Plutarco; 3 pesetas.

### LIBROS INÉDITOS

*Sermones y moradas,* poesías.—*Yo era un tonto y lo que he visto me ha hecho dos tontos;* poemas representables.—*Elegía. De un momento a otro;* poema de la familia.

Y cinco obras de teatro: *La pájara pinta,* guirigay lírico-bufo-bailable.—*Santa Casilda,* misterio en tres actos y un epílogo. *Lepe, Lepijo y su hijo,* farsa.—*El hijo de la gran puta,* farsa. *Bazar de la providencia,* negocio.

## FERNANDO VILLALON

### LIBROS PUBLICADOS

*Andalucía la baja,* poemas en verso; Madrid, 1927 (impreso en Sevilla, 1926). Editorial Reus; 5 pesetas.—*La Toriada;* Málaga, 1928. Décimo suplemento de "Litoral" (escrito de diciembre de 1927 a mayo de 1928); 3,50 pesetas (León Sánchez Cuesta, librero; Mayor, 4, Madrid).—*Romances del ochocientos* (1927). Málaga, 1929 (agotada).

Fundó y dirigió con Adriano del Valle y Rogelio Buendía la revista "Papel de Aleluyas" (Huelva y Sevilla), de la que salieron siete números entre 1927 y 1928.

### OBRA INÉDITA

Ha dejado Villalón una considerable cantidad de papeles, en gran parte borradores y fragmentos inconexos. Sus amigos proyectan la edición de toda la parte aprovechable de esos originales. Entre ellos hay novela, cuentos, una obra de teatro terminada y entregada a una compañía: *Don Juan Fermín de Plateros,* drama histórico romántico. Y un cuaderno de poesías inéditas con fragmentos de un poema cosmogónico, titulado "El kaos"

## ERNESTINA DE CHAMPOURCIN

### POESÍA

*En silencio;* Madrid, 1926.—*Ahora;* León Sánchez Cuesta; Madrid, 1928; 450 pesetas.—*La voz en el viento* (1928-1931). C. I. A. P.; Madrid, 1931; 5 pesetas.

## VICENTE ALEIXANDRE

### POESÍA

*Ambito;* Málaga, 1928. Ediciones "Litoral" (agotada).—*Espadas como labios;* Espasa-Calpe, 1932; 5 pesetas.—*La destrucción o el amor;* Signo, 1934; 7 pesetas.

PROSA

*Hombre de tierra* (1928-1929); inédito.

## LUIS CERNUDA

POESÍA

*Perfil del aire;* Málaga, 1927. Suplemento de "Litoral"; 3,50 pesetas (León Sánchez Cuesta).—*Tres poemas;* libro inédito de 1928.—*Un río, un amor;* libro inédito de 1929.—*Los placeres prohibidos;* libro inédito de 1931.—*Donde habite el olvido;* libro inédito de 1933.

Y, aunque en realidad no es un libro, sino una colección, entresacada al azar, de los libros precedentes, hay que mencionar: *La invitación a la poesía;* ediciones "La tentativa poética", impreso por Concha Méndez y Manuel Altolaguirre; Madrid, 1933. León Sánchez Cuesta, librero; 3 pesetas.

PROSA

*El indolente* (inédito).—*Memoria de hombre* (inédito).

## MANUEL ALTOLAGUIRRE

*Las Islas Invitadas y otros poemas;* Málaga, 1926; Imprenta Sur (agotado).—*Ejemplo;* suplemento de "Litoral"; Málaga, 1927 (agotado).—*Escarmiento, Vida poética, Lo invisible;* tres cuadernos de poesía, incluidos en la revista "Poesía"; 1930.—*Un día;* París, 1931. Ediciones de "Poesía".—*Amor;* París, 1931 (pliego con la poesía así titulada).—*Soledades Juntas;* Madrid, 1931; Editorial Plutarco; 4,50 pesetas.—*Antología de la Poesía Romántica española;* "Colección Universal", Espasa-Calpe; Madrid, 1932.—*Garcilaso de la Vega;* "Vidas extraordinarias", Espasa-Calpe; Madrid, 1933; 6 pesetas.—*La lenta libertad,* poesías (Premio nacional de literatura, 1933); inédito.—*Vidas completas;*

misterio en tres actos (inédito). *Entre dos públicos,* drama en tres actos (inédito).—*Castigadme, si queréis,* drama en tres actos (inédito).—*Un nuevo romanticismo en la poesía española contemporánea;* conferencias pronunciadas en las Universidades de Oxford y de Londres.

Ha colaborado en las revistas *Ley, Carmen, Revista de Occidente, Verso y Prosa, Mediodía,* etc. Además ha fundado cuatro revistas: *Ambos,* en 1922, con José María Hinojosa; cuatro números, agotados.—*Litoral* (1927-1929), con Emilio Prados; nueve números, algunos agotados.—*Poesía,* en 1930; seis números, agotados.—*Héroe,* con Concha Méndez; en curso de publicación.

## JOSEFINA DE LA TORRE

*Versos y estampas* (verso y prosa); prólogo de Pedro Salinas; 8.º suplemento de "Litoral"; Málaga, 1927; 4 pesetas.—*Poemas de la isla;* Imprenta Altés, Barcelona. Las Palmas de Gran Canaria, 1930; 6 pesetas.

(Pídanse a León Sánchez Cuesta, librero; Mayor, 4, Madrid.)

# POESIA ESPAÑOLA

## ANTOLOGIA

(1932)

# POESIA ESPAÑOLA

## ANTOLOGIA 1915 - 1931

---

UNAMUNO.
M. MACHADO.
A. MACHADO.
JUAN RAMÓN JIMÉNEZ.
MORENO VILLA.
SALINAS.
GUILLÉN.
DÁMASO ALONSO.
DIEGO.
GARCÍA LORCA.
ALBERTI.
VILLALÓN.
PRADOS.
CERNUDA.
ALTOLAGUIRRE.
ALEIXANDRE.
LARREA.

SELECCION DE SUS OBRAS PUBLICADAS E INEDITAS
POR

GERARDO DIEGO

EDITORIAL SIGNO
AVENIDA DE MENENDEZ PELAYO, 4
MADRID
1932

# PROLOGO

*No pretende ser este libro una antología total de la poesía española, sino precisamente una antología parcial. Parcial en todos los sentidos de la palabra. Esto es, de una parte de nuestra poesía de hoy, limitada en el tiempo* —1915-1931— *y limitada también en el idioma —lengua española o castellana— y en el espacio geográfico —poetas nacidos en España—. Aun con esas restricciones, una antología imparcial, objetiva, hecha con criterio histórico, valorador, no tenía por qué omitir poetas contemporáneos que el lector acaso echará de menos, y algunos de los cuales han producido una obra de méritos, a juicio del colector, no inferiores a la de otros de los aquí incluidos. Pero ya he dicho que esta antología no quiere ser ni imparcial ni total. ¿Ha sido, entonces, el capricho, la simpatía personal, la amistad o el prejuicio de escuela lo que me ha conducido a esta cosecha tan incompleta? No niego que haya algo de parcialidad, en el sentido que el vulgo da a esta palabra —parcial: simpático, afectuoso—, en mi criterio selectivo; pero, sin duda, ha predominado otra consideración de orden más sereno y desinteresado.*

*Cada día que pasa vamos viendo con mayor claridad que la poesía es cosa distinta, radicalmente diversa de la literatura. En cuanto a mí, hace tiempo que vengo sosteniendo esa fe en toda ocasión oportuna. Pues bien, esa fe es creencia también, más o menos firme e inquebrantable, según los casos, de cuantos poetas figuran en este libro. Y no sólo fe teórica, sino fe práctica, que eleva sus versos a una altura de intención, a una pureza de ideales muy alejados del campo raso, mezclado, turbio de la poesía literaria corriente.*

*Pongamos un ejemplo. ¿Por qué no figura —y es pregunta que se me ha hecho— en este florilegio el malogrado poeta, nuestro inolvidable Ramón de Basterra? Yo estimo en mucho el valor literario y la maestría retórica de sus versos; pero ¿llegó con frecuencia a la desnudez, a la plenitud de la intención poética? Por el contrario, muy nobles preocupaciones, muy espirituales intereses, pero preocupaciones e intereses al fin y al cabo ajenos a la perfecta autonomía de la voluntad poética, lastraron sus bellos versos de una carga, de un equipaje desmesuradamente literario. Algo parecido, aunque por motivos y maneras distintos, podríamos decir de otro dilecto poeta y amigo de aún más reciente desaparición dolorosa: Mauricio Bacarisse.*

*Pero no basta la intención. En una antología se debe exigir el logro. Y el logro no casual o excepcional, sino reiterado y consciente. De aquí otra razón de límite, la calidad, la maestría, que me ha obligado a otra separación difícil y penosa entre los de dentro y los de fuera. Algunos de los que quedan fuera, quizá con análogos méritos, pero una frontera era inevitable, y por mucho que se ampliase el radio, siempre subsistiría el problema insoluble de la matizada y exacta justicia. He procurado, pues, elegir poetas que, a mi juicio —o a nuestro juicio, como explicaré en seguida—, han producido o van produciendo ya una obra lo bastante extensa, firme y de personal estilo que les garantice, salvo error de perspectiva demasiado próxima, una permanencia, una estabilidad en la estimación de los venideros. Otros jóvenes poetas de más reciente aparición me merecen confiada esperanza. Pero aún no hubo transcurrido tiempo para que su personalidad aparezca ya diáfana, sin tutelas ni vacilaciones, ni para que su obra se ordene y se manifieste en libros que permitan una contemplación lenta y atenta, sin la premura incompleta de la revista o la incómoda fugacidad de la audición oral.*

*Mas a pesar de sus limitaciones, esta antología no es en modo alguno un alarde de grupo, una demostración intransigente de escuela. El lector discreto apreciará qué abismos separan los conceptos poéticos respectivos y las consiguientes realizaciones, de, por ejemplo, D. Miguel de Unamuno y Jorge Guillén, de Juan Ramón Jiménez y de Juan Larrea. Y no sólo entre poetas de distinta generación, sino entre los de la misma. Es más, la esci-*

*sión casi irreconciliable, sobre todo en los propósitos, se produce a veces dentro de la obra, sucesiva o simultánea, del mismo poeta: Fernando Villalón, Luis Cernuda, Gerardo Diego, Vicente Aleixandre, Rafael Alberti... Nada más lejos de la superstición y academia de una escuela que el panorama de nuestra antología.*

*Y, no obstante, como ya he dicho, hay un programa mínimo, negativo y una idealidad común que une en cierta manera a todos estos poetas, aparte de los lazos de mutua estimación y recíproca amistad que los relacionan.*

*Por eso este libro es un poco un libro colectivo, no sólo en el contenido, sino en el gusto y la responsabilidad. Salvo una excepción, la de Emilio Prados, que reiteradamente me manifestó y manifestó a sus amigos, a nuestros amigos intercesores en el pleito, su firme voluntad de no participar con ningún género de colaboración activa en este libro, aparece con la conformidad explícita de todos, solicitada por mí, y con la ayuda, el consejo y en muchos casos el fervor participante de mis compañeros. Y gracias a la generosidad de todos, a quienes debo público reconocimiento por el desinterés con que me han enviado los datos requeridos y con que han puesto a mi disposición su obra inédita, para que yo espigara en ella, o me han facilitado la labor enviándomela ya seleccionada por ellos mismos. En general, mi gusto lo he consultado, siempre que me ha sido posible, con los autores respectivos, y aparece así la selección, aunque hecha esencialmente por mí, con el beneplácito y colaboración de todos.*

*Y no sólo la antología de cada uno, sino la lista o repertorio de los poetas incluidos responde al criterio de una mayoría casi unánime. Con toda nobleza diré que si este libro hubiese sido estrictamente personal la antología habría variado y los poetas incluidos serían casi los mismos, pero no exactamente los que ahora figuran en él. En primer término, hubiera prescindido de mí mismo, no ya por una consideración de falsa modestia, sino simplemente por un escrúpulo de elemental urbanidad y cortesía ante el lector. En cambio, tal como este libro está planeado, mi omisión no hubiera estado justificada, o, al menos, ésa ha sido la opinión de mis compañeros. De la misma manera que el director de una revista colabora en ella, sin que nadie lo encuentre incorrecto, me ha parecido más sincero y más objetivo no deser-*

tar, en nombre de un escrúpulo de espectacular humildad, de estas páginas, en las que me acompañan, una vez más, mis camaradas de asidua colaboración poética en las revistas de la última década.

Réstame añadir algunas advertencias sobre la ordenación del libro. No he seguido en los autores el orden estrictamente cronológico, sino más bien un orden lógico que difiere un poco. No precisamente la aparición del primer libro, sino más bien la fecha de su formación poética, atestiguada unas veces en la publicación de libros y poesías sueltas, y otras en el carácter mismo y sentido de la obra inicial. Precede a cada poeta una breve indicación de su vida y de su obra, publicada e inédita. Y una declaración de principios poéticos que de todos he solicitado y que el lector y yo debemos agradecerles. Lo he creído mucho más interesante que hablar yo por cuenta propia.

Una bibliografía sólo de libros no debe bastar al que pretenda conocer íntegramente la obra de estos diez y siete poetas. He aludido a las revistas de la última década. Tales revistas, la mayor parte generosas, juveniles y efímeras, han albergado en sus páginas una buena parte de los versos reunidos después en los libros, y a veces en versiones provisionales, con variantes cuyo cotejo con las definitivas es una de las genuinas delicias del buen catador y curioso de poesía. Pero además conservan otras poesías que no merecieron a sus autores el honor de la inclusión en libro, y que son, por lo mismo, del mayor interés para una investigación completa.

Anoto las revistas españolas más importantes comprendidas entre las fechas de esta antología, prescindiendo de otras, interesantes para el estudio de la época, pero en las que no, o apenas, colaboraron nuestros poetas; son todas madrileñas, salvo indicación:

"Indice", "Litoral" (Málaga), "Verso y Prosa" (Murcia), "Carmen" (Gijón-Santander). Estas cuatro, las más representativas. Tres muy amplias, con reducidas dosis de poesía: "España", "La Pluma" y "Revista de Occidente". Las tres principales del movimiento ultraísta: "Grecia" (Sevilla-Madrid), "Cervantes" "Ultra". Además de "Indice", Juan Ramón Jiménez publicó "Ley", "Sí", "Diario poético". Y finalmente "Hori-

*zonte", "Alfar" (Coruña-Montevideo), la hoja literaria de "La Verdad" (Murcia), "Mediodía" (Sevilla), "Papel de aleluyas" (Huelva-Sevilla), "Parábola" (Burgos), "Gallo" (Granada), "Manantial" (Segovia), "Meseta" (Valladolid), "Nueva Revista", "La Gaceta Literaria", "DDooss" (Valladolid), "Poesía" (Málaga-París) y "Sudeste" (Murcia). Las cuatro últimas en curso de publicación.*

*Volviendo al libro, diré que numero, como puede verse, las poesías de cada autor y al final indico los libros de que están tomadas. Bajo la denominación de* Inédito *figuran todas las no recogidas todavía en libro publicado. Muchas de ellas, las más, son absolutamente inéditas y entregadas expresamente para este libro. Otras han visto la luz en publicaciones como las que acabo de indicar, y para la mayoría de nuestros lectores equivalen a las rigurosamente inéditas. Por razones de economía me ha parecido innecesario en cada caso puntualizar la procedencia. En los poetas con obra anterior a 1915 figuran algunas muestras de ellas, las precisas para dar una idea completa de su personalidad.*

En la *Antología* de 1934 se reproducen intactas las selecciones poéticas de Unamuno, Manuel Machado y Antonio Machado, así como sus prosas preliminares. La única diferencia es la del nuevo método que deja para el final del libro la *Bibliografía* de todos los poetas, mientras que en la primera edición figuraba al final de las prosas preliminares, inmediatamente antes de los versos de cada poeta. Naturalmente, faltan en algunos casos los libros aparecidos entre las dos *Antologías,* pero esto no es menester que lo anotemos porque sería superfluo.

# JUAN RAMON JIMENEZ

## VIDA

### (ESQUEMA AUTOBIOGRAFICO)

"*1881, 24 de diciembre.—J. R. J. Nace en Moguer (Huelva).*

*1881-96.—Infancia: Moguer, Huelva.—Adolescencia: Colejio de Jesuitas del Puerto de Santa María (Cádiz); Universidad de Sevilla, Pintura y poesía. (Romancero jeneral, Góngora, Bécquer, románticos franceses y alemanes traducidos al francés.)*

*1896-98.—Primeras publicaciones en diarios y revistas de Huelva, Sevilla y Madrid. (Ibsen.)*

*1898-1901.—El "Modernismo" (Mercure de France). Primer viaje a Madrid. (Rubén Darío.)*

*1901-02.—Año en el sudoeste de Francia: Burdeos, Pau, Archachón, Nérac, etc. Breves viajes a Suiza e Italia. Epoca de gran creación. (Simbolistas franceses, Amiel, D'Annunzio, Carducci. Música.)*

*1902-05.—Madrid: Sanatorio del Retraído; domingos poéticos: Ramón del Valle-Inclán, Manuel y Antonio Machado, Francisco Villaespesa, Gregorio Martínez Sierra, etc.; revista* HELIOS. *Dos años con el doctor Luis Simarro; frecuentación de la*

*Institución Libre de Enseñanza: Francisco Giner. (Lecturas científicas, filosóficas; griegos y latinos en las traducciones interlineales.) Lenguas: alemán, inglés; intento de una fundamental preparación griega y latina, fracasado por falta de directores estéticos. (Shakespeare, Shelley, Browning; Heine, Goethe, Hölderlin. Música. Guadarrama.)*

*1905-12.—Moguer: Campo, soledad absoluta, lecturas jenerales. (Antiguos y modernos españoles. Más poesía francesa.) Epoca de gran creación.*

*1912-16.—Madrid: Años en la Residencia de Estudiantes. Segundo intento de preparación griega y latina.*

*1916-27.—Viaje a América del Norte. Casamiento con Z. C. A. en Nueva York. Boston, Filadelfia, Baltimore, Washington. (Poesía norteamericana.) Regreso a España. Colaboración con Z. C. A. en la traducción de Rabindranath Tagore. Epoca de gran creación y lectura. (Irlandeses.) Comienza la ordenación, depuración y corrección de la Obra en lucha con los ruidos del Madrid de calle, casi desconocido hasta entonces. Mudanzas sucesivas. Viajes en coche por toda España; más ilusión de España cada vez. Alerta a lo nuevo. Influencia en la formación de la nueva juventud poética e intento de publicaciones de ánimo a esta juventud:* INDICE, BIBLIOTECA DE ÍNDICE, SÍ, LEY, *prolongada luego por otros en una serie de derivaciones. Hastío del nombre. Proposición a la juventud de una revista sin firmas:* ANONIMATO, *no aceptada. Intento de publicación de toda la obra en páginas sueltas:* UNIDAD.

*1927-30.—Cansancio de la mayoría de la juventud por convencimiento de su aparatismo, modería, truqueo, desintegración jenerales. Esperanza en otra juventud o, mejor, en otro poeta. Más viajes por España. Tanteo de residencia en Sevilla, capital poética, en relación con la proyectada Universidad de estudios hispanoarábigos. Creación constante y desgana de publicar por carencia española de tantas cosas. Ansia de empezar de nuevo con la separación de nombre y obra.*

*1931.—Preparación terminante de la millonaria labor de treinta años: Materiales provisionales poéticos en prosa y verso inéditos, transformados, correjidos. Necesidad y duda de veinte años más de complemento.*

## SINTESIS IDEAL

*1.—Influencia de la mejor poesía "eterna" española, predominando el Romancero, Góngora y Bécquer. Soledad.*

*2.—El "Modernismo", con la influencia principal de Rubén Darío. Soledad.*

*3.—Reacción brusca a una poesía profundamente española, nueva, natural y sobrenatural, con las conquistas formales del "Modernismo". Soledad.*

*4.—Influencias jenerales de toda la poesía moderna. Baja de Francia. Soledad.*

*5.—Anhelo creciente de totalidad. Evolución consciente, seguida, responsable, de la personalidad íntima, fuera de escuelas y tendencias. Odio profundo a los ismos y a los trucos. Soledad.*

*6 y siempre.—Angustia dominadora de eternidad. Soledad."*

# POETICA

## POESIA

*Creo en la realidad de la Poesía. Y la entiendo como la eterna y fatal Belleza Contraria que tienta con su seguro secreto a tal hombre de espíritu ardiente.*

## POETA

*Creador oculto de un astro no aplaudido.*

## RELACION

*Yo tengo escondida en mi casa, por su gusto y el mío, a la Poesía. Y nuestra relación es la de los apasionados.*

J. R. J.

## BIBLIOGRAFIA DE LA OBRA PUBLICADA POR JUAN RAMON JIMENEZ

(1900-1925)

ALMAS DE VIOLETA.—Madrid, 1900.
NINFEAS.—Madrid, 1900.
RIMAS.—Madrid, 1902.
ARIAS TRISTES.—Madrid, 1903.
JARDINES LEJANOS.—Madrid, 1904.
ELEJÍAS PURAS.—Madrid, 1908.
ELEJÍAS INTERMEDIAS.—Madrid, 1908.
LAS HOJAS VERDES.—Madrid, 1909.
ELEJÍAS LAMENTABLES.—Madrid, 1910.
BALADAS DE PRIMAVERA.—Madrid, 1910.
LA SOLEDAD SONORA.—Madrid, 1911.
POEMAS MÁJICOS Y DOLIENTES.—Madrid, 1911.
PASTORALES.—Madrid, 1911.
MELANCOLÍA.—Madrid, 1912.
LABERINTO.—Madrid, 1913.
PLATERO Y YO.—Madrid, 1914 (edición menor).
ESTÍO.—Madrid, 1915.
PLATERO Y YO.—Madrid, 1917 (edición completa).
SONETOS ESPIRITUALES.—Madrid, 1917.
DIARIO DE UN POETA RECIÉN CASADO.—Madrid, 1917.
POESÍAS ESCOJIDAS.—Nueva York, 1917.
ETERNIDADES.—Madrid, 1918.
PIEDRA Y CIELO.—Madrid, 1919.
SEGUNDA ANTOLOJÍA POÉTICA.—Madrid, 1922.
POESÍAS ESCOJIDAS.—México, 1923.
POESÍA (en verso).—Madrid, 1923.
BELLEZA.—Madrid, 1923.
UNIDAD.—Madrid, 1925. 8 cuadernos.

(Estos libros son considerados hoy por J. R. J. como borradores silvestres. Acepta sólo enteramente los cuadernos de UNIDAD y lo publicado en revistas y diarios desde 1923.)

## TRADUCCIONES

VIDA DE BEETHOVEN, por Romain Rolland.—Madrid, 1915.

JINETES HACIA EL MAR, por John M. Synge.—Madrid, 1920. (En colaboración con Z. C. A.)

EL CARTERO DEL REY, por Rabindranath Tagore.—Madrid, 1922. (En colaboración con Z. C. A.)

(Libros y revistas de J. R. J., en León Sánchez Cuesta, librero, Mayor, 4, Madrid, y en Editorial *Signo*, Menéndez Pelayo, 4, Madrid.)

## JARDIN GALANTE

HAY un oro dulce y fresco,
en el malva de la tarde,
que da realeza a la bella
suntuosidad de los parques.

Y bajo el malva y el oro,
se han recojido los árboles
verdes, rosados y verdes
de brotes primaverales.

...Está preso el corazón
en este sueño inefable,
que le echa su red; ve sólo
luces altas, alas de ánjeles.

Sólo le queda esperar
a los luceros; la carne
se le hace incienso y penumbra
por las sendas de rosales...

Y, de repente, una voz
melancólica y distante,
ha temblado sobre el agua,
en el silencio del aire.

Es una voz de mujer
(y de piano), un suave
bienestar para las rosas
soñolientas de la tarde:

voz que me hace, otra vez,
llorar por nadie y por alguien,
bajo esta triste y dorada
suntuosidad de los parques.

## PASTORAL

...Anda el agua de alborada...

*(Romance popular.)*

DORABA la luna el río
(¡fresco de la madrugada!).
Por el mar venían olas
teñidas de luz de alba.

El campo, débil y triste,
se iba alumbrando. Quedaba
el canto roto de un grillo,
la queja oscura de un agua.

Huía el viento a su gruta,
el horror a su cabaña;
en el verde de los pinos
se iban abriendo las alas.

Las estrellas se morían,
se rosaba la montaña;
allá, en el pozo del huerto,
la golondrina cantaba.

## PASTORAL

NO es así, no es de este mundo
vuestro son... (Y las llorosas
nieblas que suben del valle
quitan el campo y me borran.)

La luna verde de enero
es buena para vosotras,
campanas. (La noche está
fría, despierta y medrosa.)
Y si sonáis, son los vivos
los que están muertos, y ahora
son los muertos los que viven;
puertas que se cierran, losas
que se abren... ¡Oh, la luna
de enero sobre vosotras!
¡Campanas bajo la luna
de enero!

(Silencio... Lloran...
Lo que llora en el ocaso,
llora en el oriente, llora
en una ciudad dormida,
de farolas melancólicas;
llora más allá, en el mar;
llora más allá, en la aurora,
que platea tristemente
el horizonte de sombra.)

Campanarios de la helada,
¿de qué pueblo sois? Qué hora
es en vosotros? Yo no me
acuerdo ya de las cosas...
¡Son transfigurado, son
que yerras, campanas locas,
que erráis entre las estrellas
cuajadas! ¡No!

(Y las llorosas
nieblas que suben del valle
quitan el campo y me ahogan
en una ciudad dormida.
de farolas melancólicas.)

## EL POETA A CABALLO

¡QUE tranquilidad violeta,
por el sendero, a la tarde!
A caballo va el poeta...
¡Qué tranquilidad violeta!

La dulce brisa del río,
olorosa a junco y agua,
le refresca el señorío...
La brisa leve del río...

A caballo va el poeta...
¡Qué tranquilidad violeta!

Y el corazón se le pierde,
doliente y embalsamado,
en la madreselva verde...
Y el corazón se le pierde...

A caballo va el poeta...
¡Qué tranquilidad violeta!

Se está a la orilla dorando...
El último pensamiento
del sol, la deja soñando...
Se está la orilla dorando...

¡Qué tranquilidad violeta,
por el sendero, a la tarde!
A caballo va el poeta...
¡Qué tranquilidad violeta!

## UN RUISEÑOR

RUISEÑOR de la noche, ¿qué lucero hecho trino,
qué rosa hecha armonía, en tu garganta canta?
Pájaro del placer, ¿en qué prado divino
bebes el agua pura que moja tu garganta?

Para que tu voz sea la gloria, único dueño
de la noche de mayo, ¿qué desnudez de sones
ves ante ti y levantas con tu pecho pequeño,
inmensa como un cielo o un mar de encarnaciones?

¿Es el raso lunar lo que forra la urna
de tus joyas azules, palpitantes y bellas?
¿Llama en tu pecho un dios? ¿O a qué antigua y nocturna
eternidad robó tu pico las estrellas?

## DOMINGO DE PRIMAVERA

UN pájaro, en la lírica calma del mediodía,
canta bajo los mármoles del palacio sonoro;
sueña el sol vivos fuegos en la cristalería,
en la fuente abre el agua su cantinela de oro.

Es una fiesta clara con eco cristalino:
es el mármol, el pájaro; las rosas, en la fuente;
garganta fresca y dura; azul, dulce, arjentino
temblar, sobre la flor satinada y reciente!

En un sueño real, voy, colmado de gracia,
soñando, sonriendo, por las radiantes losas,
henchida el alma de la pura aristocracia
de la fuente, del pájaro, de la luz, de las rosas...

## ATMOSFERA

CERRABAN las puertas
contra la tormenta.

En el cielo rápido
de entre dos portazos,
chorreando dardos
del yunque de ocaso,
abría el relámpago
sus sinfines trájicos.

Cerraban las puertas
contra la tormenta.

Todos se escondían,
caras de cerilla
(verdes de las iras
que por las rendijas
colaba la fija
nube apocalíptica).

Cerraban las puertas
contra la tormenta.

Pero tú, desnuda,
tu carne de luna
en la nube oscura,
ibas por las lúminas
(¡oh qué arquitecturas!)
azoteas últimas.

Cerraban las puertas
contra la tormenta.

## PRIMAVERA AMARILLA

ABRIL venía, lleno
todo de flores amarillas:
amarillo el arroyo,
amarillo el vallado, la colina,
el cementerio de los niños,
el huerto aquel donde el amor vivía.

El sol unjía de amarillo el mundo
con sus luces caídas;
¡ay, por los lirios áureos,
el agua de oro, tibia;
las amarillas mariposas
sobre las rosas amarillas!

Guirnaldas amarillas escalaban
los árboles; el día
era una gracia perfumada de oro,
en un dorado despertar de vida.

Entre los huesos de los muertos,
abría Dios sus manos amarillas.

## EL TREN

(GUIPÚZCOA)

EL techo del vagón tiene un albor (¿de dónde?),
y los turbios cristales, desvanecidos, lloran...
Fuera, entre claridades que van y vienen, hay
una conjuración de montaña y de sombra.

Los pueblos son de niebla bajo la madrugada;
es como un sueño vago de praderas humosas;
y las rocas (¿enormes?) están sobre nosotros,
inminentes, perdidas las cimas en la hora.

No para el tren... Tras unos cristales alumbrados,
a través de la lluvia cansada y melancólica,
una mujer confusa, bella, medio desnuda,
nos dice adiós...
—¡Adiós!
El agua habla, monótona.

## MARINA DE ENSUEÑO

### INTERNO

AL doblar la ruina de los carabineros,
el mar salido, bruto, redondo como plomo,
olas de luz y sombra entre dos aguaceros,
mantenía más alto que nosotros su lomo.

¿Existió un día, Cádiz? El cielo, fuga fría,
medroso del instante, sin nadie, parecía
que lo hubiese cojido el mar acumulado,
que, loco con su presa, rodaba trastornado.

¡Yo no quería irme! Me tiraban de allí,
triste, con mi uniforme, sobre algas, latas, redes.
...La fábrica del gas se quedaba entre mí
y el mar, ya sólo estrépito de un hueco entre paredes.

## EL NOSTALGICO

¿MAR desde el huerto,
huerto desde el mar?

¿Ir con el que pasa cantando,
oírlo, desde lejos, cantar?

## ROMANCE INDELEBLE

...SOLO la luz de la tarde,
que hace el prado rosa y oro;
sólo el ocaso infinito,
que me deslumbra los ojos,
la soledad junto al mar,
el amor entre los chopos.

Iré a la fuente ruinosa,
teñida de un sol histórico,
por la vereda de céspedes
que embriagan los aromos;
allí soñaré un vivir
libre, claro y melodioso.

¡Oh bienestar! ¡Oh ventura!
El verderón melancólico
endulzará la elejía
del blando pinar umbroso;
serán más hondos los céfiros,
el soñar se hará más hondo...

¡Beso triste! ¡Pena alegre!
¡Nada del mundo de todos!
¡Una divina esperanza
en un recuerdo alegórico!
¡Sólo la ola y el sol,
el viento y la rosa, sólo!

No volveré más... Será
un viaje misterioso,
llevado, indolentemente,
de un encantamiento en otro,
por las sendas más ocultas
que ya no tienen retorno.

## NADA

A tu abandono opongo la elevada
torre de mi divino pensamiento.
Subido a ella, el corazón sangriento
verá la mar, por él empurpurada.

Fabricaré en mi sombra la alborada,
mi lira guardaré del vano viento,
buscaré en mis entrañas mi sustento...
Mas ¡ay!, ¿y si esta paz no fuera nada?

¡Nada, sí; nada, nada!... (O que cayera
mi corazón al agua, y de este modo
fuese el mundo un castillo hueco y frío...)

Que tú eres tú, la humana primavera,
la tierra, el aire, el agua, el fuego, ¡todo!,
...¡y yo soy sólo el pensamiento mío!

## A UNA JOVEN DIANA

EL bosque, si tu planta lo emblanquece,
sólo es ya fondo de tu paz humana,
vasto motivo de tu fuga sana,
cuyo frescor tu huir franco ennoblece.

La luz del sol del día inmenso crece,
dando contra tus hombros. La mañana
es tu estela. Por ti la fuente mana
más, y el viento por ti más se embellece.

Evoco, al verte entre el verdor primero,
una altiva y pagana cacería...
A un tiempo eres cierva y cazadora.

¡Huyes, pero es de ti; persigues, pero
te persigues a ti, Diana bravía,
sin más pasión ni rumbo que la aurora!

## PRESENCIA

¡SIN una nube el cielo!
¡Sin una gasa el cuerpo!
¡Viva la gloria esterna;
la verdad y la tierra!

¡Corriendo libre el agua!
¡Sin una norma el alma!
¡Viva la luz del día;
la evidencia y la vida!

¡Ni ilusión ni cansancio!
¡Cómo cantan los pájaros!
¡Viva lo conocido;
la mano y el estío!

## AMANECER DE AGOSTO

¡SOLES de auroras nuevas contra los viejos muros
de ciudades que aún son y que ya no veremos!

¡Enfermedad que sale, después de cobrar fuerzas,
otra vez al camino, para no ir a su término!

¡Mañana de tormenta, con un vasto arco iris,
sobre el despierto fin del silencioso pueblo!

*(Se sabe que los vivos amados que están lejos,
están lejos; que están muertos los que están muertos.)*

¡Trenes que pasan por el sol rojoladrillo,
deslumbrados de sangre los tedios polvorientos!

*(que ya está para siempre, para siempre hecho aquello,
que no hay más que llorar, que ya no tiene arreglo);*

¡Marismas que reflejan hasta un fin imposible
el carmín del naciente en cauces medio secos!

¡Estancias que una víspera dejó abiertas, ahogadas
de rosa, tibiamente, por el oro primero!

*(la pureza despierta en bajo desarreglo,
con mal sabor la boca que ayer besaba el céfiro...)*

¡Amores que ya son y que el alba extravía!
¡Besos apasionados que, al alba, no son besos!

¡Campos en que una, antes, amó a otro; pinos tristes,
triste veredas, llanos tristes, tristes cabezos!

...¡Eterno amanecer de frío y de disgusto,
fastidiosa salida de la cueva del sueño!

## LA POESIA

VINO, primero, pura,
vestida de inocencia;
y la amé como un niño.

Luego se fue vistiendo
de no sé qué ropajes;
y la fui odiando, sin saberlo.

Llegó a ser una reina,
fastuosa de tesoros...
¡Qué iracundia de yel y sin sentido!

...Mas se fue desnudando.
Y yo le sonreía.

Se quedó con la túnica
de su inocencia antigua.
Creí de nuevo en ella.

Y se quitó la túnica,
y apareció desnuda toda...
¡Oh pasión de mi vida, poesía
desnuda, mía para siempre!

## O R O

EN una vez me ha embriagado
todo tu perfume;
todo tu perfume eres
en mi sueño dulce.

A otro le olerás, si lo amas,
a otra entera esencia,
y le serás, en su sueño,
tu esencia completa.

Si me quisieras por siempre,
infiel te sería.
No da dos veces un mismo
perfume la vida.

## SOLEDAD

EN ti estás todo, mar, y, sin embargo,
¡qué sin ti estás, qué solo,
qué lejos, siempre, de ti mismo!

Abierto en mil heridas, cada instante,
cual mi frente,
tus olas van, como mis pensamientos,
y vienen, van y vienen,
besándose, apartándose,
en un eterno conocerse,
mar, y desconocerse.

Eres tú, y no lo sabes;
tu corazón te late, y no lo sientes...
¡Qué plenitud de soledad, mar solo!

## MAR, NADA

LOS nubarrones tristes
le dan sombras al mar.
El agua,
manchada férreamente,
parece un duro campo llano
de minas agotadas
(en no sé qué arruinamiento
de fluentes escorias,
de las líquidas ruinas).

¡Qué subir y caer, que barajeo,
qué quita y pon
de oscuros planos desolados!

¿Un mar sin virtud de mar, un agua inútil
sin mar, un mar perdido,
un mar de olvido y de pasado,
un negro mar de nada,
de acumulada, trastornada nada?

¡Nada!
(La palabra, aquí, encuentra
hoy, para mí, su sitio,
en catástrofe yerta,
como un cadáver de palabra
que se tendiera en su sepulcro
natural.)
¡Nada y mar!

## ROSAS

¡AQUELLA rosa que pasó la mar,
tan leve, con tan suave vida!

(Todos creímos
que llegaría muerta a nuestro fin
aquella rosa que pasó la mar.)

Me acuerdo de ella,
sola, pura, secreta entre palabra y humo,
transida por el sol puro de ocaso (¡qué nostalgia
de salón alfombrado, verdeoscuro!),
aquellas afiladas tardes últimas,
que todas parecieron
la de la llegada;
aquellas tardes bellas en que todos lloraban o reían,
reían o lloraban,
en una exaltación de sentimiento;
cuando el barco era ya
(y ella sola, secreta, pura)
puerto seguro (lento o raudo).

Y en los escalofríos
de dicha alegre o triste,
de nosotros vestidos (Terranova, enero),
desnuda, fresca, erguida,
¡aquella rosa que pasó la mar!

## ROSA DEL MAR

LA luna blanca quita el mar
al mar, y la da el mar. Con su belleza,
en un tranquilo y puro vencimiento,
hace que la verdad ya no lo sea,
y que sea verdad eterna y sola
lo que no lo era.
Sí.
¡Sencillez divina,
que derrotas lo cierto y pones alma
nueva a lo verdadero!

¡Rosa no presentida, que quitara
a la rosa la rosa, que le diera
a la rosa la rosa!

## PARTIDA

### (PUREZA DEL MAR)

HASTA estas puras noches tuyas, mar, no tuvo
el alma mía (sola más que nunca)
aquel afán, un día presentido,
del partir sin razón.

Esta portada
de camino que enciende en ti la luna,
con toda la belleza de sus siglos
de castidad, blancura, paz y gracia,
la contajia del ansia de su ausente
movimiento.

(Hervidero
de almas, de azucenas, que una música
celeste fuera haciendo de cristales líquidos
en varas de hialinas cimas de olas,
con una fiel correspondencia de colores
a un aromar agudo de delicias
que estasiaran la vida hasta la muerte.)

...¡Majia, deleite, más, entre la sombra
donde arden los brillantes ojos sostenidos,
que la visión de aquel cantado amor,
leve, sencillo y verdadero,
que no creímos conseguir; tan cierto
que parecía el sueño más distante!

¡Sí, sí; así era, así empezaba
aquello; de este modo lo veía
mi corazón de niño, cuando, abiertos
como rosas, mis ojos,
se alzaban negros desde aquellas torres
cándidas por el iris, de mi sueño,
a la alta claridad de un paraíso!

¡Así era aquel pétalo de cielo,
en el que el alma se encontraba,
igual que en otra ella, única y libre!
¡Esto era, esto es, de aquí se iba,
por lisas galerías de infalibles
arquitecturas de aguas, tierra, fuego y aire,
como esta noche eterna, no sé a dónde,
a la segura luz de unas estrellas!
¡Así empezaba aquel comienzo sin fin, gana
matinal de mi alma
de salir, por su puerta, hacia su ignoto centro!...

¡Oh blancura primera, sólo y siempre
primera!
¡Marmórea realidad de la inconciente lumbre blanca!
¡Locura de blancura irrepetible!
...¡Blancura de esta noche, mar, de luna!

## EPITAFIO IDEAL DE UN MARINERO

HAY que buscar, para saber
tu tumba, por el firmamento.

(Llueve tu muerte de una estrella.
La losa no te pesa, que es un universo
de ensueño.)

En la ignorancia, estás
en todo (cielo, mar y tierra) muerto.

## DESVELO

SE va la noche, negro toro
(plena de carne de luto, de espanto y de misterio),
que ha bramado terrible, inmensamente,
al temor sudoroso de todos los caídos;

y el día viene, niño fresco,
pidiendo confianza, amor y risa
(niño, que allá, muy lejos,
en los arcanos donde
se encuentran los comienzos con los fines,
ha jugado un momento,
por no sé qué pradera
de luz y sombra,
con el toro que huía).

## LA ROSA

¡QUE de veces, un sueño
nos hace tomar armas en el día,
acusar, defender (¡ay, mujer nuestra!)
a un vilano en la luna!

(¡Ay, mujer, más que cuerpo,
casi alma, en el punto
en que aquél va hacia ésta,
y el alma es casi aquél;
germen de confusiones
de verdad y mentira!)

¡Mujer, y no sabemos
qué dominio es el tuyo;
dónde tomar tu parte, ambigua rosa!

## HIJO DE LA ALEGRIA

CADA hora mía me parece
el agujero que una estrella,
atraída en mi nada, con mi afán,
quema en mi alma.

Y, ¡ay cendal de mi vida.
agujereado como un paño pobre,
con una estrella viva viéndose
por cada májico agujero oscuro!

## MAR IDEAL

LOS dos vamos nadando
(agua de flores o de hierro)
por nuestras dobles vidas.

(Yo, por la mía y por la tuya;
tú, por la tuya y por la mía.)

De pronto, tú te ahogas en tu ola,
yo en la mía; y, sumisas,
tu ola, sensitiva, me levanta,
te levanta la mía, pensativa.

## LA OBRA

AL lado de mi cuerpo muerto.
mi obra viva.
¡El día
de mi vida completa
en la nada y el todo
(la flor cerrada con la abierta flor),
el día del contento de quedarse
(de quedarse por alejarse); el día
del dormirse gustoso, sabiéndolo, por siempre,
inefable dormirse maternal
de la cáscara vana y del capullo seco,
al lado del eterno fruto
y la infinita mariposa!

## LA OBRA

¡CREARME, recrearme, vaciarme, hasta
que el que se vaya muerto, de mí, un día,
a la tierra, no sea yo; burlar honradamente,
plenamente, con voluntad abierta,
el crimen, y dejarle este pelele negro
de mi cuerpo, por mí!
¡Y yo esconderme,
sonriendo inmortal, en las orillas puras
del río eterno, árbol
(en un poniente inmarcesible)
de la divina y májica imajinación!

## CEÑO

EL instante, preñado
de mudos truenos imposibles,
se ha roto, al fin, y...

¡Vedlo, vedlo; venid a verlo todos;
aquí, mirad aquí, en la yerba fresca
eran risillas (agua y sol) de niño!

## EPITAFIO IDEAL

(¿QUIEN?)

¡ABRIL!, ¿solo, desnudo,
caballo blanco mío de mi dicha?

(Llegó rompiendo, llenos de rocío,
los rosales; metiéndose, despedregando
los pesados torrentes; levantando,
ciclón de luz, los pájaros alegres.)

Tu jadeo, tu espuma, tu sudor,
me parece que vienen de otra vida...
¡Ven aquí, ven aquí, caballo mío:
abril, abril que vuelves,
caballo blanco
de mi amor perdido!

(Mis ojos le acarician, apretándole,
la frente blanca como luna,
con su diamante negro de carbón.)

Abril, abril, ¿y tu jinete bello?,
¡mi pobre amor, mi pobre amor, abril!

## ETERNIDAD

SE entró en mi frente el pensamiento negro,
como un ave nictápole,
en un cuarto, de día.

(¡No sé qué hacer para que se vaya!)

Está aquí, quieto y mudo,
sin ver las aguas ni las rosas.

## ALAMO BLANCO

ARRIBA canta el pájaro,
y abajo canta el agua.
(Arriba y abajo
se me abre el alma.)

¡Entre dos melodías,
la columna de plata!
Hojas, pájaro, estrella;
ramilla, raíces, agua.

¡Entre dos conmociones,
la columna de plata!
(Y tú, tronco ideal,
entre mi alma y mi alma!)

Mece a la estrella el trino,
la onda a la baja rama.
(Arriba y abajo
me tiembla el alma.)

## LA MUJER DESNUDA

HUMANA fuente bella,
surtidor de delicia entre las cosas,
tierna, suave aguda redonda,
mujer desnuda; ¡un día
dejaré yo de verte;
te tendrás que quedar
sin estos asombrados ojos míos,
que completaban tu hermosura plena,
con la insaciable plenitud de su mirada?

(¡Estíos; verdes frondas,
aguas entre las flores,
lunas alegres sobre el cuerpo,
calor y amor, mujer desnuda!)

¡Límite exacto de la vida,
perfecto continente,
armonía formada, único fin,
definición real de la belleza,
mujer desnuda; ¡un día
se romperá mi línea de hombre,
me tendré que espandir
en la naturaleza abstracta;
no seré nada para ti,
árbol universal de hoja perenne,
eternidad concreta!

## MADRIGAL

—SI, dice el día. —No,
dice la noche.—

¿Quién deshoja esta inmensa margarita,
de oro, blanca y negra?

¿Y cuándo, di, Señor de lo increado,
creerás que te queremos?

## LA MUERTE

QUIERO dormir, esta noche
que tú estás muerto; dormir,
dormir, dormir, paralela-
mente a tu sueño completo;
¡a ver si te alcanzo así!
Dormir, alba de la tarde;
fuente del río, dormir;
dos días que luzcan juntos
en la nada, dos corrientes
que vayan, juntas, al fin;
dos todos, si es algo esto,
dos nadas, si todo es nada...

¡Quiero dormir tu morir!

## EL LLEGADO

NO me mirarán diciendo:
"¿Qué eres?";
sino sin curiosidad
y dulcemente.

Porque yo seré también de
los quietos;
y ya no tendré difíciles
los pensamientos.

Mis ojos serán, serenos,
los suyos;
los miraré sin preguntas,
uno en lo uno.

## PACTO

EL Guadarrama sale de la noche,
de azul mejor, de más gran rosa,
bañado de desnudos infinitos,
con luz y norma
de incalculable eternidad.

No es nuestro todavía ni otra vez;
aún, por sus aires hondos, está fuera
de nuestra relación;
aún no ha llegado, en la usual escala,
a plantarse en el suelo;
aún es de materiales de otro grado.

Cuando se una y se afiance
a la insubible superficie
de nuestra acostumbrada realidad
y sus caminos y sus aguas
encuentren su fusión rota en lo oscuro,
este húmedo teatro
de fachadas atónitas de aurora,
tapas de carne horizontal,
será Madrid de España; y este harapo
rojo, lacio, amarillo,
fin de una caja, cubos ahora huecos,
para hombres y mujeres,
será bandera y española... Al fin nosotros
coincidiremos con nosotros.

Y empezará otro día
vagamente obligado a su función,
en este inadecuado trasunto del vivir,

con la condescendencia maternal,
ajena, sonriente,
de la naturaleza insigne y grande.

## ROSA DE SOMBRA

QUIEN fuera no me vio, me vio su sombra
que vino justa, cálida a asomarse
por mi vida entreabierta,
esencia gris sin más olor;
ola en donde dos ojos hechos uno se inmensaban.

(Sombras que ven del todo, y no reciben
mirada. Nos alarman, mas son invulnerable-
mente tranquilas como aceite.

Con su espiralidad de escorzo exacto inventan
todo acto imposible de espionaje,
de introducción, de envolvimiento.

Sobrecojen sin miedo,
muerden sin labio,
se van sin compromiso.

A veces nos dejaron una rosa,
esencia gris sin más olor,
prenda sensual de fe sin nombre.)

Una rosa de sombras y de sombra,
alargada a mi mano esbeltamente,
con música sin son, con corrida sonrisa,
por cuerpo que no vio,
guardo en mi mano abierta.

## EMBELESOS

CONTRA el ébano flúido,
el arbusto de nácar.

Rey Juan, a medianoche,
toca las flores rosas
con sus dos llamas blancas.

En un fondo más alto
que el mirador de ópalo,
la parada mar plana.

* * *

TRAS la hoja verde,
calla el mirlo negro,
caída de polvo,
sitiado de viento.

Lo no es lo sí,
y el hombre es el menos.

El día está vano
de cielo deshecho.

* * *

EN la luna, el gran banquete,
madrugada, de las nubes
redondas, de ópalo, grises.

Por los sótanos, nosotros,
¿vivos, muertos?, murmurados
de nuestros negros jardines.

## JOSE MORENO VILLA

Las variantes sobre el texto de 1934 son las siguientes. En la VIDA: en 1922 volví a Madrid, y desde entonces soy bibliotecario en la Facultad de Farmacia [......]. Mis actividades son varias, cada año más [......], aparte de mis trabajos obligatorios en la biblioteca y en la Sociedad Central de Arquitectos, donde estoy encargado de la revista profesional "Arquitectura".

Considero igualmente innecesario anotar algunos incisos o párrafos breves nuevos que no figuraban en 1932 y los autores injertaron al revisar el texto para 1934. Quiero decir que en un principio sólo se reproduce aquí lo que del libro de 1932 no pasó al de 1934. Así, por ejemplo, en el texto autobiográfico de Moreno Villa se añade esto, que no podía figurar en 1932: "En el verano de 1933 fui enviado a Buenos Aires por la Junta de Relaciones Culturales del Ministerio de Estado para dar conferencias con motivo de la Exposición del Libro Español." Unica poesía suprimida del primer libro es la que figuraba con el número 4 del libro "Evoluciones".

LA MEDITACION

UN cerco de finas púas
ciñe toda meditación;
cada entrada en el cercado
es estría en el corazón,
o cabello cano en el pelo,
o en la frente duro tachón.
Pero ¿quién rehuye la entrada?
¿Quién se queda sin ver a Dios?

Finalmente, después de cada poeta, se ponía la nota de los libros a que pertenecían las distintas poesías, indicadas por sus números. Como se ha visto, en el otro libro esa nota figura al fin, con la Bibliografía. Claro está que hay también diferencias de numeración cuando hay cambios y en la indicación de *inéditos* o de perteneciente a un libro, si después se publicó éste. Tampoco nos detenemos a señalar estas minucias inútiles.

## PEDRO SALINAS

La única diferencia en la prosa es que al pie de la "Poética" va la fecha: Febrero, 1931. Luego se suprimieron en la nueva edición, para dejar hueco a lo nuevo, los poemas que llevaban los números 3, 6, 7, 12 y 18. Helos aquí. Los tres primeros pertenecen a "Presagios": *La difícil*, a "Seguro Azar", y *Afán*, a "Fábula y Signo".

3

ANDABAS por tierra firme
con ciencia de equilibrista,
como el que va por maroma
sobre el abismo tendida,
pero nadie se rió.
Porque un día, al tropezar
—y andabas por tierra firme—,
te hiciste el alma pedazos.
¡Y verdad te fue la muerte,
volatinero fingido!

6

¿POR qué te entregas tan pronto?
(¡Nostalgia de resistencias
y de porfías robadas!)
Lo que era noche es de día
bruscamente, cual si a Dios,
autor de luz y tiniebla,
se le olvidara el crepúsculo
de las dulces rendiciones.
Cierro brazos, tú los abres.
Huyo. Y me esperas allí,
en ese refugio mismo
donde de ti me escondía.
¡Facilidad, mala novia!
¡Pero me quería tanto...!

7

MURALLAS intactas
derrochan enhiestas
vigilias de piedra
enfrente de campos desiertos.
(¿Y los enemigos?)
De las atalayas,
se ven los caminos
que acarrean lentos
ganados humildes.
(¿Y los enemigos?)
Puerta inexpugnable
de tránsito sirve
a recuas monótonas
—vino, aceite, trigo—.
(¿Y los enemigos?)
Plantadas en piedras
de destinos bélicos,
cigüeñas amantes
hacían sus paces
en lecho de vientos.
(¿Y los enemigos?)
Ciudad torreada,
buena veladora
de siglos y tierras,
¿y tus enemigos?

12

LA DIFICIL

EN los extremos estás
de ti, por ellos te busco.
Amarte: ¡qué ir y venir
a ti misma de ti misma!
Para dar contigo, cerca,
¡qué lejos habrá que ir!

Amor: distancias, vaivén
sin parar.
En medio del camino, nada.
No, tu voz no, tu silencio.
Redondo, terso, sin quiebra,
como aire, las preguntas
apenas le rizan,
como piedras, las preguntas
en el fondo se las guarda.
Superficie del silencio
y yo mirándome en ella.
Nada, tu silencio, sí.
O todo tu grito, sí.
Afilado en el callar,
acero, rayo, saeta,
rasgador, desgarrador,
¡qué exactitud repentina
rompiendo al mundo la entraña,
y el fondo del mundo arriba,
donde él llega, fugacísimo!
Todo, sí, tu grito, sí.

Pero tu voz no la quiero.

18

## AFAN

NO, no me basta, no.
Ni ese azul en delirio
celeste sobre mí,
cúspide de lo azul.
Ni esa reiteración
cantante de la ola,
espumas afirmando,
síes, síes sin fin.
Ni tantos irisados
primores de las nubes
—ópalo, blanco y rosa—,

tan cansados de cielo
que duermen en las conchas.
No, no me bastan, no.
Colmo, tensión extrema,
suma de la belleza,
el mundo, ya no más.
Y yo, más.
Más azul que el azul
alto. Más afirmar
amor, querer, que el sí,
y el sí, y el sí.
La tarde, ya en el límite
de dar, de ser,
agota sus reservas:
gozos, colores, triunfos;
me descubre los fondos
de mares y de glorias,
se estira, vibra, tiembla,
no puede más.
Lo sé, se va a romper
si yo le grito esto
que ya le estoy gritando
irremisiblemente
a golpes:
"Tú, ya no más; yo, más."

## JORGE GUILLEN

En la VIDA figuraba la siguiente precisión: "Ha colaborado en el diario "La Libertad", de Madrid, a veces con el seudónimo "Pedro Villa", y en las revistas "España", "La Pluma", "Indice", "Revista de Occidente", "Litoral", "Carmen", "Poesía", etcétera. En la OBRA, esto: En 1927-28, Juan Guerrero Ruiz funda y dirige, en colaboración con Jorge Guillén, la revista

"Verso y Prosa".—Colección de 12 números, 6 pesetas.—Se imprimía en Murcia (León Sánchez Cuesta).

Los poemas suprimidos son los números 7, 11, 14 y 20, todos de "Cántico", menos el último, inédito.

7

LA GLORIA

MADRUGAD, profecías, profecías,
y relatad la gloria del insomne.
¡Amables folios! ¡Cuantas las almohadas!
Bajo tiernos albores desvelados
descubrirán sus minas los prodigios.

11

RAMA DEL OTOÑO

CRUJE Otoño.
Las laderas de sombra se derrumban en torno.

Arbol ágil.
Mundo terso, mente monda, guante en mano al aire.

¡Cómo aguzan
su pormenor tranquilo las nuevas nervaduras!

Chimenea:
exáltame en resumen lejanías de sierras.

...Sí, se enarca,
extremo estío, la orografía de la brasa.

14

## LA ROSA

YO vi la rosa: clausura
primera de la armonía,
tranquilamente futura.
Su perfección sin porfía
serenaba al ruiseñor,
cruel en el esplendor
espiral del gorgorito.
Y al aire ciñó el espacio
con plenitud de palacio,
y fue ya imposible el grito.

20

## EL APARECIDO

Se me escapa de los brazos
el mar, incógnito, díscolo...
Tropieza el arco impaciente
de la espuma con silbidos
que entre las aguas y el sol
esparcen escalofríos:
¡Estremecerse, pasar
junto a los más escondidos
alejamientos de flor
huida y en desvarío!
Un balón de pronto cae
desde un triunfo a un laberinto.
Se insinúan torpes, bruscas,
pululan formas de ídolos
recónditos. Irrupciones:
desperezos entre giros.
Tentáculos en proyecto

de animales indecisos
desenvuelven y revuelven
su ceguera. Sombras, rizos,
eses de móviles algas,
los murmullos en añicos.
¡Hay sospechas de coral
en fragmentos vespertinos!
Aquí se ve a los relámpagos
que en zigzag definitivo
viven, red de nervaduras
lívidas, dentro del frío.
Desnudez... Y acaba el tránsito
de lo que tiembla a lo límpido
sobre un silencio: nivel
a la tersura sumiso.
Tersura en acción: Un plano
quiere un más allá ofrecido
sin cesar, irresistible.
¡Allanamientos, caminos!
¡Arrojarse fascinado
con ansia de precipicio
para tajante emerger
con felicidad de filo!
Y se abalanzan los brazos
y las piernas hacia un ritmo
que domine a tiempo y alce
los repentes fugitivos.
Vigor de una confluencia:
todo en cifra y ya cumplido...
¡Yo quiero sólo flotar,
aparecer, un respiro!
¡Aparecer en el ser,
y ser entre dos olvidos!
¡Asombro: ser un instante,
si conseguido ya extinto,
pero total y sin meta,
lo eterno en su poderío
tan revelado, tan real,

tan ajeno a mi dominio,
pero dentro de él, colmándolo,
lanzándolo hacia sus mitos!
¡Asombro de ser: cantar,
cantar, cantar sin designio!
¡Mármara, mar, maramar,
confluyan los estribillos!
¡Los azules se barajan:
cielos comunicativos!
Siento en la piel, en la sangre
—fluye todo el mar conmigo—
una confabulación
indomable de prodigios.
¡Mármara, mar, maramar,
y ser y flotar—y un grito!

## DAMASO ALONSO

Diferencia en VIDA. En vez de "Ha pasado nueve años", "Ha pasado seis años". Actualmente explica literatura española en la Universidad de Oxford.

## JUAN LARREA

El segundo párrafo de VIDA terminaba: "... un viaje al Perú, de donde acaba de regresar a Francia". El tercer párrafo añadía al final en vez de "Rara vez se ha visto su firma...", "Al año siguiente publicó un poema suyo "Litoral" (Número a Góngora); luego otro, "Verso y prosa", otro "Création", y otros varios—once—en todos los números de "Carmen". No conozco, hasta la fecha, ninguna publicación de obras suyas".

Sigue OBRA:

Acabo de indicar todo lo impreso. No ha publicado ningún libro. En esta *Antología* se incluyen varios poemas inéditos procedentes de un cuaderno, con su trabajo poético de hacia 1927. Como indico al pie, muchos de ellos escritos originariamente en francés y traducidos por mí literalmente.

POETICA. Antes del texto transcrito en 1934 había esto:

La incomunicación en que Larrea y yo nos hemos encontrado ocasionalmente me ha impedido consultarle para su inclusión en esta *Antología.* Indiferente siempre ante los estímulos de la publicidad, la escasez de su obra conocida no supone esterilidad de creación. Por el contrario, puedo atestiguar la producción de una obra poética sucesiva, inquieta y variable, acaso ya perecida en gran parte por insatisfacción propia, así como de ensayos literarios de todo género. Por ello, para acertar con su pensamiento sobre poética me veo precisado a incluir algunos párrafos de un "Presupuesto vital", que encabezaba su "Favorables", en donde puede verse, más que una estética, una actitud vital, compartida con Vallejo, en 1926. Dicen así.

Poemas suprimidos, el 20 y 21. Pertenecen a la serie de los traducidos del francés por mí.

20

O DE OCEANO

ANTONIO
Los barcos cargan y descargan como los ojos de los testigos
Pero todavía estoy lejos de amar el boxeo
Lejos de la vida                                        lejos de la muerte
Lejos de pensar en la esponja agujereada de puntos de vista
Sobre las lilas de carne que absorben al equinoccio
Mira este color de frase mira estos nudos de arroyo
Mira esta esperanza que cambia ante tus ojos de nivel
Y estos pliegues de esperanza que la visten
La mar vieja muchacha

Se aparta dulcemente
Su garganta se anuda pero yo estoy lejos
Lejos de la muerte lejos de la vida
Lejos de rodear de cuidados mis viejos huesos de pradera
Con las neblinas por todo aprendizaje

Antonio amigo mío
No habría rostros sin paisajes despues de la lluvia

21

### CANTERA

DINAMITA en flor
dinamita de reloj
din din dinamita
Instinto origen de alba y de albergue
La atmósfera cae de rodillas de nieve
pero es tan frágil como aprender a leer
siendo el signo exterior guirnaldas de hojas

Dinamita de reloj
din din dinamita
Escucha los instantes que llegan sobre sus asnos secretos

## GERARDO DIEGO

En el final del primer párrafo de mi VIDA: "Actualmente profeso en el Instituto de Santander. Hasta ahora, célibe."

La décima "He aquí helados, cristalinos" llevaba el título "Dolorosa". Indicación de procedencia: 4, "Versos humanos". 5 a 8, Inédito; 19 a 21, Inédito.

## FEDERICO GARCIA LORCA

En el segundo párrafo de su VIDA faltaba, claro, lo del viaje en 1933-34 a América. En el siguiente, lo de "La Barraca". Poemas 9, 11 y 15. Pertenecen, respectivamente, a "Poema del Cante Jondo", "Romancero Gitano" y al libro inédito "Poeta en Nueva York", pero el nombre con que consta este futuro libro, según el envío del poeta, es sólo "Nueva York".

9

### GRAFICO DE LA PETENERA

#### CAMPANA

*(Bordón)*

EN la torre
amarilla
dobla una campana.

Sobre el viento
amarillo,
se abren las campanadas.

Son puñales sonoros
que hieren la distancia.
Y se estremecen como
senos de muchachas.
En la torre
amarilla,
cesa la campana.

El aire con el polvo
hace proras de plata.

## CAMINO

Cien jinetes enlutados,
¿dónde irán,
por el cielo yacente
del naranjal?
Ni a Córdoba ni a Sevilla
llegarán.
Ni a Granada, la que suspira
por el mar.

Esos caballos soñolientos
los llevarán
al laberinto de las cruces,
donde tiembla el cantar.
Con siete ayes clavados,
¿dónde irán,
los cien jinetes andaluces
del naranjal?

## LAS SEIS CUERDAS

La guitarra
hace llorar a los
sueños.
El sollozo de las almas
perdidas,
se escapa por su boca
redonda.

Y como la tarántula
teje una gran estrella
para cazar suspiros,
que flotan en su negro
aljibe de madera.

11

## ROMANCE DE LA LUNA, LUNA

LA luna vino a la fragua
con su polisón de nardos.
El niño la mira mira.
El niño la está mirando.
En el aire conmovido
mueve la luna sus brazos
y enseña, lúbrica y pura,
sus senos de duro estaño.
Huye luna, luna, luna.
Si vinieran los gitanos,
harían con tu corazón
collares y anillos blancos.
Niño, déjame que baile.
Cuando vengan los gitanos,
te encontrarán sobre el yunque
con los ojillos cerrados.
Huye luna, luna, luna,
que ya siento sus caballos.
Niño, déjame, no pises
mi blancor almidonado.
El jinete se acercaba
tocando el tambor del llano.
Dentro de la fragua, el niño
tiene los ojos cerrados.
Por el olivar venían,
bronce y sueño, los gitanos.
Las cabezas levantadas
y los ojos entornados.

Cómo canta la zumaya,
¡ay, cómo canta en el árbol!
Por el cielo va la luna
con un niño de la mano.

Dentro de la fragua lloran,
dando gritos, los gitanos.
El aire la vela, vela.
El aire la está velando.

## 15

## CIUDAD SIN SUEÑO

*(Nocturno del Brooklyn Bridge.)*

NO duerme nadie por el cielo.
Nadie, nadie.
No duerme nadie.
Las criaturas de la luna
huelen y rondan las cabañas.
Vendrán las iguanas vivas
a morder a los hombres que no sueñan
y el que huye con el corazón roto
encontrará por las esquinas
al increíble cocodrilo quieto
bajo la tierna protesta de los astros.

No duerme nadie por el mundo.
Nadie, nadie.
No duerme nadie.
Hay un muerto en el cementerio más lejano
que se queja tres años
porque tiene un paisaje seco en la rodilla,
y el niño que enterraron esta mañana lloraba tanto
que hubo necesidad de llamar a los perros para que callase.
No es sueño la vida. Alerta.
Alerta, alerta.
Nos caemos por las escaleras
para comer la tierra húmeda
o subimos al filo de la nieve
con el coro de las dalias muertas.
Pero no hay olvido ni sueño. Carne viva.

Los besos atan las bocas
en una maraña de venas recientes,
y al que le duele su dolor le dolerá sin descanso
y el que teme la muerte la llevará sobre los hombros.

Un día
los caballos vivirán en las tabernas
y las hormigas furiosas
atacarán los cielos amarillos
que se refugian en los ojos de las vacas.
Otro día
veremos la resurrección de las mariposas disecadas
y aun andando por un paisaje
de esponjas grises y barcos mudos
veremos brillar el anillo
y manar rosas de nuestra lengua.
Alerta, alerta, alerta.
A los que guardan todavía
huellas de zarpa y aguacero,
a aquel muchacho que llora
porque no sabe la invención del puente
o a aquel muerto que ya no tiene
más que la cabeza y un zapato,
hay que llevarlos al muro
donde iguanas y sierpes esperan,
donde espera la mano del niño
y la piel del camello se eriza
con un violento escalofrío azul.
No duerme nadie por el cielo.
Nadie, nadie.
No duerme nadie.
Pero si alguien cierra los ojos,
azotadlo, hijos míos, azotadlo.
Haya un panorama de ojos abiertos
y amargas llagas encendidas.
No duerme nadie por el mundo.
Nadie. Nadie. Ya lo he dicho.
No duerme nadie.

Pero si alguien siente por la noche
exceso de musgo en las sienes,
abrid los escotillones para que vea bajo la luna
las copas falsas, el veneno y la calavera de los teatros.

## RAFAEL ALBERTI

La VIDA no estaba redactada por él. Y era así:
"*Yo nací—¡respetadme!—con el cine.*" *Y con el siglo, poco más o menos, podemos añadir a su verso. En el Puerto de Santa María (Cádiz). ¿Estudios? En el Colegio de los Jesuitas del Puerto, como en su tiempo Villalón y Juan Ramón Jiménez, cursa el Bachillerato. Oigamos al poeta:*

"Yo pienso en mí, Colegio sobre el mar.
Infancia ya en balandro o bicicleta.

Globo libre, el primer balón flotaba
sobre el grito espiral de los vapores.
Roma y Cartago frente a frente iban,
marineras fugaces sus sandalias.

Nadie bebe latín a los diez años.
El Algebra, ¡quién sabe lo que era!
La Física y la Química, ¡Dios mío,
si ya el sol se cazaba en hidroplano!"

*Adolescencia. Antes de escribir versos, pinta. Largas temporadas de sierra. Primeras colaboraciones—1922—en* Horizonte *y* Alfar. *En 1924-25, Premio Nacional de Literatura con* Marinero en tierra. *Desde entonces se dedica a la poesía, profesándola exclusiva y plenamente. No posee títulos académicos. No se ha casado. Reside habitualmente en Madrid. Le he preguntado por sus viajes. "Por España. Quise entrar en Hendaya, pero la policía francesa me lo impidió. No llevaba pasaporte." (Ultima hora: Alberti ha pasado la frontera: Francia, Italia. Está en París. Diciembre, 1931.)*

Lo mismo la POETICA:

*La voluntad del poeta y la del colector coincidían en la redacción y entrega por el primero al segundo de una breve nota exponiendo su poética. Pero, a pesar de la buena voluntad, la nota no ha llegado, y el colector se ve obligado a imaginarla, suponiendo lo que podría decir, y en la seguridad de no equivocarse demasiado. Rafael Alberti hubiera respondido, en efecto, o de veras o de burlas, como poeta—véase José Bergamín—de veras y de burlas que es. En el primer caso conjeturo que nos hubiera dicho: "No me he preocupado demasiado de meditar sobre lo que es o debe ser la poesía, ni siquiera mi poesía. La hago cuando y como se me antoja. No poseo profundos conocimientos retóricos. En mi hoja de servicios consta un suspenso en el Instituto por no haber acertado a saber lo que es un* epinicio. *Me gustan unos poetas más que otros. Por ejemplo, Gil Vicente, Lope, Góngora y Bécquer. También me divierten los poetas franceses, y, en ocasiones, también he escrito versos en bastante buen francés. Me gustan mucho y le gustan mucho a mi poesía el cine, el mar y la tierra de España, las artes liberales y mecánicas, el sobrecielo y el subsuelo. Los profesores de Retórica, como el que me suspendió, me estudiarán algún día por mis innovaciones en la Métrica, ya que he batido el récord de dilatación con mis versos de 127 sílabas contadas, con profusión y variedad de hemistiquios." Etcétera, etc.*

*O bien, habría contestado en broma con uno de sus poemas del libro de los "Tontos", en los que se define su actitud más que su estética, como en éste que ya no imagino yo, sino que apareció con su firma en "La Gaceta Literaria" (núm. 71):*

"Dedidme de una vez si no fue alegre todo aquello.
5×5 entonces no eran todavía 25
ni el alba había pensado en la negra existencia de los malos [cuchillos.
Yo te juro a la luna no ser cocinero,
tú me juras a la luna no ser cocinera,
él nos jura a la luna no ser ni siquiera humo de tan tristísima [cocina.
¿Quién ha muerto?

La oca está arrepentida de ser pato,
el gorrión de ser profesor de lengua china,
el gallo de ser hombre,
yo de tener talento y admirar lo desgraciada
que suele ser en el invierno la suela de un zapato.

A una reina se le ha perdido su corona,
a un presidente de república su sombrero,
a mí...

Creo que a mí no se me ha perdido nada,
que a mí nunca se me ha perdido nada,
que a mí...

¿Qué quiere decir buenos días?"

R. A.

Poemas distintos: Del 1, el título que era A JUAN ANTONIO ESPINOSA/CAPITAN DE NAVIO, más el texto de 2, 4, 7, 9, 10, 13, 21, 25 y 26. Proceden los dos primeros de "Marinero en Tierra". El 7, de "La Amante". El 9, 10 y el 13, de "El Alba del Alhelí". El 21, de "Sobre los ángeles". El 25 y el 26, del libro inédito "Elegías".

2

MALVA-LUNA-DE-YELO

LAS floridas espaldas ya en la nieve,
y los cabellos de marfil al viento.
Agua muerta en la sien, el pensamiento
color halo de luna cuando llueve.

¡Oh qué clamor bajo del seno breve;
qué palma al aire el solitario aliento,
qué témpano cogido al firmamento,
el pie descalzo, que a morir se atreve!

¡Brazos de mar, en cruz, sobre la helada
bandeja de la noche; senos fríos,
de donde surte, yerta, la alborada:

oh piernas como dos celestes ríos,
Malva-luna-de-yelo, amortajada
bajo las mares de los ojos míos!

4

## SUEÑO

*¡A los remos, remadores!*

GIL VICENTE.

NOCHE.
Verde caracol, la luna
Sobre todas las terrazas,
blancas doncellas desnudas.

¡Remadores, a remar!
De la tierra emerge el globo
que ha de morir en el mar.

Alba.
Dormíos, blancas doncellas,
hasta que el globo no caiga
en brazos de la marea.

¡Remadores, a remar,
hasta que el globo no duerma
entre los senos del mar!

7

## BURGOS

SOLO por esta mañana
dejadme guardar el puente,
que yo mandaré a las aguas
que encaucen bien su corriente.

Que van ciegas, ciegas, ciegas,
dándose hombros y frente,
mi amiga, contra las piedras.

9

## EL CIERVO MAL HERIDO

(LLANTO)

¡PARA nada, para nada,
me sirven ya mis alfanjes,
mis picas y mis espadas!

¡Ay mis espadas floridas
de anémonas coloradas!

¡Ay mis alfanjes guerreros
tintos en moras moradas!

¡Picas mías, coronadas
de limonares luneros!

*(Voz de la cierva agonizando.)*

Sí, monteros... para nada...
me sirven ya... sus alfanjes...
sus picas y sus espa...das...

10

## DIA DE CAZA

ALDEBARAN se ha perdido.
¡Buscadle entre los habares!
(De verde, en los olivares,
yace Aldebarán herido.)

Sirio, desaparecido.
¡Corred pronto a los pinares!
(De plata, en los azahares,
tiembla Sirio guarecido.)

¡Calandrias, por las praderas!
¡Luceros, por los vergeles!
¡Pastores, por la alquería!

¡Luna de la primavera,
alúmbranos! ¡Mis lebreles,
saltad por la montería!

13

## M I T O

¡JEE, compañero, jee, jee!

¡Un toro azul por el agua!
¡Ya apenas si se le ve!

—¿Quééé?

—¡Un toro por el mar, jee!

21

## EL ALBA DENOMINADORA

A embestidas suaves y rosas, la madrugada te iba poniendo nombres:
Sueño equivocado, Angel sin salida, Mentira de lluvia en bosque.

Al lindero de mi alma, que recuerda los ríos,
indecisa, dudó, inmóvil:
¿Vertida estrella, Confusa luz en llanto, Cristal sin voces?
No.
Error de nieve en agua, tu nombre.

25

## SIN MAS REMEDIO

TENIA yo que salir de la tierra,
la tierra tenía que escupirme de una vez para siempre como un hijo bastardo,
como un hijo temido a quien no esperan nunca reconocer las ciudades.
Había que llorar hasta mover los trenes y trastornar a gritos las horas de las mareas,
dando al cielo motivo para abandonarme a una pena sin lluvia.
Había que expatriarse involuntariamente,
dejar ciertas alcobas,
ciertos ecos,
ciertos ojos vacíos.

Ya voy.
Tenías tú que vivir más de tu media vida sin conocer las voces que ya llegan pasadas por el mundo,
más aislado que el frío de una torre encargada de iluminar el rumbo de las aves perdidas,
sobre el mar que te influye hasta hacerte saladas las palabras.
Tú tenías a la fuerza que haber nacido solo y sufrido sin gloria para decirme:
Hace ya treinta años que ni leo los periódicos:
mañana hará buen tiempo.

26

ESTAIS SORDOS

SIENTO que andan las islas,
que la tierra se asombra de sentirme otro hombre tan distinto
al que impuso a sus huéspedes la pena de matarle día a día.
Las cosas que están tristes de no viajar nunca y nacieron de
espaldas al mundo por no verlo ni oírlo,
acostadas de pena, saben que se van lejos,
sienten que me llevan muy lejos, sin saber ni mi nombre
ni el número de veces que fui odiado y querido por los mismos
que a estas horas en hueco tendrán que recordarme,

que zaherirme,
al encontrar mis huellas en ese insulto dicho casi sin ganas,
en aquel proyecto nunca llevado a cabo
o en aquella pasión mantenida hasta el límite donde tan sólo
un paso más da una sima de sangre.
Amigos,
¿no sentís cómo andan las islas?
¿No oís que voy muy lejos?
¿No veis que ya voy a doblar hacia esas corrientes que se entran
lentísimas en la inmovilidad de los mares y los cielos
paralizados?
Oigo el llanto del Globo que quisiera seguirme y gira hasta
quedarse mucho más fijo que al principio,
tan borrado en su eje que hasta los astros menos rebeldes
transitan por su órbita.
¿No oís que oigo su llanto?
Siento que andan las islas.

# FERNANDO VILLALON

El primer párrafo de VIDA era así:

*Los amigos de Villalón no han conseguido hasta la fecha puntualizar la del nacimiento del poeta. Condiscípulo de Juan Ramón Jiménez en el Colegio del Puerto de Santa María debió de nacer, pues, hacia 1881. Nació en Morón de la Frontera (Sevilla). Vivió siempre en su Andalucía la Baja, simultaneando sus labores de agricultor y ganadero con sus lecturas varias y pintorescas de cosmogenia, poesía vieja y nueva, tauromaquia, espiritismo, etc. Fernando Villalón Daoiz y Halcón, Conde de Miraflores de los Angeles, fue, para todos los que le conocimos, un ser extraordinario, de una vitalidad tan generosa y ubérrima que aún resulta fabulosa, increíble, la realidad de su llorada muerte. Su vida y su carácter le sitúan en el más auténtico superrealismo, un superrealismo nada literario o fingido, sino natural, andaluz, auténtico, esto es, poético. Por eso, su poesía es, en rigor, legítima poesía superrealista, poesía de origen subconsciente y de fuerza y rudeza elementales; y esto, a pesar de su cultura retórica y de su afición a la convivencia con los poetas nuevos y los nuevos modos. Villalón decía cosas como ésta: "Mi ideal como ganadero de reses bravas se cifra en obtener un tipo de toro de lidia que tenga los ojos verdes." Una colección de anécdotas de Villalón, una floresta de sus dichos valdría por la mejor biografía. Brindo la idea a sus amigos de más asiduo trato.*

Y el segundo:

*Los últimos meses de su vida los vivió en Madrid, a donde vino a tratarse de una vieja enfermedad abandonada. La cruel dolencia pudo más que su robustez física, y murió en Madrid, el 8 de marzo de 1930, en un sanatorio y después de una desesperada intervención quirúrgica.*

El último agregaba al final:

*Y sus primeros ensayos están muy lejos de prometer lo que hubiera cumplido, de haber vivido más tiempo.*

En la POETICA se agregaba todo esto al final:

*A veces, el comentario justo y lleno de gracia a la actualidad literaria. "Del anunciado libro de X. X. no me hable; comprendo sus temblores y únase a mí, que tampoco me se pega la camisa al cuerpo."*

*He aquí ahora cómo ha visto al poeta uno de sus más finos amigos, Pedro Salinas:*

*"Villalón era un perseguidor de la poesía; pero iba siempre con los ojos vendados. La perseguía a trompicones, tropezando. Tenía la suerte de atrapar a la fugitiva alguna vez por un talón, por un brazo; luego se escapaba. De estas breves posesiones y huidas son las huellas de sus poesías. Villalón era ocultista. La poesía, ciencia oculta. Había estudiado las manos, los astros. Villalón estudiaba también las rayas en la palma abierta de Andalucía la Baja. Lo que leía en ella son sus poemas. Perfecto ejemplo del culto y del inculto andaluz: de esa gran cultura oral andaluza, tradicional, no escrita. Villalón es de nuevo la actitud del misterio contra el número. (Una vez me decía el guarda de una necrópolis andaluza, al contestar a mi pregunta sobre el número de sepulturas que había en ella: "Nadie sabe lo que se traga la tierra." Lo más probable es que él ignorara el número de sepulcros, sin duda; pero la fórmula de la respuesta le quitaba todo rasgo de habilidad, insertándola en esa gran corriente de la cultura secular, de la cultura oculta.) Como tiene un cante "Jondo", Andalucía tiene su cultura "Jonda". No es cierto que las casas andaluzas sean casas bajas; las casas de Andalucía son rascacielos hechos hace muchos siglos y enterrados hasta el piso número 20, que hoy parece a la gente superficial una planta baja. Las casas de Andalucía son todas azoteas del enorme edificio espiritual sumergido en la tierra andaluza; esa parte hundida es la que interesaba a Villalón.*

*El sentido del pueblo aristocrático, de la aristocracia popular, como fuerzas extremas que se buscan, lo logró perfectamente en su vida. Nos despedimos de Villalón el andaluz, viéndole marchar desde la Andalucía de la llanura a la Andalucía subterránea, honda; al más allá andaluz, no al más allá de todos. Lo vemos partir con una garrocha en la mano y una varita mágica en la otra; la mitad, de ganadero, de criador de reses bravas; la otra, de espiritista, suscitador de ánimas perdidas, escoltada su silueta por un tropel de toros y otro de fantasmas."*

En OBRA INEDITA (Bibliografía) se agregaban las tres líneas últimas: "de dicho cuaderno he copiado los versos inéditos que figuran en este libro y que anunciaban una nueva manera más libre y profunda de su evolución poética".

Los poemas suprimidos eran los cinco primeros de "Romances del Ochocientos", y los restantes inéditos.

1

825

I

DILIGENCIA de Carmona,
la que por la vega pasas
caminito de Sevilla
con siete mulas castañas,

cruza pronto los palmares,
no hagas alto en las posadas,
mira que tus huellas huellan
siete ladrones de fama.

Diligencia de Carmona,
la de las mulas castañas.

II

Remolino en el camino.
Siete bandoleros bajan
de los alcores del Viso
con sus hembras a las ancas.

Catites, rojos pañuelos,
patillas de boca de hacha.
Ellas navaja en la liga;
ellos la faca en la faja;
ellas la Arabia en los ojos,
ellos el alma a la espalda.

Por los alcores del Viso
siete bandoleros bajan.

III

Siete caballos caretos;
siete retacos de plata;
siete chupas de caireles,
siete mantas jerezanas.
Siete pensamientos puestos
en siete locuras blancas.

Tragabuches, Juan Repiso,
Satanás y Mala-Facha,
José Candio y el Cencerro
y el capitán Luis de Vargas,
de aquellos más naturales
de la vega de Granada.

Siete caballos caretos
los Siete Niños llevaban.

IV

Echa vino, montañés,
que lo paga Luis de Vargas,
el que a los pobres socorre
y a los ricos avasalla.

Ve y dile a los milicianos
que la posta está robada
y vamos con nuestras novias
hacia Ecija la llana.

Echa vino, montañés,
que lo paga Luis de Vargas.

3

SALINAS de los pinares,
donde se peinan los pinos
cuando los despeina el aire.

¡Bajos de Guía! ¡Salmedina!
Espejo de los esteros,
bandejas de agua salada
donde están los salineros.

¡Qué se me importará a mí
que se sequen las salinas
mientras que te tenga a ti!

5

YO vi un nopal entre rosas,
y una zarza entre jazmines,
y una encina que encerraba
el alma de los jardines.

Paloma: ¿qué haces ahí,
montada en un pino verde?
Eso no te pega a ti.

8

¡YSLAS del Guadalquivir!
¡Donde se fueron los moros
que no se quisieron ir!...

En el espejo del agua
yo reparo en los andares
salerosos de mi jaca.

Luces de Sevilla,
faro de los garrochistas
que anochecen en la Ysla.

11

## SOMBRA

TOZUDA compañera. ¿Por qué hieres
mis huellas con tus pasos?
Andas tras mí espiando; vuelvo y vuelves;
si te miro me miras, y palparte
quise y no pude. Por los tersos muros
caminas; sobre el polvo, por las flores
del jardín andas y a abrazarte voy
y tu tela de araña—parda tela,
alma quizá escapada de mi cuerpo—
huye ante mí y se burla de mis ansias.

Hice rumbo a la mar para ahogarte.
Mi pie hollando la lengua de las aguas
borda en mi pierna espumas, y allá lejos
sólo es testigo aquella vela blanca.
Y al tornar—mis pisadas por sendero—
huidiza la arena ante mis plantas;
en exvoto mis manos, con la noche,
curvada sobre mí, extenuada,
sentí un peso de culpa: era en la noche,
muerta mi sombra sobre mis espaldas.

13

BUITRES dormidos sobre peñas grises
y yo, sumido en ti, despierto.
Un lucero de añil sobre mi frente sola
y una idea en zig-zag—¿gravito, vuelo?
¿estoy sobre mis pies?—temblándome en el cuerpo.

Toda en zig-zag, la tierra se pasea
por delante de mí. Yo, ¿dónde estoy?
Flecho la vista hacia mis pies y veo
un cielo azul cosido con estrellas;
arriba, peñas escarpadas.
Buitres dormidos sobre peñas grises.

## 14

LA mañana llevaba
su camisa blanca;
las rosas de la aurora
se le caen deshojadas.
La luna no se va. Luna lunera
—búcaro de escayola
roto en el aire—,
espera al sol, que en plumas la deshace.

## 15

SOLO en la selva, con la noche al hombro,
caminando sin tino en la espesura,
un rugido aupó mi vello a un tiempo.
Era el león, que perseguía de cerca
mi sombra entre las matas desgajadas.
Y no corrí; mi vestimenta blanca
mantuve en pliegues ordenadamente
y mis ojos de fuego lo miraron.
Escurridizo, huyó ante mi escultura,
rezando, acobardado y entre dientes,
la oración de los monstruos poderosos
—su mirada hacia atrás, la cola lacia—.

17

POR las mullidas alfombras
de tu césped, ¡verde prado!,
tan lejos de todo,
tan cerca de nada.
Por las escalas de nubes
de tu cielo, ¡estrellas vivas!,
tan cerca las más lejanas,
tan lejos la que me guía.

¿Adónde voy por cielo?;
mañana por la mañana
yo no daré con mi cuerpo.

18

MAÑANA leda.
Céfiro dormido
sueña.

Barca de alas
caídas, balancea
la calma.

Ave hueca,
se cae sobre el agua
abierta.

Tú, dormida,
en brazos de la arena
tiemblas...

19

TE vi y no te vi.
Por la mañana, "que no",
y por la tarde, "que sí".

—Que sí, que sí, que sí...
—¿Que sí?—Que no, que sí.
—Ni te vi, ni no te vi.

Yo soy un pez de color
dentro de tu aguamanil.

## EMILIO PRADOS

Este poeta, que como ya se dijo en el prólogo, no quiso colaborar en la "Antología", en la de 1934 no quiso ni siquiera figurar. Por eso se copia todo.

### VIDA

*Nació en marzo de 1899, en Málaga, donde ha pasado la mayor parte de su vida. En la Residencia de Estudiantes de Madrid estudió durante bastantes años, cursando el bachillerato y después Filosofía y Letras y asignaturas de Ciencias. Residió en Suiza una larga temporada y viajó por Francia y Alemania. Desde hace algunos años reside en Málaga. Vicente Aleixandre, buen amigo de Prados, a quien debo estos datos biográficos, me los completa en una carta con los siguientes apuntes para un retrato del poeta: "Vive lo que la gente llama bastante solo, porque sólo acaso le conoce la gente más inesperada. Ha influido mucho en los más jóvenes que él que le han rodeado, y, como tú sabes, Manuel Altolaguirre se hizo a su lado y a él le debe la llamada a lo que ha llegado a ser. Más descontento que nadie, ha dejado de escribir por ahora, aunque sigue de cerca todo movimiento poético. Intranquilo entre todos, ha buscado para él nuevos medios de expresión, y una temporada ha hecho "collages" y ha intentado cosas de artes plásticas, pero sin exponer. Ultimamente, su inquietud le llevó a una actividad política extremista. A todo se da con verdadera furia y de casi todo regresa. No se puede prever nunca dónde nos lo encontraremos mañana."*

*Por mi parte, aunque me une a Emilio Prados una leal amistad epistolar, no le conozco personalmente. Es el único poeta de esta Antología a quien ignoran mis ojos. Y como ya he adelantado en el prólogo, figura aquí contra su voluntad, por lo cual los datos son algo aproximados e incompletos, y me ha sido imposible presentar al lector su fotografía y sus opiniones poéticas.*

## O B R A

Además de sus colaboraciones en "Verso y Prosa", "Litoral", "Carmen" y otras revistas, ha publicado los siguientes libros de poesía:

TIEMPO (veinte poemas).—Málaga, 1925. 3,50 ptas.

CANCIONES DEL FARERO (saludo de "Litoral"). Málaga, 1927.

VUELTA (seguimientos-ausencias).—Málaga, 1927. (Agotados los dos últimos.)

Fundó y dirigió con Manuel Altolaguirre la revista y las ediciones de "Litoral" (1927-1929) (nueve números).

1

### CALMA

CIELO gris.
Suelo rojo.
De un olivo a otro
vuela el tordo.

En la tarde hay un sapo
de ceniza y oro.

Suelo gris.
Cielo rojo...

—Quedó la luna enredada
en el olivar.
Quedó la luna olvidada—.

## 2

## VISPERA

EL marinero bebe la rosa de los vientos
en cristal de bandeja y luna clara.
En pie sobre sus anclas el barco soñoliento,
devana sus cadenas y peina sus amarras.

Enhebrada se queda la aguja del viaje,
junto a la carta azul, el compás y la lente;
mientras que el capitán, entre dos blancos mares,
—ágil nadador joven—limpia espuma desteje.

Sobre su frente, el atlas abre su mariposa,
y en el papel, el barco juega a flores distantes,
trazando itinerarios entre las planas olas,
que el pincel del ensueño tiñe con falso esmalte.

Fuera del camarote: la cubierta dormida
meciendo a sus naranjas, entre miedo y tristeza.
Por las calles del puerto, aún las luces oscilan
y en los bares lejanos las voces cabecean.

Una estrella derrama su baraja de oro.
En la mesa del agua juega el pez y el reflejo.
La campana acaricia el silencio que ha roto
y cubre sus heridas con su blanco pañuelo.

Las anclas justifican el molde de su ausencia
aún sujetas al suelo entre rosas profundas.
La enmohecida hélice sus pétalos ordena
y la máquina fiel su corazón ajusta.

La brújula se inquieta por su largo descanso;
su inquietud multiplica los puntos cardinales
y muestra al marinero en su oráculo falso,
el balcón y la rosa, final de su viaje.

Toda la noche cuelga como un gran mapa negro.
El cartón de la luna gira su blanca esfera
y en ella busca el barco con su largo puntero
el puerto más cercano y el agua más serena.

Otro barco en mi pecho su movimiento imita,
—¡doble siempre mi alma en su imagen dispersa!—
sus barandas arregla para la despedida
y tu timón prepara para el alba que espera.

3

## POSESION LUMINOSA

IGUAL que este viento, quiero
figura de mi calor
ser y, despacio, entrar
donde descanse tu cuerpo
del verano; irme acercando
hasta él sin que me vea;
llegar, como un pulso abierto,
latiendo en el aire; ser
figura del pensamiento
mío, de ti, en su presencia;
abierta carne de viento,
estancia de amor en alma.
Tú—blando marfil de sueño;
nieve de carne; quietud
de palma, luna en silencio—
sentada, dormida en medio
de tu cuarto. Y yo ir entrando
igual que un agua serena;
inundarte todo el cuerpo
hasta cubrirte y, entero,
quedarme ya, así, por dentro,
como el aire en un farol,
viéndote temblar, luciendo.

brillar en medio de mí,
encendiéndote en mi cuerpo,
iluminando mi carne
toda ya carne de viento.

4

## AMANECER

¡QUE cerca! ¡Desde mi ojo a tu
ojo, ni el canto de un alma!
Engarzados sobre el viento,
como pájaros a un mismo
cinto, prendidos al cielo
estamos los dos. ¡Qué juntos
nuestros perfiles en medio
del día! ¡Qué altos van! ¡Qué limpios
vuelan arriba, ya sueltos,
libres del mundo, los rostros,
flotando en la luz; abiertos
como dos flores sin tallo,
en ella, vivos, sin cuerpo
que los pueda sujetar
abajo en lo hondo, al suelo!
Juntos, por entre las nubes
están volando, altos, quietos,
parados igual que estrellas
del alba y aún más serenos
que estrellas, como dos plumas,
igual que peces del viento
suspendidos sobre él
con el sedal del silencio,
que los mantiene colgados,
por los ojos, sobre el sueño.

## 5

## FORMAS DE LA HUIDA

### I

SI en este espejo yo hubiera
dejado, al irme, encerrado
mi cuerpo; en su luz tapiado
vivo; emplazado en sus aguas,
ahora en él—como recuerdo
de un muerto se va cuajando
despacio en la memoria—,
mi carne se iría cuajando,
lenta de nuevo en su luna
y, en pie, desnuda, flotando,
a su orilla, desde el fondo
subiría, igual que Lázaro
desde sus hondas tinieblas
subió hasta el mundo...
¡Qué blanco
lirio, mi cuerpo en su estrecha
puerta alzaría! ¡Qué alto
narciso! ¡Qué estrella! ¡Qué
fino árbol!
Vivo, temblando
—toda la flor de mi entraña
latiendo hecha luz—, brillando...
¡Qué ventana de mí mismo
me abriría en su milagro!
¡Qué estampa de fe al silencio
daría mi ejemplo claro!
No que ahora, vencido, vengo
por fuera su luna, y caigo
a ella de golpe, sin vida,
lo mismo que al agua el pájaro
desde el viento cae y se hunde,
presa de su doble engaño.

Sin fe en la vista y sin rosa;
perdido el amor; parado
el sueño, vuelvo humillado...
¡Qué torpe fruto la ausencia
dejó mordido en mi mano!
¡Qué negro dolor de sombra
pegado a mi cuerpo traigo!

II

ESTE salto—¡qué alegría!—
de mundo a mundo lo damos.
¡Qué mundo en medio, redondo,
igual que un ojo temblando,
deja abierto abajo el brinco!
Nuestros dos pies ¡qué despacio,
arriba, curvan desnudos
sus blandas guías!

¡Qué aletazos
alzan de los hombros nubes,
nos sacuden, se hacen brazos,
luces, gritos...!

¡Qué delirio
de cielo y carne, tan alto!

Prendidos por la cintura
nuestros cuerpos amarrados,
¡qué haz de piernas, de cabellos,
de paños, de ojos!...

¡Qué blanco
mechón de nieve, de voces,
de pulso, de alas!...

¡Qué claro
desnudarse, abrirse, huirse,
salirse al sueño!

¡Qué blando
patinar azul de lirio,
sobre el cielo nuestros labios!

¡Qué amor! ¡Qué quebrar de plumas
rompe la voz del Espacio!
¡Qué ramalazos de risas
quedan del viento colgando!
¡Qué campanadas de altura!
¡Qué temblor de espejo abajo!
¡Qué rumor de ángel en fuga
deja en la luz nuestro salto!

III

ALBA RAPIDA

¡PRONTO, de prisa, mi reino,
que se me escapa, que huye,
que se me va por las fuentes!
¡Qué luces, qué cuchilladas
sobre sus torres enciende!
Los brazos de mi corona,
¡qué ramas al cielo tienden!
¡Qué silencios tumba el alma!
¡Qué puertas cruza la Muerte!

¡Pronto, que el reino se escapa!
¡Que se derrumban mis sienes!
¡Qué remolino en mis ojos!
¡Qué galopar en mi frente!
¡Qué caballos de blancura
mi sangre en el cielo vierte!
Ya van por el viento, suben,
saltan por la luz, se pierden
sobre las aguas...
Ya vuelven
redondos, limpios, desnudos...
¡Qué primavera de nieve!

Sujetadme el cuerpo, ¡pronto!,
¡que se me va!, ¡que se pierde

su reino entre mis caballos!,
¡que lo arrastran!, ¡que lo hieren!,
¡que lo hacen pedazos, vivo,
bajo sus cascos celestes!
¡Pronto, que el reino se acaba!
¡Ya se le tronchan las fuentes!
¡Ay, limpias yeguas del aire!
¡Ay, banderas de mi frente!
¡Qué galopar en mis ojos!

Ligero, el mundo amanece.

1.—*Tiempo.*
2.—*Vuelta.*
3 a 5.—Inédito.

# VICENTE ALEIXANDRE

La VIDA y la POETICA, totalmente distintas:

## VIDA

*Vicente Aleixandre y Merlo nació el 26 de abril de 1898 en Sevilla. A mis requerimientos me contesta en una carta: "¿Tú crees que a alguien le importa realmente saber que yo vivo en Madrid desde la pubertad, que me hicieron hacerme abogado, que no ejerzo mi carrera (¿mía?), ni me he casado y que no hago más que vivir cuanto puedo y lo que puedo, escribiendo poesía porque es mi necesidad todavía? A nadie le importa. Yo he estado dos cortas temporadas en París; me he asomado brevemente a Inglaterra y Suiza; no me he educado en ningún colegio de religiosos... Datos, datos. ¿Pero son estos datos mi vida? Mi vida es mía, y no tengo por qué ponerme a contársela a nadie. Ya veo que a Cernuda y a Emilio Prados les amenazas con inventarles una biografía. Eso es divertido. Conmigo haz lo que te parezca. Pero yo no puedo ponerme a contar lo que* yo no soy; *porque todo eso no soy yo, y en eso yo no me reconozco."*

## POETICA

*"No sé lo que es la poesía. Y desconfío profundamente de todo juicio de poeta sobre lo siempre inexplicable. Cada vez me acerco más, sin embargo, a la certeza de qué último fracaso significa la poesía. Y qué sensación postrera de vergüenza ronda al poeta intuitivamente. Vergüenza, añadiré, para los más romos, no de su inclinación a la poesía escrita, sino de su entrañable instinto poético. La salvaje embestida de la verdad —mentira— poética y la verdad vital no logra más que un término: la destrucción de su soporte vivo.*

*Pero lo mío importa nada. Sólo añadiré que la poesía, unas veces, me parece una servidumbre; otras, salida a la única libertad. Pero algún día el no necesitarla acaso me ha de parecer la auténtica liberación.*

*La vida —en ella— cada vez la siento más absorbente y tiránica; única. La vida, naturalmente; no mi vida. Y también mi vida. De ésta, como dato primario, sólo pondré que he nacido en Sevilla y que mi infancia toda es andaluza. Lo demás... Sería estúpido ponerme a relatar incidentes para satisfacer una curiosidad que me es muy fácil suponer que no existe."*

*V. A.*

Figuraban, además, los siguientes poemas. Los dos últimos figuraban como del libro inédito "Cantando en las Carolinas".

2

### AMANTE

LO que yo no quiero
es darte palabras de ensueño,
ni propagar imagen con mis labios
en tu frente, ni con mi beso.

La punta de tu dedo,
con tu uña rosa, para mi gesto
tomo, y, en el aire hecho,
te la devuelvo.
De tu almohada, la gracia y el hueco.
Y el calor de tus ojos, ajenos.
Y la luz de tus pechos
secretos.

Como la luna en primavera,
una ventana
nos da amarilla lumbre. Y un estrecho
latir
parece que refluye a ti de mí.
No es eso. No será. Tu sentido verdadero
me lo ha dado ya el resto,
el bonito secreto,
el graciosillo hoyuelo,
la linda comisura
y el mañanero
desperezo.

6

## FORMA

SE iba quedando callada
hasta que la sombra espesa
se hizo cuerpo tuyo.
¡Ya te tengo! ¡Ya te tengo!
Aquí la sombra del cuarto,
piel fina, piel en mis dedos,
siente, tiembla. Fina seda
que palpita humanamente
entre mis dedos de nieve.

Mis dedos de hielo rizan
tu delicada quietud,
totalidad de este cuarto,
corporal y muda, extensa
sobre la estancia dormida.

Para mis ojos azules
tu negra forma se entrega,
cuajada y pura, inocente,
oh soledad de mi cuarto.

Pero no quiero mirarte.
A oscuras, paredes justas,
cámara, entraña, me aprietas;
te siento exacta y te amo,
cerrazón de vida y muerte,
negra posesión del aire,
sombra que habito y que siento
contra mi piel semejante.
Blancas paredes fronteras,
densa presencia estrechada,
cuerpo que ciego adivino
en mis sentidos dorados.

7

## MAR MUERTO

¡CUANTAS veces sabiendo
que eras tú, yo caía
en tu misma sonrisa,
mar abierta, mar plana,
estival, pez, sacando
tus palabras conmigo!
¡Qué nadar! Tú no sabes
que ese mar tan arriba
es ya cielo, y que el aire

me sostiene tan líquido,
tan cristal, que yo en él
por tus ojos tan verdes
afilado me pierdo.

¡Qué nadar! Algas, vivas
indecisas miradas.
¡Agua mía, si helada,
aguzándome siempre!

¿No te clavo? ¿No sientes
que un trayecto, una herida
—¡qué lanzada!—en tu pecho,
agua verde, te dejo?

Con justeza te hiendo,
agua suya, y palpitas,
en tu pecho, mar grande,
en tu carne clavado.

Sin sangrar. Las espumas
te resbalan, qué piel,
qué agonía, y me guardas
en tu inmenso destino,
oh pasión, oh mar cárdeno.

Surto. Cesa tu aliento,
desfalleces, mar último,
y te olvidas de todo
para ser, sólo estar.

¡Y qué muerto! Tu verde
tan profundo, reposa
hasta el lento horizonte,
que te cierra parado.

En la orilla te miro,
oh cadáver, mar mío,
y te peso despacio
en tu carne, y mis labios
alzo fríos y secos.

10

## DESIERTO

*LUMEN lumen* Me llega cuando nacen
luces o sombras revelación Viva
Ese camino esa ilusión neta
Presión que sueña que la muerte miente
Muerte oh vida te adoro por espanto
porque existes en forma de culata
Donde no se respira El frío sueña
con estampido-eternidad La vida
es un instante
justo para decir María   Silencio
una blancura un rojo que no nace
ese roce de besos bajo el agua
Una orilla impasible donde rompen
cuerpo u ondas mares   O la frente

13

## EN EL FONDO DEL POZO

ALLA en el fondo del pozo donde las florecillas
donde las lindas margaritas no vacilan
donde no hay viento o perfume de hombre
donde jamás el mar impone su amenaza
allí allí está quedo ese silencio
hecho como un rumor ahogado con un puño

Si una abeja si un ave voladora
si ese error que no se espera nunca
se produce
el frío permanece
El sueño en vertical hundió la tierra
y ya el aire está libre

Acaso una voz una mano ya suelta
un impulso hacia arriba aspira a luna
a calma a tibieza a ese veneno
de una almohada en la boca que se ahoga

¡Pero dormir es tan sereno siempre!
Sobre el frío sobre el hielo sobre una sombra de mejilla
sobre una palabra yerta y más ya ida
sobre la misma tierra siempre virgen

Una tabla en el fondo oh pozo innúmero
esa lisura ilustre que comprueba
que una espalda es contacto es frío seco
es sueño siempre aunque la frente esté borrada

Pueden pasar ya nubes Nadie sabe
Ese clamor ¿Existen las campanas?
Recuerdo que el color blanco o las formas
recuerdo que los labios sí hasta hablaban

Era el tiempo caliente Luz inmólame
Era entonces cuando el relámpago de pronto
quedaba suspendido hecho de hierro
Tiempo de los suspiros o de adórame
cuando nunca las aves perdían plumas

Tiempo de suavidad y permanencia
Los galopes no daban sobre el pecho
no quedaban los cascos no eran cera
Las lágrimas rodaban como besos
Y en el oído el eco era ya sólido

Así la eternidad era el minuto
El tiempo sólo una tremenda mano
sobre el cabello largo detenida

Oh sí En este hondo silencio o humedades
bajo las siete capas de cielo azul yo ignoro
la música cuajada en hielo súbito

la garganta que se derrumba sobre los ojos
la íntima onda que se anega sobre los labios

Una mano de acero sobre el césped
un corazón un juguete olvidado
un resorte una lima un beso un vidrio

Una flor de cristal que así impasible
chupa de tierra un silencio o memoria.

## LUIS CERNUDA

Era distinta en parte la VIDA y totalmente la POETICA.

### V I D A

*Nació Luis Cernuda en Sevilla el 21 de septiembre de 1902. En la Universidad de Sevilla conoció, como alumno, a Pedro Salinas. Se licenció en Derecho, pero no ha ejercido la carrera de abogado. Ha sido Lector de Español en la Universidad de Toulouse durante 1928-1929. Actualmente vive en Madrid.*

*Ha colaborado en la "Revista de Occidente", "Mediodía", "Papel de aleluyas", "Carmen", "Litoral", etc. Estado, soltero.*

### P O E T I C A

*Amablemente me ha enviado la siguiente nota, que define su posición espiritual ante la vida y la poesía:*

*"No valía la pena de ir poco a poco olvidando la realidad para que ahora fuese a recordarla, y ante qué gentes. La detesto como detesto todo lo que a ella pertenece: mis amigos, mi familia, mi país.*

*No sé nada, no quiero nada, no espero nada. Y si aún pudiera esperar algo, sólo sería morir allí donde no hubiese penetrado aún esta grotesca civilización que envanece a los hombres."*

*Véase además lo que a propósito de Paul Eluard publicó en "Litoral", 1929:*

*"Sea cual sea la forma angustiosa o indiferente de disponer resumiendo o, mejor, creyendo resolver los términos del problema poético—aún una frase en boga—resulta ahora ocioso, por no decir imposible, intervenir en tan misterioso dominio, donde solamente nos es dado suponer, pero nunca comprobar. Colocado también entre aquellos que se someten de mejor grado al gusto que a la necesidad, sólo quiero, en esta ocasión, comentar uno de los resultados actuales de ese mismo problema, una, además, de las respuestas más profundas, no sé si decir más sinceras, a esa pregunta implícita que todo poeta adivina en sí mismo, dentro, claro está, de un mundo impotente.*

*Me complace, es verdad, considerar así el poema como algo cuya causa, a manera de fugacísima luz entre tinieblas eternas o sombra súbita entre la luz agobiadora, permanece escondida; ya es bastante difícil la huella, incierta, falsa a veces, no importa, para buscar además el cuerpo invisible negado eternamente. Mi subjetividad y el Creador es demasiado para un cerebro—decía Lautréamont.*

*Porque, en efecto, sólo podemos conocer la poesía a través del hombre; únicamente él, parece, es buen conductor de poesía, que acaba donde el hombre acaba, aunque, a diferencia del hombre, no muere. En este sentido, el resultado o residuo poético, tentativa de alguien que creyó en la poesía, es fatalmente romántico. Ella, pues, es el destino de esos* alguien *que dicen: tú me escogiste para ti; yo, ¿qué había de hacer sino seguirte?"*

*Reproduzco también este párrafo de su artículo ("El Sol", 1931) "José Moreno Villa, o los andaluces en España":*

*"Los sistemas denominados para hacer reír, poesía pura o perfección de la poesía, una vez cumplida la tarea regocijante, han levantado su modesto vuelo de aves de corral. Indudable, desde luego, que, aunque desconocida, o confundida, o insultada, la poesía continúa a encantar y amargar las horas de los hombres. La inspiración, cierto, es obsesión de aquel que viciosamente, como de costumbre, mas de manera provisional, falto de mejor apelación hasta que tales nubes se disipen, llamaré poeta. Quiero designar aquel que en oscuridad traza sobre el papel, o no traza*

*en parte alguna, basta el poder invisible, palabras que, como palabras, en efecto, no pueden tener otro valor que ser soportes de una actividad cuyo origen y finalidad siguen tan misteriosos hoy, naturalmente."*

## O B R A

Poemas distintos:

1

¡ESA brisa reciente
en el espacio esbelta!
En las hojas, abriendo,
sólo una primavera.

Por el raso absoluto
del cielo sin divisa,
pájaros en la mano:
primeras golondrinas.

Un árbol quieto asume
la distancia tan breve.
Así el fervor alerta
la indolencia presente.

Verdes están las hojas.
El crepúsculo huye.
Ya las sombras alcanzan
las fugitivas luces.

En su paz, la ventana
restituye a diario
las estrellas, el aire
y el que estaba soñando.

2

URBANO y dulce revuelo
suscitando fresca brisa
para sazón de sonrisa
que agosta el ardor del suelo.
Si queda el mundo señuelo
de caña y papel pasivo
al curvo desmayo estivo,
está la brusca delicia
que levanta tu caricia,
¡oh ventilador cautivo!

3

EL divorcio indolente.
Ya la quietud se brinda.
Mullendo está la sombra
la blancura inaudita.

Si los sentidos nuevos
al presente se abren,
temprano es para el gozo,
que no amanece nadie

Y las músicas van
a endulzar el antaño.
¿Qué mano detendría
el sonido acordado?

La almohada no abre
los espacios risueños,
pero da la certeza
de que existen más lejos.

El tiempo en las estrellas.
Desterrada la historia.
Los sentidos se duermen
aguardando sus bodas.

5

LA soledad. No se siente
el mundo: sus hojas sella.
Ya la luz abre su huella
en la tersura indolente.
Acogida está la frente
al regazo del hastío.
¿Qué prisa, qué desvarío
a la belleza hizo ajena?
Porque sólo el tiempo llena
el blanco papel vacío.

6

INGRAVIDO presente.
Las ramas abren, trémulas.
¡Cuán cándidas escapan
estas horas pretéritas!

En la plaza remota
el mar, la mar, se instala.
Sobre la verde espuma
huye el aire en volandas.

Va sus vírgenes fuerzas
deponiendo la tarde.
El deber es quedar
entre el verdor unánime.

Olvidarán los días
su abanico de humo,
y un ángel lo abrirá
a la noche ya mustio.

a la noche, que finge
lo distante inmediato.
Y bajará la luna
a posarse en la mano.

## 7

¡CUAN tierna la estación,
sólo nido de tránsito,
abre un vuelo dc trenes
hacia el aire lejano!

Ya la mano conduce
al vagón resonante,
la ternura, los sueños:
su lírico equipaje.

La rosa de los vientos
en el andén levanta
un perfume de olas
y de tierras intactas.

Cuando vaya el paisaje
por las vías del tiempo,
¡qué lejos quedarán
el adios, el pañuelo!

¿Y la quietud no quiere
seguir la nueva estrella?
Dos anhelos cruzados
en el cristal se besan.

## 14
## ALGUIEN MAS

HASTA las hojas más íntimas
Ojos de la Tormenta estaba enamorado
Aun sin saber de quién
Enamorado a pesar de los muertos
Que por las noches en traje de mañana estiraban el aire
Recubriendo los pies de aquel muchacho innumerable
Con sonrisa partida como el que siempre espera.

Su amor sin forma descifrable
Marchaba sujetando recuerdos entre lunas
Una luna apagada o encendida era un recuerdo muerto o vivo
Mientras la juventud dormía con los ojos abiertos
O mientras la tormenta descendía al nivel de las cejas
Hasta los ojos mismos después hasta los labios
Sorprendidos en su trabajo insomne
De cantar las blasfemias con guitarra partida.

Dos muros conocían que el amor sin figura
Que el amor sin amor ni figura de amores
Que la tormenta en jaula y los hilos hidrópicos
Es amarillo todo
Es vivir con las manos vacías.

15

## NOCTURNO ENTRE LAS MUSARAÑAS

CUERPO de piedra cuerpo triste
Entre lanas con muros de universo
Idéntico a las razas cuando cumplen años
A los más inocentes edificios
A las más pudorosas cataratas
Blancas como la noche en tanto la montaña
Despedaza formas enloquecidas
Despedaza dolores como dedos
Alegrías como uñas.

No saber donde ir donde volver
Buscando los vientos piadosos
Que destruyen las arrugas del mundo
Que bendicen los deseos cortados a raíz
Antes de dar su flor
Su flor grande como un niño.

Los labios quieren esa flor
Cuyo puño besado por la noche
Abre las puertas del olvido labio a labio.

Los seis primeros, de "Perfil del Aire". Los otros, del libro inédito "Un río, un amor" (1929).

## MANUEL ALTOLAGUIRRE

Totalmente diferente VIDA y POETICA.

### V I D A

"*Nací en Málaga el 29 de junio de 1905. Soy licenciado en Derecho. Como obrero, soy tipógrafo y el único impresor de mis libros y revistas, que hago en un pequeño taller que he instalado en mi cuarto y que me acompaña en mis viajes. He viajado por España, Francia, Bélgica, Suiza e Italia. No me he casado. Formo parte de la expedición Iglesias, que saldrá en la primavera de 1932 para explorar la cuenca del río Amazonas. La fecha más importante de mi vida: el 8 de septiembre de 1926.*"

### P O E T I C A

"*Mis poetas españoles preferidos son Garcilaso de la Vega, San Juan de la Cruz y Juan Ramón Jiménez. No puedo aún opinar sobre lo que debo o quiero hacer en Poesía.*"

*M. A.*

El poema 4 lleva el título ALMA. No hay ningún cambio en la selección.

# INDICE ALFABETICO DE AUTORES

*(Los números en cursiva corresponden a la Antología 1915-1931)*

# INDICE GENERAL

*(Los números en cursiva corresponden a la Antología 1915-1931)*

ESTE LIBRO
SE ACABO DE IMPRIMIR
EL DIA 29 DE NOVIEMBRE DE 1974
EN LOS TALLERES DE
LITOGRAFIA EDER, S. L.
FRAY LUIS DE LEON, 11
MADRID-5

# *TEMAS DE ESPAÑA*

1. Juan Ramón Jiménez: **Platero y yo.** 9.ª ed. Texto completo. Ilustraciones de R. Zamorano.
2. **Poesía española.** (Antología por J. Campos.)
3. Calderón de la Barca: **El alcalde de Zalamea** y **La vida es sueño.** (Introducción de J. Campos.) 5.ª ed.
4. **Don Juan Tenorio (El burlador de Sevilla,** de Tirso de Molina, y **Don Juan Tenorio,** de José Zorrilla). (Prólogo de F. García Pavón.) 5.ª ed.
5. **Poesía hispanoamericana.** (Antología.)
6. Lope de Vega: **Fuenteovejuna** y **Peribáñez y el Comendador de Ocaña.** (Estudio preliminar de F. García Pavón.) 5.ª ed.
7. **El niño en la poesía castellana.** (Antología por J. Martínez Ortiz.)
8. **Siete poetas españoles.** (Antología de A. Machado, Alberti, Salinas, Guillén, Aleixandre, J. Ramón Jiménez, García Lorca.) 5.ª ed.
9. Eugenio Noel: **España, fibra a fibra.** (Recopilación y estudio por José G. Mercadal.) 2.ª ed.
10. **El Greco.** (Antología por M. Villegas.)
11. **Cuatro poetas de hoy.** (Antología de José Luis Hidalgo, José Hierro, Gabriel Celaya y Blas de Otero.) 4.ª ed.
12. **Refranero clásico español.** (Selección, introducción, notas y vocabulario por Felipe C. R. Maldonado.) 4.ª ed.
13. Gerardo Diego: **Poesía española contemporánea.** (Antología.) 7.ª ed.
14. **Romancero español.** (Antología por Felipe C. R. Maldonado.) 3.ª ed.
15. **Valencia.** (Antología por J. Campos.)
16. Duque de Rivas: **Don Alvaro o la fuerza del sino.** (Introducción por Jorge Campos.) 3.ª ed.
17. **Cancionero tradicional.** (Selección de José Hesse.)
18. M. Criado de Val: **Teatro medieval.**
19. **Teatro menor del siglo XVII.** (Antología por F. García Pavón.)

20. **La jota aragonesa.** (Antología, por José G. Mercadal.)
21. **Cancionero popular taurino.** (Antología por M. Martínez Remis.)
22. **El Madrid de Mesonero Romanos.** (Selección de José Hesse.)
23. **Poesía última.** (Antología por Francisco Ribes.) 3.ª ed.
24. **Siete narradores de hoy.** (Antología por Jesús Fernández Santos.) 3.ª ed.
25. **Cancionero infantil.** (Antología por Bonifacio Gil.) 2.ª ed.
26. Fernande Olivier: **Picasso y sus amigos.**
27. **Lazarillo de Tormes.** (Edición y notas de Carmen Castro.) 7.ª ed.
28. Miguel de Unamuno: **Niebla.** (Introducción de Harriet S. Stevens y Ricardo Gullón.) 5.ª ed.
29. **Muertes de toreros.** (Antología por B. Gil.)
30. **La Andalucía de Estébanez.** (Selección de J. Campos.)
31. José Pellicer: **Avisos históricos.** (Antología, selección de Enrique Tierno Galván.)
32. **Cante flamenco.** (Selección y estudio por Ricardo Molina.) 2.ª ed.
33. **Crónicas taurinas.** (Estudio y selección por José Altabella.)
34. **Vida teatral en el Siglo de Oro.** (Antología por José Hesse.)
35. Joaquín Dicenta: **Juan José,** y Federico Oliver: **Los semidioses.** (Presentación y estudio por F. García Pavón.)
36. María de Zayas: **Novelas.** (Selección de José Hesse.)
37. **Cancionero del campo.** (Presentación y selección por Bonifacio Gil.)
38. Fernán Caballero: **Cuadros de costumbres.** (Selección y estudio por José Hesse.)
39. Juan Ramón Jiménez: **La colina de los chopos. (Madrid posible e imposible.)** (Selección, ordenación y prólogo de Francisco Garfias.) 2.ª ed.
40. **Coros y chirigotas. El Carnaval de Cádiz.** (Recopilación de Ramón Solís.)
41. **Romancero del Cid.** (Recopilación de Felipe C. R. Maldonado.) 2.ª ed.
42. Gil Vicente: **Don Duardos** y **Autos.** (Selección e introducción de Mercedes Guillén.)
43. Miguel de Unamuno: **Cancionero.** (Selección e introducción de Antonio Ramos Gascón.) 2.ª ed.
44. José de Palafox: **Autobiografía.** (Preparación e introducción de José G. Mercadal.)
45. William Beckford: **Un inglés en la España de Godoy.** (Traducción, selección y prólogo de Jesús Pardo.)

46. José Luis Hidalgo: **Los muertos.** (Presentación e introducción de Jorge Campos.) 3.ª ed.
47. **Romances de ciego.** (Recopilación y estudio preliminar de Julio Caro Baroja.)
48. José Zorrilla: **Traidor, inconfeso y mártir.** (Edición y prólogo de Elías Torre Pintueles.)
49. Miguel Hernández: **Poesías.** (Selección y prólogo de Jacinto Luis Guereña.) 6.ª ed.
50. Lope de Rueda: **Pasos completos.** (Prólogo de F. García Pavón.) 2.ª ed.
51. **Romancero de germanía.** (Selección y prólogo de José Hesse.)
52. Mariano José de Larra: **Artículos sociales.** (Recopilación e introducción de Juan Eduardo Zúñiga.)
53. Fernando de Rojas: **La Celestina.** (Edición e introducción de Joaquín del Val y María Antonia Merino.) 2.ª **ed.**
54. Antonio Espina: **Seis vidas españolas.**
55. Miguel de Cervantes: **La destrucción de Numancia.** (Edición y ensayo preliminar de Ricardo Doménech.)
56. Duque de Rivas: **El moro expósito.** (Edición e introducción de Elías Torre Pintueles.)
57. Conde de Carnarvon: **Viajes por la Península Ibérica.** (Selección y prólogo de Jesús Pardo.)
58. **El deporte en el Siglo de Oro.** (Antología, selección y prólogo de José Hesse.)
59. Eugenio Noel: **Escritos antitaurinos.** (Selección y prólogo de José G. Mercadal.)
60-61. Miguel de Cervantes: **Don Quijote de la Mancha.** 2 vols.
62. Francisco Delicado: **La lozana andaluza.** (Estudio preliminar y bibliografía por Joaquín del Val.)
63. Frederick Hardman: **La guerra carlista vista por un inglés.** (Selección, prólogo y notas de Jesús Pardo.)
64. Eugenio Noel: **Las siete Cucas.** (Prólogo de José G. Mercadal.) 2.ª ed.
65. José Cadalso: **Noches lúgubres.** (Edición, prólogo y notas de Edith F. Helman.)
66. Don Juan Manuel: **El Conde Lucanor.** (Introducción de Jesús Lizano.) 2.ª ed.
67. Lope de Vega: **El castigo sin venganza.** (Prólogo, bibliografía y notas de Josefina García Aráez.)
68. Guillén de Castro: **Las Mocedades del Cid,** y Pierre Corneille: **El Cid.** (Edición y prólogo de José Corrales Egea.)
69. Antonio Machado: **Soledades.** (Estudio y notas de Rafael Ferreres.) 4.ª ed.

70. Emilia Pardo Bazán: **La Tribuna.** (Introducción de José Hesse.)
71. Ramón de Campoamor: **Los pequeños poemas.** (Introducción de Salustiano Masó.)
72. **Poesía mariana medieval.** (Antología, introducción y notas de Joaquín Benito de Lucas.)
73. Guillén de Castro: **El Narciso en su opinión,** y Agustín Moreto: **El lindo Don Diego.** (Edición e introducción de A. V. Ebersole.)
74. Manuel Bretón de los Herreros: **Marcela o ¿a cuál de los tres?** (Introducción y notas de José Hesse.)
75. Roberto de Nola: **Libro de cozina.** (Edición e introducción de Carmen Iranzo.)
76. **Dramas litúrgicos del siglo XVI: Navidad y Pascua.** (Edición y prólogo de Jaime Moll.)
77. Tirso de Molina: **Don Gil de las calzas verdes.** (Introducción de Ricardo Doménech.)
78. **La España fernandina.** (Edición y prólogo de Ricardo Blasco.)
79. Alvar Núñez Cabeza de Vaca: **Naufragios y comentarios.** (Edición y prólogo de Dionisio Ridruejo.)
81. Diego de Torres y Villarroel: **Sainetes.** (Prólogo de José Hesse.)
82. Ana María Pelegrín: **Poesía española para niños.** (Antología.) 2.ª ed.
83. **Seis poetas catalanes.** (Antología por José Batlló.)
84. Antonio Machado: **Campos de Castilla.** (Edición de Rafael Ferreres.) 2.ª ed.
85. Leopoldo Alas, «Clarín»: **Superchería. Cuervo. Doña Berta.** (Prólogo de Ramón Pérez de Ayala.)
86. Emilia Pardo Bazán: **Insolación.** (Introducción de José Hesse.)
87. Lope de Vega: **El lacayo fingido.** (Edición e introducción de Carmen Bravo-Villasante.)
88. Miguel de Cervantes: **Poesías.** (Introducción, selección y notas de Vicente Gaos.)
89. Rodrigo de Reynosa: **Coplas.** (Introducción, selección y notas de María Inés Chamorro Fernández.)
90. Juan Cortés de Tolosa: **El Lazarillo de Manzanares.** (Introducción, notas y glosario de María Inés Chamorro Fernández.)
91. Juan Ramón Jiménez: **Cuadernos.** (Edición preparada por Francisco Garfias.) 2.ª ed.
92. Andrés Rey de Artieda, Tirso de Molina: **Los amantes de Teruel.** (Edición e introducción de Carmen Iranzo.)